Nicolas Machiavel

Le Prince
et autres écrits
politiques

traduction par J.V. Péries
revue par Philippe Ranger
présentation, chronologie et notes
par Philippe Ranger

L'Hexagone / Minerve

Le Fonds F.C.A.C. pour l'aide à la création a accordé une subvention pour la rédaction et l'édition de cet ouvrage.

Titre original:
De Principatibus.

Illustration de couverture:
Jérôme Bosch, *L'Escamoteur*
Musée municipal, Saint-Germain-en-Laye.

Photocomposition:
Atelier LHR.

BALISES
Case postale 337, Succursale N
Montréal H2X 3M4

ISBN 2-89235-002-6

Sommaire

ANNEXES

Remerciements

Ce recueil n'aurait pas vu le jour sans l'assistance de plusieurs personnes. Parmi elles, il faut nommer d'abord le directeur de la collection Balises, Robert Dessureault, à qui je dois l'initiative du recueil. Ensuite, Carmen Catelli, de la Bibliothèque centrale de la Ville de Montréal, qui m'a permis un accès commode à l'édition Péries. Enfin, Josiane Ayoub, professeur à l'université du Québec à Montréal, et Yves Laurendeau, professeur au collège de Maisonneuve, qui ont tous deux revu mon texte et qui se sont en outre chargés de vérifier, l'une, la correction de la traduction Péries et, l'autre, les aspects historiographiques de la présentation et des notes.

Ph.R.

Avertissement

Le présent recueil est composé de façon à former une introduction à Machiavel. Si l'on veut s'en servir à cette fin, on peut lire la présentation soit avant soit après le choix de textes. Ceux-ci devraient cependant être lus dans l'ordre où ils apparaissent, avec les «Notes» qui les précèdent. En effet, les textes de Machiavel et les notes sont choisis et placés pour que ce qui vient d'abord, présentant ce qui est le plus concret et le plus proche de la vie de Machiavel, construise progressivement le contexte de ce qui vient ensuite. De cette façon, la pensée de Machiavel sera plus facile à entendre quand on abordera le principal et dernier texte du recueil, *le Prince*. La présentation répond au même souci de restituer le contexte intellectuel et politique dans lequel Machiavel écrivait. Le premier texte de présentation, «L'héritage de Machiavel», donne les renseignements historiques nécessaires pour suivre l'analyse du second, «Mythes et raisons de Machiavel».

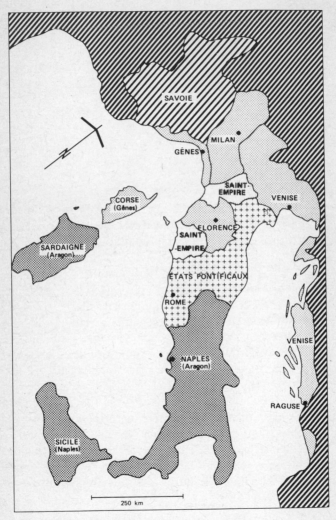

L'Italie au temps de Machiavel.

L'héritage de Machiavel

1115: Mort de Mathilde, marquise de Toscane. La grande œuvre de sa vie a été la réconciliation (éphémère) de son propre suzerain, Henri IV, empereur du Saint Empire romain germanique, avec le pape Grégoire VII. Dès 1077, elle a légué tous ses Etats à ce dernier. Le Saint Empire conteste cette succession. La principale ville de Toscane, Florence (*Firenze*), en profite pour obtenir le statut de ville libre, ou bourg; pour la suite de l'histoire de Florence, voir la «Note sur la Florence de Machiavel». A l'époque, et pour sept siècles encore, l'Italie n'est pas un pays mais une région — et, dans un sens très large, un peuple, à cause de la communauté des traditions et des dialectes. A la suite des invasions germaines, et même mongoles, se succédant depuis le cinquième siècle sur le territoire de l'ancienne Italie romaine, un empereur germain a pu créer en 962 le Saint Empire, en obligeant le pape à le couronner. L'Italie proprement dite est donc la partie du Saint Empire qui s'étend entre les Alpes et le royaume de Naples. Cette région est dès lors disputée entre le Saint Empire et le Saint-Siège, puis aussi entre plusieurs suzerains étrangers, suivant des frontières généralement instables. Cette région comprend la Corse, mais ni la Sicile ni la Sardaigne, qui appartiennent au royaume espagnol chrétien d'Aragon. Sur l'autre flanc des Alpes, la Savoie est mi-italienne, mi-française. Bientôt, l'expansion de la république de Venise fera une région italienne de ce qui est aujourd'hui la côte yougoslave.

1202: Mort d'un moine visionnaire du royaume de Naples, Joachim de Flore. Ses prédictions peignent une humanité qui s'achemine vers un nouveau paradis, l'âge des Justes. Combattue, et plus ou moins secrète, cette doctrine se transmettra à de nombreuses générations de moines, notamment franciscains, et à leurs élèves laïcs.

1226: A Assise, à mi-chemin entre Rome et Florence, meurt François d'Assise, de son vivant même (et depuis) le plus grand saint du catholicisme populaire. Il laisse à la littérature italienne son premier grand poème, le *Cantique des créatures*. Il a fondé en 1209 un ordre religieux, les Frères mineurs, destiné à l'action évangélique populaire. L'ordre s'est étendu avec une rapidité inouïe, mais François en a perdu le contrôle. Avant sa mort, c'était déjà devenu un ordre monastique traditionnel (qui se corrompra vite), connu comme l'ordre des Franciscains. François sera canonisé deux ans après sa mort.

1229: A Toulouse, dans le sud de la France, une inquisition dirigée contre les Cathares par les Dominicains prohibe pour la première fois la lecture de la Bible par les laïcs. L'ordre des Dominicains, ou Ordre prêcheur, a été fondé à Toulouse quatorze ans plus tôt,

par un Espagnol, pour combattre «l'hérésie» cathare
(ou albigeoise). Celle-ci est en fait une religion
(manichéo-chrétienne) non encore assimilée au catholicisme officiel, partagée par un peuple mal soumis au
pouvoir féodal. Le mouvement de scission entre les
clercs (lettrés et rattachés au pouvoir catholique) et les
laïcs (ignorants et censément soumis) est une tendance
générale de l'époque (contre laquelle se révoltait François). L'Inquisition sera officialisée par Rome en 1233.
La mission originale des Dominicains est d'étendre et
de défendre l'orthodoxie; parce que cette mission est
plus conventionnelle que celle des Franciscains, les
Dominicains la garderont durant des siècles; et, à
cause de cette fidélité et de cette différence, les Dominicains conserveront, eux, ce caractère de marginalité
que les Franciscains sont rapidement en train de
perdre.

1274: Dans le royaume de Naples, où il est né,
meurt le philosophe dominicain Thomas d'Aquin. A
Cologne, puis à Paris, il s'est instruit du système du
philosophe grec Aristote, transmis à l'Europe par les
philosophes de l'Espagne arabe. Au quatrième siècle
avant notre ère Aristote fut un disciple dissident de
Platon. Or, la philosophie chrétienne est née de l'école
de Platon; l'aristotélisme est très mal vu par l'autorité.
Mais Thomas y a vu un moyen de libérer la philosophie chrétienne des «erreurs» platoniciennes; il s'est
donc occupé à réconcilier l'aristotélisme avec l'autorité
et la tradition catholiques. Il laisse un système théolo-
gique élaboré, dont plusieurs des principaux éléments
sont condamnés avant et après sa mort. Néanmoins, le
succès de cette pensée dans l'Eglise lettrée est compara-
ble (quoique plus lent) à celui de la figure de François

dans l'Eglise populaire. En 1323, cherchant à raffermir la doctrine chrétienne, le pape Jean XXII canonisera Thomas, puis lèvera les condamnations prononcées contre son système, le «thomisme», et lui accordera un statut central dans la théologie officielle.

1321: Mort en exil du poète florentin Dante Alighieri. Dante est déjà l'héritier d'une tradition poétique florentine, et le dialecte de Florence, le toscan, est la langue littéraire principale de l'Italie (et deviendra la principale source de l'italien littéraire moderne). Après avoir été condamné pour des poèmes politiques trop marqués par l'idéologie progressiste et utopiste de Joachim de Flore, Dante a occupé la fin de sa vie à une immense composition spirituelle, la *divine Comédie,* qui est restée le poème le plus célèbre de la culture italienne. Dante est contemporain des peintres florentins Cimabue et Giotto. A cette époque, Florence, enrichie par l'industrie de la laine, est en pleine expansion commerciale et financière.

1346: Premier emploi important de l'artillerie en Europe chrétienne, par les Anglais à la bataille de Crécy. Connue depuis au moins 1327, l'artillerie va s'imposer parce qu'elle permet aux assiégeants de triompher beaucoup plus facilement des forteresses médiévales.

1348: A l'été, la Peste noire tue 60 % de la population de Florence.

1375: Mort de l'écrivain florentin Jean Boccace. Celui-ci s'est d'abord illustré par des poèmes d'amour (en toscan), puis par des fables et des contes, restés très célèbres; à la fin de sa vie, il est revenu à l'écriture latine. Boccace est au centre du premier mouvement humaniste (voir ci-dessous «Mythes et raisons» 4). Son ami, le poète toscan Pétrarque, mort un an plus tôt, a laissé des poèmes d'amour du plus grand art, renouvelant à la fois l'écriture et la poétique italiennes. A cette époque, Florence est le plus important centre financier et commercial d'Europe.

1412: Publication d'une étude géométrique sur «les Règles de la perspective» par l'architecte et sculpteur florentin Filippo Brunelleschi. Cette étude est marquante parce qu'elle réalise un progrès réel en art en appliquant un idéal humaniste de clarté, de raison, et de compréhension de l'homme. Le même idéal s'exprime dans l'œuvre architectural de Brunelleschi, notamment le dôme de la cathédrale de Florence. Au moment où commence le déclin financier et commercial de Florence, celle-ci s'impose comme centre de l'humanisme. Parmi les amis florentins de Brunelleschi, on trouve le sculpteur Donatello et le peintre Masaccio. Ce dernier accomplit dans la pratique de la peinture un pas aussi important que celui de Brunelleschi dans la théorie.

1431: Jeanne la Pucelle, paysanne visionnaire française, meurt à 19 ans, brûlée à Rouen par un tribunal d'inquisition en tant que sorcière. Jeanne d'Arc ne sera canonisée qu'en 1920.

1440: Les néo-platoniciens florentins fondent une Académie, réponse humaniste à la domination du thomisme dans la philosophie catholique.

1453: Les Turcs, musulmans, conquièrent Byzance (Constantinople), capitale chrétienne de l'Empire romain d'orient. De nombreux réfugiés lettrés apportent dans le nord de l'Italie la culture byzantine, qui est

demeurée grecque depuis l'antiquité. Au même moment en Allemagne, Johann Gutenberg, qui travaille
obscurément depuis vingt ans à améliorer une vieille
technique, l'impression, publie le premier livre imprimé, une Bible. Cette technique révolutionnaire qui permet, pour la première fois dans l'histoire, la diffusion
large des livres, va prendre un essor très rapide. On estime qu'en 1501 l'Europe comptera 35 000 titres imprimés, en un total de dix millions d'exemplaires.

1469: Nicolas Machiavel naît à Florence le 3 mai,
d'une mère de famille noble appauvrie et d'un père
notaire et fonctionnaire, appartenant au *popolo grasso*.
Les études de Nicolas en feront un lettré, au sens où le
latin sera sa seconde langue, et, comme tout lettré
florentin, un humaniste. Les amis de Machiavel prati-
queront le grec, mais il n'y aura dans ses œuvres à lui
aucune référence à un texte non traduit en latin. Parmi
les peintres actifs à Florence durant la jeunesse de
Machiavel, nommons Filippino Lippi, Botticelli, Ver-
rocchio et son élève, Léonard de Vinci, que Machiavel
rencontrera plus tard. Machiavel est de six ans l'aîné
de Michel-Ange, et de quatorze celui de Raphaël.
Florence compte sans doute alors un peu plus de cent
mille habitants.

1487: Alors que Machiavel a 18 ans, un humaniste
florentin qui en a 24, Jean Pic, comte de la Mirandole,
se défend (par écrit) contre les accusations d'hérésie
portées contre lui par le Vatican; une partie de cette
défense deviendra célèbre: le «Discours sur la dignité
de l'homme». Pic est lui-même déjà célèbre comme
(dans nos mots) homme de la Renaissance; il est très
beau, profondément érudit, brillant polémiste, et

protégé par le maître de Florence, Laurent le Magnifique (de Médicis), adversaire du pape Innocent VII,
Franciscain. Le projet de Pic est de réconcilier le néo-
platonisme avec le christianisme (comme Thomas d'A-
quin l'avait fait pour l'aristotélisme). En fait, il réunit
plutôt l'humanisme érudit et l'utopisme religieux de
Joachim de Flore (aux résonances populaires), en
montrant que l'homme est le centre de l'univers et
qu'il est promis à un développement infini.

1492: La civilisation arabe disparaît d'Espagne avec
la prise de Grenade par Ferdinand le Catholique.
Celui-ci persécute aussi les juifs, avec l'aide de l'Inquisition dominicaine. Sa femme, Isabelle de Castille,
finance la même année une expédition maritime dirigée
par un Portugais d'origine italienne, Christophe
Colomb, qui part chercher une route vers les Indes qui
ne soit pas contrôlée par les marchands vénitiens ou
turcs. La trouvaille de Colomb est de partir vers
l'ouest, parce qu'il donne foi à d'antiques théories
grecques qui disent que la terre est ronde plutôt que
plate, et qui ont été remises à l'honneur par les
humanistes. Son projet est d'ailleurs conforme à un
plan (connu de Colomb) dressé en 1474 par le physicien florentin Toscanelli, ami de Brunelleschi. Colomb
atteindra en fait les Antilles et, pendant huit ans, y
passera plus de temps qu'en Europe. En 1500, l'ensemble des Antilles sera sous la domination des Espagnols,
occupés à tirer tout ce qu'ils peuvent des indigènes. A
ce moment-là Colomb, qui viendra d'atteindre la côte
brésilienne, présentera toujours sa découverte comme
la partie orientale des Indes.

1494: Charles VIII, roi de France, se lance à la

Pinturicchio: Portrait d'Alexandre VI, détail du *Jugement dernier* (appartements privés d'Alexandre VI, Vatican).

conquête de l'Italie. Le jeu des intérêts politiques en Italie fait que cette conquête (éphémère) se déroule comme une longue marche, aboutissant à la prise de Naples en février 1495. A Florence, les manœuvres de Charles VIII font expulser les Médicis. Dès lors, la grande affaire à Florence est la lutte entre «pleurards» et «enragés», les premiers partisans, les seconds adversaires d'un prédicateur dominicain réformateur, Jérôme Savonarole. A partir du carême 1496, les pleurards triompheront, et brûleront les œuvres humanistes, considérées comme fastueuses. Botticelli et Michel-Ange sont cependant pleurards, comme Pic, qui meurt le jour de l'entrée de Charles VIII à Florence. Mais non Machiavel.

1497: C'est la famine à Florence. A Rome, en juin, Jean Borgia, fils aîné du pape, est assassiné. Machiavel avec bien d'autres suppose que c'est sur les ordres de son frère cadet, César, «par envie ou jalousie» au sujet de leur sœur, Lucrèce (*Histoires* IX, 1). Il s'agit de trois enfants reconnus de Giovanna dei Cattani et de Rodrigue Borgia (d'origine espagnole); celui-ci, devenu le pape Alexandre VI en 1492, est le plus scandaleux exemple des «papes de la Renaissance». Pour illustrer le climat qu'il accepte et cultive, racontons qu'à l'été 1501 Lucrèce, âgée de 21 ans, se montrera dans Rome avec un enfant de trois ans (sans doute son demi-frère) dont tous la croiront la mère. En septembre, elle partira élever cet enfant (Jean Borgia) auprès de (mais non chez) son nouveau mari (le troisième). Elle emportera alors deux bulles privées datées du premier septembre (une bulle est un document officiel de la main du pape). La première reconnaîtra «notre cher fils, César» comme père de l'enfant; la seconde dénoncera la première comme fausse, destinée à donner un père nommable à un fils «de notre fait à Nous [Alexandre VI]». Une troisième bulle, enfin, du 17 septembre, réglera l'héritage que Lucrèce doit laisser à l'enfant, d'une manière qui donne à croire qu'elle en est bien la mère, et qu'il a spécialement la faveur du pape. En 1493, Alexandre VI a levé la condamnation de Pic. En 1494, soit un an après le premier retour de Colomb, il a arbitré le traité de Tordesillas entre l'Espagne et le Portugal. Ce traité divise entre eux ce qui deviendra le Nouveau Monde (nous lui devons la guerre des Malouines); ses termes reconnaissent de fait la thèse que la terre est ronde.

1498: Alexandre VI parvient, à la suite de la famine et avec l'aide des Franciscains, à faire liquider Savonarole par les Florentins. Florence redevient une république dans les faits, et cela crée l'ouverture qui permet à Machiavel, âgé de 29 ans, d'entrer à la Chancellerie comme haut fonctionnaire diplomatique. Délégué auprès des grandes cours d'Allemagne, de France, et surtout d'Italie, il voyagera beaucoup (à un rythme qui, dans les conditions de l'époque, démontrera chez lui une excellente résistance physique). Son titre reflétera toujours son origine modeste, mais ses rapports, pratiquement quotidiens, deviendront bientôt ceux d'un conseiller et d'un négociateur hautement respecté par son gouvernement.

1502: Nicolas Machiavel épouse Marietta Corsini, de vieille famille. Ils auront quatre fils et une fille. Mais la correspondance de Machiavel ne parlera pour ainsi dire jamais de son ménage, alors qu'elle relatera ses plus insignifiantes aventures amoureuses. A la même époque, un navigateur florentin proche des cercles fréquentés par Machiavel, Amérique Vespuce, prouve que l'Amérique du sud n'est pas le même continent que les Indes (d'où le nom donné plus tard à ce nouveau continent). De 1499 à 1502, Vespuce a exploré presque toute la côte est de l'Amérique du Sud. C'est le plus habile géographe de son temps; sa mesure de l'équateur comporte une erreur de seulement 80 km (sur 38 600). Publiés en 1505 et 1507, ses récits de voyages marqueront l'imagination des princes en parlant de pays où l'or est un métal commun, et l'imagination des lettrés en parlant de peuples aux mœurs sauvages mais idéalement libres et simples. Pendant ce temps, les Espagnols explorent l'Amérique centrale. De leur côté, les Anglais ont envoyé dès 1497 un navigateur vénitien, Jean Cabot, explorer une région connue depuis un siècle par les pêcheurs, soit Terre-Neuve et l'actuelle Nouvelle-Ecosse; ils poursuivront sans relâche l'exploration, puis l'exploitation, de la côte est de l'Amérique du Nord. Les Portugais, qui ont déjà établi des postes de traite sur la côte atlantique de l'Afrique, trouvent en 1502 (Vasco de Gama) la fameuse «route des Indes» recherchée par Colomb, mais dans le sens inverse, vers l'est par l'océan Indien. Ils organisent immédiatement l'exploitation des Indes et de la côte est de l'Afrique. Ils s'établiront ensuite sur les îles de l'océan Indien et de l'ouest du Pacifique; en 1520, ils auront un poste en Chine. Très rapidement, la géographie de Vespuce sera celle des grands navigateurs; en 1522, les restes d'une expédition espagnole compléteront le premier tour du globe. Au même moment, l'Espagne commencera à recevoir l'or du Mexique, conquis par Cortez.

1503: Alexandre VI meurt au mois d'août. Cela met fin à la carrière de conquérant que poursuit son fils César Borgia, depuis quatre ans, avec les trésors de l'Eglise. Depuis 1501, Machiavel représente Florence auprès de César; ses lettres d'alors donnent de la carrière de celui-ci une appréciation beaucoup plus pondérée que l'éloge qu'il livrera dans *le Prince VII*. César mourra en 1507, vague capitaine au cours d'un siège en Espagne.

1504: Louis XII, successeur de Charles VIII sur le trône de France, ayant voulu répéter en 1499 l'expédition italienne de son prédécesseur, s'est fourré dans un conflit d'alliances qui le mène maintenant à la défaite. Mais il a surtout commis l'erreur d'inviter Ferdinand le Catholique à pénétrer en Italie. Machiavel, qui est sur les lieux des décisions, déplore tout l'épisode. Mais il admire l'unité nationale (bourgeoise) que, contrairement à l'Italie, la France et l'Espagne ont su réaliser au cours du dernier demi-siècle.

1513: En décembre 1512, le retour des Médicis à Florence a aboli la république, et du même coup le poste de Machiavel. En janvier 1513, il est emprisonné et soumis à un supplice mineur, l'estrapade. A sa sortie de prison, en février, il reprend son activité quotidienne, l'écriture. Mais cette fois c'est pour son propre compte; il veut mettre par écrit, à l'intention des cercles qu'il fréquente, le fruit de l'activité d'humaniste qu'il poursuit depuis sa jeunesse. Machiavel a alors 44 ans; sur sa vie à cette époque, voir ci-dessous la *Lettre*, ainsi que «Mythes et raisons» 5 et 9. Ce nouvel effort donnera les *Discours,* jamais terminés, et l'*Art de la guerre*, publié en 1521. Parce que Machiavel cherche aussi à reprendre son travail, mais auprès des

Médicis, cela donne encore un petit livre bref et bien tourné, *le Prince*, terminé en décembre 1513 et destiné au souverain de Florence, Julien de Médicis. Mais Machiavel est officiellement en exil forcé, et on lui fait savoir que son présent est irrecevable. Julien mourra en 1516 et l'année suivante Machiavel fera le geste d'envoyer *le Prince* à son successeur, Laurent. Florence, cependant, est en train de s'éteindre comme État autonome, et ce Laurent, duc d'Urbin, ce ne sera plus ce prince bourgeois, souverain, auquel s'adressait *le Prince*; la dédicace ajoutée par Machiavel en 1517 sera de pure forme. De la réception du présent, Machiavel n'aura d'ailleurs aucune nouvelle (voir son commentaire amer dans la dédicace des *Discours*). Les *Discours*, l'*Art de la guerre* et *le Prince* seront tout l'œuvre politique de Machiavel. Signalons que personne à l'époque ne s'étonnera de l'irréligion du *Prince,* ni de son «machiavélisme», c'est-à-dire de son point de vue pragmatique sur la politique. *Le Prince* se distingue plutôt, dans son contexte, par sa prise de position nationaliste et humaniste. Le thème même du livre, l'appel au sauveur de l'Italie, est repris de Dante et de Pétrarque.

1515-1517: Machiavel fréquente le parc d'une riche famille florentine, les Rucellai, dont les fils font partie d'une petite «académie» humaniste qui s'y réunit pour discuter, et pour écouter Machiavel. Les *Discours,* commencés entre 1510 et 1512, sont finalement destinés à ce cercle, de même que certains morceaux littéraires. Machiavel laissera une trentaine de tels morceaux, souvent en vers, équivalant à peu près à ce qu'on trouverait aujourd'hui dans des revues littéraires, et qui circuleront sous diverses formes; les plus populaires seront ses poèmes satiriques. Malgré les avertissements de Machiavel, deux jeunes membres de l'académie Rucellai seront exécutés en 1522 pour avoir comploté contre l'archevêque de Florence, Jules de Médicis, qui deviendra le pape Clément VII l'année suivante.

1517: Martin Luther, moine allemand profondément religieux, et lettré humaniste, affiche à Wittenberg ses «95 thèses». L'Italie est le centre de l'humanisme, mais sa politique et ses mœurs ne manquent jamais de scandaliser les humanistes étrangers. Luther était revenu de Rome révolté par le faste du Vatican. Exprimant un sentiment largement partagé, ses thèses proposent une réforme du catholicisme contre le Vatican; le refus de ce dernier fera de cette réforme la Réforme protestante. La Réforme revendique (si l'on veut être bref) l'autonomie de la conscience, le renouveau de la foi, et la restauration d'une Eglise dont l'autorité s'appuie sur le sentiment des fidèles. L'imprimerie la favorise en permettant la diffusion de la Bible, puis celle des écrits réformateurs. La Réforme s'installe surtout dans les Etats les plus urbanisés et bourgeois du Saint-Empire, qui est depuis des siècles l'adversaire politique du Vatican. Au départ, il n'y a guère de différence d'opinion entre les réformateurs lettrés et les humanistes croyants, hors d'Italie. Le partage se fera difficilement; les humanistes qui resteront catholiques seront peut-être ceux qui sont le moins optimistes au sujet de la raison humaine et du progrès historique. Parmi eux, deux sont particulièrement célèbres à l'époque: le Hollandais Erasme et son ami, l'Anglais Thomas More. Au Vatican même, Léon X puis Clément VII (élu en 1523) seront dépassés par ces événements qui ne sont ni italiens ni, à leur sens, politiques. En 1530, la Confession d'Augsbourg marquera la séparation des Eglises luthériennes d'avec le Vatican.

1520: Machiavel abandonne toute écriture sérieuse, sauf les *Histoires florentines*, qu'il va se faire payer par Clément VII (délaissant l'offre d'un mécène laïc, qui y accorderait une attention trop personnelle). Pour les Médicis, il se met à remplir, épisodiquement, diverses missions d'une insignifiance presque insultante. Machiavel ne se consolera pas de rater son retour à l'*activité* politique; vers 1525, il signera une lettre, avec une ironie à double sens: «auteur historique, tragique et comique», signalant l'oubli qui recouvre aussi bien ses écrits politiques que les services qu'il a rendus à son gouvernement et à sa patrie.

1525: Année faste pour l'auteur comique, qui a maintenant 56 ans. Ses deux comédies, la *Mandragore* et *Clizia*, sont jouées à Florence avec un grand succès, et il gagne aussi le gros lot à la loterie de Venise. La comédienne principale de la Mandragore, la Barbera, lui fournit la grande aventure de sa vieillesse; l'an suivant il la suivra au cours de la tournée de la Mandragore — qui va devenir la plus célèbre comédie italienne de l'époque.

1527: Le 6 mai, Charles V, empereur du Saint Empire, prend Rome et la livre au pillage, tandis que Clément VII se terre dans les souterrains du Vatican. Les Médicis sont chassés de Florence, qui redevient république (pour deux ans, et pour la dernière fois). Toujours désireux de retourner à la vie politique active, Machiavel demande sa réintégration à la Chancellerie. On ne lui pardonne pas d'avoir frayé avec les Médicis: 555 voix contre 12. Le 22 juin, il meurt à 58 ans d'un mal d'estomac. Les *Histoires* ne sont pas terminées. Seul un cercle restreint a pu lire les *Discours*. *Le Prince*, terminé depuis treize ans mais toujours pas publié, a sans doute circulé assez librement en copie manuscrite.

1532: Les œuvres non littéraires de Machiavel sont publiées, et bien accueillies, même dans les milieux du Vatican.

1543: Ouverture du second concile de Latran, qui va durer vingt ans et institutionnaliser la Contre-Réforme. Paul III, qui a inauguré en 1541 la chapelle Sixtine enfin terminée par Michel-Ange, paiera vers 1550 un autre peintre pour revêtir les saints dans le Jugement dernier. L'œuvre de Machiavel sera condamné en 1557, et en 1575 commencera l'interminable tradition des *Anti-Machiavel*. Parmi les ouvriers les plus actifs de la Contre-Réforme, on compte les Jésuites, ordre fondé en 1540 par un Espagnol sur un modèle militaire, et qui se distingue parce qu'il est le premier (et le seul) à vouer au pape l'obéissance et le don de soi («obéis comme un cadavre») que Machiavel veut qu'un Prince idéal obtienne de ses troupes. L'assimilation Jésuite-machiavélien deviendra un lieu commun.

Plus tard: Machiavel est le prosateur le plus marquant de la littérature italienne. Comme historien, il demeure un chroniqueur respecté. Comme comique, il influence le théâtre italien, mais aussi Rabelais. Chez les grands auteurs de la politique et de la philosophie, enfin (et surtout), ses effets sont trop nombreux pour qu'on puisse les retracer ici. Simplifions donc. La diffusion du *Prince*, et assez souvent des *Discours*, est vite devenue générale en Europe, tant en traductions qu'en italien. C'est au cours des 125 ans suivant la publication de ses œuvres que se forme la *figure* de Machiavel que les générations suivantes seront condamnées à lire en même temps que le texte. Les premiers penseurs à *théoriser* Machiavel tirent de son nationalisme bourgeois et de son pragmatisme politique l'idée de l'*absolutisme*, montée en système par l'Anglais Hobbes. Ceux qui préfèrent ne pas se mettre à l'école de Machiavel citent soit des raisons morales (Descartes), soit l'hypothèse qu'une vérité aussi crue est en fait destinée à prévenir les peuples contre les tyrans (Francis Bacon, reprenant la thèse de Gentili). Ceux qui ne veulent pas qu'on lise Machiavel inventent très vite le «machiavélisme» et la «raison d'Etat», qui passent bientôt au fonds commun de la culture européenne.

Après cette première période, où se crée sa figure, Machiavel est une source inévitable pour les philosophes (Spinoza, Kant) et les penseurs politiques (Montesquieu, Rousseau). Dans les événements eux-mêmes, cette référence commune, ainsi que la théorie de l'absolutisme, ne cessent d'alimenter le mouvement nationaliste bourgeois; on ne peut plus dès lors dissocier la «question Machiavel» de la montée des Etats bourgeois, notamment en Angleterre, en France et aux Etats-Unis, puis en Allemagne et en Italie. Au milieu de cette évolution, signalons l'avant-propos (cf. annexe 1.) fourni par Voltaire pour l'*Antimachiavel* de Frédéric II, roi de Prusse. Les penseurs associés à l'*Encyclopédie* de Diderot, comme Voltaire, sont de grands lecteurs de Machiavel. «La première leçon que Machiavel eût donnée à son disciple, c'eût été de réfuter son ouvrage», commente l'*Encyclopédie*, en faisant mine de répéter le conseil de Voltaire à Frédéric.

Au fur et à mesure que les Etats bourgeois gagnent leur indépendance, la «question Machiavel» y perd en importance; préoccupation contemporaine jusque-là, la pensée de Machiavel «passe à l'histoire». Les derniers grands Etats occidentaux à gagner cette indépendance sont l'Allemagne et l'Italie, tous deux vers 1870. Au même moment, avec le premier concile du Vatican, le Saint-Siège complète dans l'Eglise ce qui ne s'est encore fait dans aucun Etat bourgeois: l'imposition de l'absolutisme.

Mythes et raisons de Machiavel

De nos jours, on n'est pas intellectuel si, à l'occasion, on ne mentionne pas Machiavel. Souvent on l'a lu, ou plutôt on en a lu quelque chose; parfois même on le relit. Je n'imagine guère d'autre façon d'estimer la célébrité d'un auteur, et selon ce critère Machiavel est l'auteur le plus célèbre que nous ayons entre saint Paul et Descartes. Il est aussi, dans notre langue, la figure même de l'auteur moralement condamnable. Cela est énorme, bizarre: qu'un écrivain puisse rester si célèbre tout en servant surtout à enrichir, par l'idée du machiavélique, la rhétorique déjà la plus riche de toutes, celle des condamnations morales. Elle nous fascine, l'image de Machiavel, et nous cédons à sa fascination en l'invoquant si souvent pour condamner, comme si cet emploi était en même temps une défense contre elle.

Les éditeurs préférant que leurs livres ne soient pas présentés par ceux qui veulent les brûler, les présentations de Machiavel qui se trouvent en librairie évitent généralement le point de vue moral. Cela est excellent, puisqu'on ne *comprend* pas un auteur en l'abordant du point de vue des valeurs universelles, ce qui est le point de vue moral au sens moderne. Voilà donc une première tentation contre laquelle la lectrice ou le lecteur de Machiavel seront d'ordinaire déjà prévenus: la tentation d'y lire une leçon morale. Ce contre quoi ils seront moins prévenus, c'est la tentation d'y chercher ce que nous considérons comme au-delà de la morale: l'objectivité de la science politique. Contre cela ils seront d'autant moins prévenus qu'aujourd'hui on lit Machiavel, et surtout on écrit sur lui, plus volontiers à gauche qu'à droite. Suffisamment à gauche, en tout cas, pour faire une vertu de la science politique à cause précisément de sa valeur objective, qui la place au-delà des vertus ordinaires dont on a appris à se méfier.

Il y a une grande intelligence chez Machiavel, et cela nous entraîne à trouver chez lui une grande vertu scientifique, par confusion entre l'intelligence et ce qui est devenu pour nous la morale de l'intelligence, la science. Je crains que ce ne soit encore une façon de nous défendre contre la fascination du texte de Machiavel. A trouver tant de *nos* vertus chez lui, nous évitons de reconnaître que, si son texte nous fascine, c'est bien plutôt à cause de l'*absence* dans ce texte de tant de choses que nous tenons pour naturelles dans tout texte politique.

Voici donc un plaidoyer pour l'étrangeté de Machiavel.

1. Mythe et raison: de Machiavel et chez Machiavel

François Régnault a une belle phrase pour décrire le

surgissement de Machiavel dans notre firmament intellectuel: «*Aussi, pour assigner sa place à Machiavel, on pourrait reprendre la formule que Monsieur Canguilhem applique à Galilée: il était dans le vrai, il ne disait pas le vrai, à ceci près que dans le vrai, Machiavel ne dit pas grand-chose, même s'il hasarde quelques pas, cavalier seul*[1].» Je dirais plutôt que Machiavel ne dit pas ce que nous savons faux parce qu'il ne parle pas de ce que nous savons vrai. Retenons-nous donc d'écouter Jean-Jacques Rousseau (qui sert de réclame sur la couverture du *Prince* dans «Le Livre de poche»): «*En feignant de donner des leçons aux Rois, il en a donné de grandes aux peuples. Le Prince de Machiavel est le livre des républicains*[2].» Ou d'écouter la version marxiste du même sentiment d'amitié pour Machiavel, par exemple dans les *Cahiers de prison* de Gramsci: «*Il faut remarquer, toutefois, que la façon dont Machiavel a posé la question de la politique (c'est-à-dire l'affirmation qui est implicite dans ses écrits que la politique est une activité autonome qui a ses principes et ses lois différents de ceux de la morale et de la religion, proposition d'une grande portée philosophique parce qu'elle renouvelle de façon implicite la conception de la morale et de la religion, qu'elle renouvelle, autrement dit, toute la conception du monde) est, aujourd'hui encore, discutée et contestée, et n'a pas réussi à devenir «sens commun*[3].»

1. François Régnault, «La Pensée du prince (Descartes et Machiavel)», dans *Les Cahiers pour l'analyse*, 6, 1969, p. 37 (Seuil, Paris).
2. Rousseau, *Le Contrat social* III, 6, dans *Œuvres complètes* III, Paris, Gallimard, La Pléïade, 1964, p. 409.
3. Gramsci, *Cahiers de prison* n° 13, section 20, trad. Fulchiguoni et *alii*, Paris, Gallimard, 1978, pp. 395-396.

Cette amitié où, par le biais de «l'implicite», l'ami prête ses meilleurs sentiments à celui qu'il aime, Machiavel en est l'objet depuis quatre siècles. Et, somme toute, cela n'a pas été un mauvais sort; mais c'est une amitié qui veut trop apprivoiser Machiavel, qui enlève à son texte l'étrangeté même qui force chaque génération à s'y replonger. Machiavel est domestiqué quand il devient l'ami des républiques ou celui de la science de l'histoire. Cette domestication est autant une façon de le maîtriser que l'est la malédiction du machiavélisme. Machiavel est ramené à notre raison dès que nous pouvons lui assigner une valeur simple et nette: valeur négative du machiavélique, valeur positive du conseiller des républiques ou du libérateur de la politique comme activité autonome.

Cela ne va pas. *Machiavel ne croit pas au progrès,* il ne croit pas à la capacité des hommes de déterminer leur destin à l'échelle historique. Il ne croit pas non plus *à l'indépendance de la science*, à une science qui ne soit pas avant tout l'effet d'une volonté, d'un désir, c'est-à-dire à une science qui ne soit pas en même temps *une morale au sens ancien.* L'idée du progrès et l'idée de l'indépendance de la science, Machiavel les voit naître en son temps et en son milieu, et il s'y oppose.

En voulant nous faire un Machiavel à notre raison, nous fabriquons un mythe à son sujet. Devant le texte de Machiavel, il faut plutôt écouter nos sentiments *contre* notre raison. Reconnaître dans ce texte l'attirance de quelque chose qui est absent dans notre raison, ou dénié. Et reconnaître en retour l'absence dans ce texte de certains de nos mythes. Il n'y a pas une telle chose que *la* raison ou que *le* mythe, et il n'y a pas plus de l'un quand il y a moins de l'autre. Il y a *des* pensées, et dans toute pensée raison et mythe qui se répondent, qui s'appellent et se travaillent l'un l'autre. Ce qui nous saisit dans le texte machiavélien, c'est la fascination d'une pensée *autre* que la nôtre, la fascination d'une étreinte étrangère, d'un jeu inconnu de raison et de mythe.

Le présent essai veut donc proposer une distinction entre, d'une part, la raison et le mythe que nous appliquons au texte de Machiavel et, d'autre part, la raison et le mythe étrangers dont ce texte nous apporte le témoignage. Par raison j'entends ici la structure consciente d'une pensée et par mythe son élan, son besoin, l'intériorité qu'elle assume et qui la meut, et qu'elle ne peut donc, en toute logique, reconnaître. Ce qui implique que je ne peux, pour ma part, départager les voix de ce dialogue, situer la séparation du reconnu et du non-reconnaissable; ce serait vouloir que ma raison englobe ce qu'elle décrit, et ce mythe-là ne me séduit guère.

2. Vérité effective: vérité de l'intérêt

La raison et le mythe que nous nous faisons du texte de Machiavel ne sont pas ceux qui l'habitent et qui en font la puissance. François Régnault, encore, nous en fournit un bel exemple: «[Discutant du *Prince,* Descartes] *va jusqu'à admettre qu'il soit vrai que l'homme de bien sera* toujours *ruiné, à la condition que par homme de bien, Machiavel veuille dire: homme superstitieux. Or justement, Machiavel ne veut pas dire autre chose: un homme de bien n'est en définitive qu'un homme qui n'oserait pas combattre le jour du Sabbat. [...] ce qui désigne comme tel le champ impensable et impensé jusque là de ce qu'il faut appeler ici: la politique* [4].» De deux choses l'une. Ou, pour Régnault, Machiavel veut dire que la politique réelle ne favorise pas les «hommes de bien», et alors, loin de désigner un impensé, Machiavel répète simplement un truisme qu'on trouve déjà vingt fois dans l'Ancien Testament. Ou, et je crois que c'est à cela que pense Régnault, Machiavel veut dire que la *question du bien* n'a rien à voir avec la politique, que la politique est un autre champ.

Retournons donc au texte dont il s'agit, le texte dont discutait Descartes. *Le Prince* XV: «celui qui veut en tout et partout se montrer homme de bien ne peut manquer de périr au milieu de tant de méchants.» Il ne s'agit donc pas, dans le texte de Machiavel, de bien ou de mal mais de *ce qui passe pour* le bien et le mal. Plus précisément, Machiavel dit qu'un homme, et particulièrement un prince, ne trouvera pas *son* bien en passant toujours pour bon. La politique n'est donc pas un champ séparé de la morale, si la morale est le champ de ce que, dans l'action, chacun trouve bon ou mauvais, c'est-à-dire si la morale est le champ des volontés *réelles*. Mais Machiavel reconnaît aussi l'existence d'une *autre* morale, celle de l'*opinion*, morale idéale qui n'a aucun champ réel, sinon celui des illusions communes. Aujourd'hui, en parlant de morale, nous ne pensons guère qu'à cette seconde morale, celle des valeurs universelles.

---

4. François Régnault, «La Pensée du prince (Descartes et Machiavel)», p. 31.

La raison machiavélienne propose bien une coupure, mais pas la coupure moderne imaginée par Régnault (à la suite de Gramsci et d'Althusser), pas la coupure entre *la* morale et *la* politique. Dans un langage aujourd'hui rarement entendu, Machiavel propose plutôt une coupure entre deux formes de morale *et* de politique à la fois. D'une part, la morale de l'opinion et les politiques illusoires auxquelles elle donne lieu, brièvement mais fréquemment. D'autre part, la morale pratique selon laquelle les hommes *agissent*, bon an, mal an, cette morale des volontés et non des idées sans laquelle le champ de la politique serait littéralement vide: une morale et une politique de *l'intérêt*; une morale et une politique sans valeurs universelles, aussi diverses, au contraire, que le sont les intérêts.

En ce qui concerne la morale, le «bon sens» d'aujourd'hui ne connaît plus qu'un seul côté de la coupure machiavélienne, le côté de l'opinion. Et, en ce qui concerne la politique, il ne connaît plus que l'autre côté, le côté de l'intérêt. En conséquence, nous pouvons soit reconnaître ce que Machiavel nomme «bon», «vertueux», «admirable», «grand», etc., et conclure que c'est bien du machiavélisme, soit reconnaître le réalisme de ses observations politiques et imaginer, comme Régnault, de ne pas voir que ce sont en même temps des observations morales. Ou nous pouvons reconnaître, contre notre bon sens, le *double* effet du texte sur nous.

Cela permettra de comprendre facilement la distinction parallèle que fait Machiavel entre science des idées et science de l'action, la première étant superstition et la seconde sagacité pratique. Quelques lignes avant celles citées plus haut, Machiavel écrit: «il m'a paru qu'il valait mieux viser la vérité effective des choses que ce qu'on s'en imagine.» Quelques lignes plus bas: «Laissant, par conséquent, tout ce qu'on a pu imaginer sur les devoirs des princes et m'en tenant à la réalité [...]». Qu'est-ce que la «vérité effective»? C'est la vérité des *effets* réels, la seule dont se préoccupe une morale de l'action. La vérité de l'action est la vérité des intérêts, qui sont la seule explication concrète des actes humains et la seule façon concrète d'en peser les effets. L'intérêt est la pierre de touche commune de la morale et de la science machiavéliennes. Or, l'intérêt varie autant que les hommes varient. Il n'y a donc pas plus de science objective pour Machiavel qu'il n'y a de morale universelle.

Reprenant pour notre temps le mot de Descartes, je dirai qu'au regard de Machiavel ce n'est pas seulement l'homme de bien qui est superstitieux mais aussi, et précisément au même titre, l'homme de la science de l'histoire, Gramsci, Althusser, Régnault. Les intérêts divergeant selon les situations, l'histoire est faite de la contradiction des volontés humaines. Et (voilà ce qui nous est le plus étranger) la somme des intérêts étant toujours la même, ces contradictions finissent toujours par se compenser: c'est pourquoi les hommes ne peuvent déterminer leur destin à l'échelle historique (comme l'explique l'avant-propos du livre II des *Discours*). Pour Machiavel il n'y a pas de progrès historique. Il ne peut donc y avoir de science *effective* de l'histoire, mais uniquement une *morale* de l'histoire; les hommes n'ont pas la maîtrise de l'histoire, mais uniquement de leurs actions (comme poursuit Machiavel au chapître un de *Discours* II).

A l'époque de Machiavel, l'idée de *progrès* n'était pas commune, mais elle n'était pas inconnue (mentionnons Dante, les Franciscains, certains découvreurs). Sur la limitation des pouvoirs de la *raison* dans l'histoire, par contre, Machiavel est en accord avec les esprits les plus avancés de son temps (tel Érasme) ou même de son siècle (tel Bruno). On n'imaginait pas cette idée de la raison que nous avons héritée du siècle suivant, notamment de Francis Bacon et, sinon de Descartes, du moins des cartésiens. Machiavel n'a pas besoin de souligner ce qui est évident pour son époque: qu'une raison n'est jamais autre chose que l'instrument de la volonté qui l'anime. Machiavel ne s'interroge pas sur la raison des hommes mais sur leur «cervelle». Et au sujet de cette cervelle il observe que, lorsque la raison y devient son propre maître, lorsqu'elle quitte la science des intérêts pour celle des idées, elle ne gagne pas la liberté de découvrir les lois de l'histoire, au-delà des intérêts, mais simplement celle d'imaginer des superstitions (voir *Histoires* V, 1).

Que reste-t-il pour la science effective? Rien de plus, mais rien de moins, que l'observation astucieuse des faits passés: un pragmatisme éclairé. Dans sa lettre du 10 décembre 1513 à François Vettori, Machiavel explique laconiquement l'origine du *Prince*: «Dante disait qu'il n'y a pas de science si l'on ne retient pas ce que l'on a compris.» Observer, comprendre, retenir: la *science* politique de Machiavel n'est pas autre chose. Ce travail de la raison, il n'est pas question qu'il puisse déterminer l'action; il n'est pas question de science au sens cartésien ou au sens moderne. La science pratique de Machiavel ne promet pas, comme celle de Descartes, de «nous rendre comme maîtres et possesseurs de la nature.⁵». Non plus qu'elle ne promet de nous rendre, à long terme, dominateurs des hommes.

L'observation ne permet de formuler que des *conseils*, qui valent selon les intérêts et selon les occasions, et qui restent donc souvent inapplicables et parfois contradictoires. Machiavel ne prétend pas analyser l'histoire selon des lois préétablies, ce qui est la forme ancienne de la superstition, et il ne prétend pas non plus, en se basant sur les cas historiques eux-mêmes, prescrire des lois à la volonté, ce qui est la forme moderne de la superstition. L'observateur qui acquiert une certaine science de l'action ne cherchera pas à agir par ses idées mais par ses conseils. Il ne dira pas le vrai, selon la formule de Régnault, mais l'utile.

3. La Renaissance machiavélienne

A deux titres au moins ce pragmatisme fait de Machiavel un homme de la Renaissance. D'un côté parce que dans ce pragmatisme Machiavel fait jouer un héritage du moyen-âge pour se séparer du moyen-âge. D'un autre parce que ce pragmatisme relève de la pensée bourgeoise, et particulièrement de celle d'une bourgeoisie importante à Florence, les banquiers. Rationnellement, ce pragmatisme ne nous est donc pas étranger. Pourtant, on vient de le voir, il s'exprime chez Machiavel d'une façon qui nous le rend étranger. C'est que pour notre raison ce pragmatisme est devenu une habitude, enchâssée dans son propre mythe, tandis

5. Descartes, *Discours de la méthode*, VI, Montréal, L'Hexagone et Minerve, collection Balises, 1981, p. 131.

Michel-Ange: «La Création d'Adam» (détail du plafond de la chapelle Sixtine).

que pour la raison de Machiavel il représente un effort, un combat, contre le mythe médiéval de la Providence.

C'est encore selon l'esprit de la Renaissance que Machiavel, par ce qu'il considère comme un «retour» à une saisie pragmatique de l'histoire, entend faire revivre la pensée des historiens de l'antiquité latine et grecque. Il puise ses observations soit chez ceux-ci, soit dans les chroniques récentes de Florence, laissant le moyen-âge sous un silence sans faille, sauf lorsque son sujet l'oblige à en parler — essentiellement quelques brefs chapîtres au début des *Histoires florentines*. Contre la pensée médiévale, Machiavel fait valoir ses auteurs latins et grecs comme des maîtres de pragmatisme. Il faut plutôt comprendre qu'une fois décapés de la masse des superstitions antiques, qui n'intéressent pas du tout Machiavel, et qu'une fois lus avec l'œil du haut fonctionnaire politique que fut Machiavel, ces auteurs deviennent des maîtres de pragmatisme: relecture qui était, elle aussi, tout à fait la méthode de la Renaissance.

Il est sûr que Machiavel trouve chez Tite-Live, par exemple, le souci des motifs des hommes participants aux événements historiques, chez Tacite un certain style, et l'habitude de commenter les faits par leurs propres conséquences, chez Polybe une conception générale de l'utilité de l'histoire. Mais ce qu'il trouve avant tout chez les anciens (quoique tous ne partagent pas cette idée ni ne l'appliquent partout), c'est l'idée de la *causalité historique,* l'idée que les événements historiques sont uniquement l'effet des événements qui les ont précédés, et forment l'unique source des événements qui suivront. Chez Machiavel, l'idée de la causalité historique représente un véritable «rien ne se crée, rien ne se perd» appliqué à la suite des actions humaines. Son effort pour faire triompher cette idée contre l'idée médiévale de la Providence et du gouvernement divin est un des plus beaux exemples de la Renaissance intellectuelle.

Le silence de Machiavel sur le moyen-âge sert aussi sa lutte en faveur de l'idée de causalité historique, en lui permettant de ne pas contredire l'autorité de l'Eglise au sujet précisément de la période où cette autorité règne sans conteste. («L'antiquité» au sens de la Renaissance se termine là où débute le triomphe du christianisme — soit, à Rome, avec le règne de Constantin, 324-337.)

Instruit par l'idée antique de la causalité historique, Machiavel développe l'idée de l'histoire *effective*, l'histoire faite de causes et d'effets parmi lesquels *rien* n'intervient qui soit hors de l'histoire, l'histoire devenue domaine des hommes, sans gouvernement divin. Et sans gouvernement humain non plus, car pour gouverner l'histoire il faudrait pouvoir la dépasser. Machiavel n'est donc pas un humaniste selon *notre* idée de l'humanisme, qu'elle soit chrétienne, marxiste, cartésienne, ou même «idéal de la Renaissance». L'idéal du gouvernement des hommes sur leur histoire existe déjà à la Renaissance (quoique d'une façon marginale), mais Machiavel le rejette. C'est en effet un idéal étranger à la pensée antique; l'abordant du point de vue des anciens, Machiavel y voit une démesure effrénée. Pis, il voit (et il n'est pas le seul) que sous cet idéal «nouveau» se conserve justement ce que la Renaissance s'applique à combattre; l'idéal du gouvernement de l'homme sur l'histoire donne tout simplement à l'homme la place, dans l'histoire, que le moyen-âge avait inventée pour Dieu.

Un beau témoignage des origines de notre humanisme se trouve dans la «création d'Adam» peinte au plafond de la Chapelle sixtine par Michel-Ange quelques années (1508-1512) avant que Machiavel n'écrive *le Prince* (1513). Figuré dans un corps de même forme et de même grandeur que celui de sa créature humaine, le Créateur de l'univers donne la vie à Adam. Au centre, les deux mains égales s'allongeant l'une vers l'autre illustrent la phrase de la Genèse: «Dieu créa l'homme à son image.» Pour Machiavel, cette fable ancienne et cet idéal nouveau ne sont «qu'imaginations». Et sera tout autant imaginaire ce qui s'ensuivra, notre conception cartésienne de l'homme «comme maître et possesseur de l'univers». Lire Machiavel, c'est se plonger dans un texte où il ne peut y avoir de création, de créateur, ou de puissance capable de guider l'histoire. Lorsque chez Machiavel une main ancienne et une main moderne se tendent l'une vers l'autre, c'est simplement la main des hommes de l'antiquité transmettant à celle des hommes de la Renaissance, non pas la forme divine par-delà l'histoire, mais le respect foncier de la causalité historique, unique matériau de l'action humaine.

Nous devinons ici une des grandes *absences* du texte machiavélien: l'absence non seulement d'idéal mais de but, l'absence d'un sens à la marche de l'histoire, d'un mouvement unique qui se réaliserait dans chaque chose par-delà les cervelles humaines et qui permettrait d'en juger une fois pour toutes, objectivement. Chez Machiavel tout n'est que *lutte sans fin*, lutte politique entre les partis, lutte morale de la vertu contre la corruption (au sens que nous verrons plus bas), lutte rationnelle de la prudence contre la fortune. Il n'y a pas de but chez Machiavel parce qu'il n'y a que les mille buts que les hommes se fixent puis délaissent, au gré de leurs intérêts ou de leurs imaginations. Pas de but au-delà des cervelles humaines, pas de raison au-delà de l'histoire.

Pouvons-nous voir là-dedans le primat de la contradiction? Assurément, mais à condition de nous départir de notre idée du progrès et de notre idée de la raison (ou de la science de l'histoire). Voilà un des motifs qui font de Machiavel une sorte de vice mi-avoué pour la gauche d'aujourd'hui. Comment ignorerait-elle cette lecture de l'histoire qui conclut «*qu'il existe dans chaque république deux sources d'opposition, les intérêts du peuple et ceux des grands; que toutes les lois que l'on fait au profit de leur liberté naissent de leur désunion, comme le prouve ce qui s'est passé dans Rome*»? (*Discours* I, 4.) (La liberté n'etant pas, bien entendu, le but de l'histoire, mais ce qui conserve les *républiques* en tant que mode de gouvernement.)

On peut s'étonner de trouver ce primat de la contradiction dans les œuvres de Machiavel, mais il y est pourtant indéniable. Et il s'explique. Quand Machiavel pressent, dans l'Homme comme nouveau but de l'histoire, la suite d'une conception dominante au moyenâge, la conception du dessein divin, il exploite le point de vue critique que lui offre une conception dominée mais néanmoins courante au moyen-âge, la conception du désordre du monde (qu'illustrent par exemple les tableaux de Jérôme Bosch, contemporain de Machiavel). Il faut croire, dit l'autorité médiévale, que les choses réelles traduisent l'essence idéale du monde, quoique cela soit masqué à notre raison par l'effet du péché originel. Mais, se dit quand même le fidèle, le monde n'est qu'une nef des fous. Machiavel reprend cette réponse, mais comme une conception fondamentale, non comme une réponse, et surtout pas comme une réponse pessimiste. S'il s'agit d'agir et non de prier, croit-il, il faut rechercher l'ordre qui est dans le monde; or, cet ordre *provient* des contradictions mêmes (ou des oppositions, comme il dit). Celles-ci ne sont donc la suite ni d'un péché originel, ni de l'abandon du monde par son créateur, comme une nef des fous. Les oppositions forment au contraire la toile même de la réalité, sur laquelle se dessinent, selon nos forces et nos intérêts, les ordres transitoires qui se succèdent sans fin dans l'histoire.

Croyant que là réside tout le trésor de la vérité effective, Machiavel lit selon cette toile les auteurs anciens et laisse l'imagination à cette autre Renaissance, que nous connaissons mieux, celle du nouvel Adam.

4. *L'humanisme de Machiavel: contre le nôtre*

Voilà Machiavel à la fois homme de la Renaissance et homme d'avant la Renaissance. Ce n'est pas que les gens de la Renaissance ne savaient pas qu'ils étaient de la Renaissance: au moment où Machiavel écrivait, l'idée d'une renaissance était courante à Florence depuis plus d'un siècle. Vers 1436, un marchand florentin, Matteo Palmieri, pouvait déjà répéter: «*Où en était l'art de la peinture quand Giotto, si tard, l'a rétabli?* [...] *La sculpture et l'architecture, si long-*

*temps réduites à des travestis, sortent à peine mainte-
nant des ténèbres de l'oubli.* [Les lettres et les arts
libéraux], *guides authentiques du raffinement dans
tous les arts, fondements fermes de toute civilisation,
étaient perdus pour les hommes depuis plus de huit
siècles. C'est aujourd'hui seulement que l'on ose crier
que voici l'aube d'un nouveau jour*[6].» Machiavel ne
pouvait être de son temps lettré, laïc et florentin sans
être consciemment et pleinement de la Renaissance. Ce
que les gens de la Renaissance ignoraient, plutôt, c'est
ce que la Renaissance serait pour nous.

Faisons donc porter la question sur un point réellement débattu du temps de Machiavel: l'humanisme.
Le terme vient du mot latin *humanitas*, au sens de
culture lettrée. Au moyen-âge, l'*humanitas* était formée
de ce qu'on connaissait des lettres latines, c'est-à-dire
païennes, le grec restant la province exclusive de
quelques érudits. Apparu dans le nord de l'Italie au
treizième siècle, l'humanisme consiste d'abord à valo-
riser l'étude de l'*humanitas* pour elle-même, plutôt que
comme simple exercice de latin (le latin étant la langue
de l'Eglise et des intellectuels de toute l'Europe chrétienne). Bientôt, cela implique une certaine dévalorisa-
tion des textes latins postérieurs à l'*humanitas*, c'est-à-
dire des textes chrétiens. Ainsi s'établit, chez les humanistes, la distinction entre d'une part le latin «authentique» et sa littérature, et d'autre part le «néo» latin de
la théologie catholique et de la philosophie scolastique.

---

6. Cité dans Wiener et *alii: Dictionary of the History of Ideas,*
New York, Scribner, 1973. Vol. IV, p. 122.

Là-dessus, enfin, se greffe l'écriture en langue populaire laïque (en italien), alors qu'auparavant on n'écrivait qu'en latin, langue d'Eglise.

A l'époque de Machiavel, tout cela est acquis, et fondu au mouvement de la Renaissance. Déjà est inventé le terme de «moyen-âge» pour dénoter la période qui sépare la Renaissance de l'antiquité, et les formules du marchand Palmieri montrent bien ce qu'on en pense. «Humanisme», depuis longtemps, veut dire «culture humaine plutôt que divine», «culture laïque plutôt que médiévale». Il faut comprendre que la croissance de cet humanisme est indissociable de la constitution d'une culture lettrée bourgeoise, d'abord centrée sur Florence, mais se diffusant de plus en plus loin. S'opposant, dans le domaine des idées, à l'obscurantisme intellectuel du moyen-âge, l'humanisme s'oppose plus concrètement à l'hégémonie féodale et à l'autorité «superstitieuse» de l'Eglise. Son grand argument, c'est l'antiquité, c'est-à-dire la grandeur que les hommes ont atteinte avant le triomphe du christianisme et l'établissement du système féodal — époque où cette grandeur humaine s'éteint.

Tout cela, donc, est acquis pour Machiavel. Or, depuis sa jeunesse, il assiste au développement d'une *seconde* forme de l'humanisme, où il ne s'agit plus de *poser* la pensée bourgeoise face à la pensée médiévale, au moyen du recours à l'antiquité, mais de lui donner un *contenu* propre et nouveau, maintenant qu'elle a conquis ses propres bases. Cette seconde forme de l'humanisme, il faudrait la nommer «mirandolienne», parce que Jean Pic, comte de la Mirandole, en donne une expression très franche extrêmement tôt, en 1487 à Florence, auprès de Laurent le Magnifique (de Médi-

cis). Il s'agit du célèbre «Discours sur la dignité de
l'homme», où Pic fait ainsi bénir Adam par Dieu:
«*Ton habitat n'est pas fixe, ta forme n'est pas la tienne
seule, tu n'as pas de fonction qui te soit particulière:
telle est la part que Nous t'avons faite, Adam, afin que
selon ton jugement tu puisses prendre et posséder
l'habitat, la forme et les fonctions que tu désireras.
Retenu par nulle limite, suivant ta propre volonté
libre, dans les mains de laquelle Nous t'avons placé, tu
détermineras toi-même les bornes de ta nature*[7]»

Nous sommes les héritiers de Pic. Quand nous
pensons à l'humanisme, c'est à ce second humanisme
que nous pensons. C'est lui qui nous a donné, par
exemple, Descartes, le Siècle des lumières, l'idéalisme
de la révolution américaine. Ce sont ses effets que le
clergé québécois s'est acharné à réprimer ici, de l'époque de la révolution américaine jusqu'à la fin du
dix-neuvième siècle, quand monseigneur Bourget finit
d'écraser «le laïcisme, le modernisme et le libéralisme».
Ce sont ses effets encore qui se manifestent à nouveau,
trois générations plus tard, chez les précurseurs de la
«Révolution tranquille», par exemple, à droite dans les
années trente et quarante chez André Laurendeau, et à
gauche dans les années cinquante dans *Cité libre,* revue
qui marque d'un côté la carrière intellectuelle de Pierre
Elliott Trudeau et de l'autre la genèse de *Nègres blancs
d'Amérique.*

L'humanisme de Machiavel n'est pas celui-là. Il ne
valorise pas l'avenir, et encore moins les *possibilités*

7. Cité dans Edwards et *alii: The Encyclopedia of Philosophy,*
New York, Macmillan, 1967. Vol. VI, p. 309. Le titre du «Discours»
n'est pas de Pic mais de ses lecteurs.

infinies de l'homme, mais le *fait* quotidien des hommes, dans tout ce que l'histoire a déjà montré qu'il pouvait être. Malgré l'opposition de ce premier humanisme à l'autorité médiévale, l'Eglise ne lui a pas fait la guerre. Cette nouvelle culture lettrée laïque ne vient pas tant se substituer à l'ancienne culture lettrée religieuse que s'y ajouter, en créant un nouveau champ, les lettres profanes — ce qui ne fait qu'accentuer la division entre la masse des fidèles non-lettrés et la minorité lettrée qui détient l'autorité intellectuelle et religieuse de l'Eglise. Les occupants du Vatican sont donc, comme tous les lettrés italiens, des humanistes (au sens ancien). Mais deux facteurs sont en train d'alimenter une réaction qui, à la fin du seizième siècle, va enfin séparer, et pour de bon, la culture religieuse de la culture laïque.

D'un côté, certains éléments d'une révolte encore médiévale, certains éléments des revendications humanistes pour l'autonomie intellectuelle, et certains intérêts du nouveau pouvoir bourgeois, se sont combinés pour assurer dans le «Nord», c'est-à-dire en Allemagne, aux Pays-Bas et en Suisse, l'établissement de la Réforme protestante. D'un autre côté, un secteur grandissant de la hiérarchie catholique donne raison à l'une des protestations qui animent la Réforme: le scandale causé par la magnificence, la corruption et l'irréligion des papes et des cardinaux de la Renaissance — vices auxquels il est difficile de ne pas lier l'appui qu'ils prodiguent aux artistes humanistes. Alimenté par ces deux inquiétudes, et par plusieurs autres sentiments qui se manifestent tout aussi bien dans la Réforme elle-même, le mouvement de réaction catholique dit de Contre-réforme devient dominant au Vatican sous Paul III, vers 1540. C'est notamment une réaction anti-humaniste, mais non contre le premier humanisme, que partagent tous les intellectuels de l'Eglise. C'est plutôt une réaction contre le nouvel humanisme. Et le combat pied-à-pied de l'Eglise contre l'humanisme mirandolien durera quatre siècles entiers.

Nous n'avons donc pas à fouiller très loin dans l'histoire du Québec pour retrouver à l'humanisme mirandolien, ou moderne, la qualité de nouveauté qu'il avait à Florence au temps de Machiavel. Mais, bien sûr, ce n'est pas la même sorte de nouveauté. Albert Saint-Martin, Thérèse Casgrain, et surtout des milliers d'hommes et de femmes du Québec condamnés à l'oubli par leur époque, trouvaient les sources de leur humanisme dans la culture européenne et américaine, où des siècles d'histoire en confirmaient déjà la valeur. Du temps de Machiavel, au contraire, l'humanisme mirandolien ne pouvait s'appuyer que sur le premier humanisme, celui de l'*humanitas*. C'est au nom de ce premier humanisme que Machiavel, avec la majorité des lettrés de son temps et de son milieu, s'oppose au second.

Pour Machiavel, l'humanisme mirandolien est *imaginaire*, anti-pragmatique. *Le Prince* XVII: «On peut, en effet, dire généralement des hommes qu'ils sont ingrats, inconstants, menteurs, doubles, qu'ils fuient le danger et sont attirés par le gain.» Croire autrement, c'est se livrer à l'aveuglement sur la condition des hommes. Contre cet aveuglement toute la culture antique nous met en garde. En fait, devant la sagesse des anciens, simplement pragmatique mais authentiquement humaine, l'humanisme mirandolien représente, je l'ai dit, un retour de la folie chrétienne. Et cette opposition perçue par Machiavel, les humanistes mirandoliens aussi la percevaient, à leur façon; ils laissaient entendre que le temps de l'imitation des modèles anciens tirait à sa fin, que les hommes de la Renaissance avaient prouvé qu'ils pouvaient égaler leurs maîtres et qu'il était temps d'ouvrir plus avant la voie de l'humanité.

5. *Les choix de Machiavel*

Il faut l'avouer: toutes les raisons apportées par Machiavel contre le nouvel humanisme procèdent au fond d'une *prise de parti* pour l'ancien; ce ne sont pas ses raisons qui motivent la position adoptée par Machiavel, mais l'inverse. D'où vient cette prise de parti?

Il y a d'abord une question de classe. Souvent les humanistes plus «modernes», plus mirandoliens, partagent les origines de Machiavel. Mais ils s'en détachent pour participer aux cours des princes (profanes ou religieux) et y vivre de leurs œuvres ou de leur habileté. Machiavel, lui, poursuit plutôt la meilleure carrière à laquelle peut s'attendre un Florentin de sa condition. Il n'évite ni les cours ni les subsides des princes, mais il évite d'en faire un métier. Il vit comme un fonctionnaire de l'époque, non comme un protégé. Ses revenus, sauf à la fin de sa vie, se composent de petites rentes d'héritage et des salaires, prébendes et pensions récompensant les services qu'il rend, non les œuvres qu'il réalise. N'étant pas l'habitué d'une cour, il paye sa table et son gîte; le confort de sa famille comme le sien dépendent de son habileté à économiser et à contrôler ses dépenses. Tout cela représente un choix, une habitude, et finalement une façon de mesurer les choses de la vie. Pour frayer avec les tenants du nouvel humanisme, Machiavel aurait dû faire des choix tout différents, qui l'auraient coupé de ses habitudes de famille et de classe.

Il y a donc là tout autant une question de goût que de classe. L'humanisme de Machiavel répond chez lui à un goût pour l'indépendance d'esprit, goût qui marque chaque page de son œuvre politique, et qui s'exprime aussi dans son œuvre littéraire — au point de le pousser quelquefois à sacrifier ses intérêts au plaisir de faire des épigrammes. Aux yeux de Machiavel ce serait donc un contresens que sa vocation d'humaniste exige les faveurs d'un protecteur, et il prend bien garde qu'il n'en soit ainsi. Or, l'humanisme mirandolien de son temps se cultive dans les milieux artistiques plutôt que dans les milieux lettrés — Pic est une exception — et l'on ne peut pas être Michel-Ange ou Léonard de Vinci sans la bourse des papes et des princes. (C'est une génération plus tard, sous les censures de la Contre-réforme, que le nouvel humanisme entrera de plain-pied dans les lettres.)

Machiavel, cultivant les lettres, cultive avec elles l'humanisme des hommes de lettres de sa génération. Il ne manifeste de goût pour aucun art, sinon la musique, ni pour l'homosexualité alors générale dans les milieux artistiques. Dans les lettres, en revanche, Machiavel est le plus moderne (à nos yeux) des écrivains de la Renaissance italienne, parce qu'il est le plus habile à libérer sa langue et son style des modèles médiévaux et antiques. Dans ce domaine, il nous laisse à la fois le meilleur exemple de la pensée de l'humanisme ancien et le meilleur exemple de la forme de l'humanisme nouveau.

Il s'agit somme toute d'un tempérament. L'équilibre, le pragmatisme et la lucidité qu'il cultive dans ses lectures d'humaniste, Machiavel les réalise d'abord dans les options qui guident sa propre vie. Il déteste les outrances médiévales, l'étourdissement des cours de son époque, et ce goût des sociétés secrètes, aussi, que les lettrés de son temps ont hérité du moyen-âge. Jeune homme, il a vu tout cela réuni dans la carrière de Savonarole à Florence (dont Pic fut disciple à la fin de sa vie). Contre cela il a fait le plus fondamental de ses choix politiques, celui qui marque non seulement chacune de ses œuvres mais toute la construction de son humanisme.

On ne peut savoir par les écrits de Machiavel s'il connaissait le grec. Cultiver le grec était encore ésotérique à l'époque, et rien d'ésotérique n'apparaît dans le texte machiavélien. L'hébreu et l'arabe étaient plus ésotériques encore; Machiavel en ignore tout. Contrairement à beaucoup de ses contemporains, Machiavel fuit par tempérament toute culture qui fuit les places publiques. La non-fréquentation du grec, de l'hébreu, et des cercles ésotériques, isole Machiavel de deux mouvements où s'enracine l'humanisme mirandolien: le néo-platonisme, fondé sur l'étude de la philosophie grecque tardive, et le symbolisme, fondé sur l'étude de la Kabbale juive.

Comme homme de lettres, Machiavel reste donc strictement un latiniste. L'affaire des Romains était la politique; c'est la sienne. Ils goûtaient peu la philosophie; il la fuit. Ils étaient fervents d'histoire; il en est passionné. Et les historiens qu'il lit sont romains ou grecs romanisants (sauf un, Xénophon).

Mais il est trop clairvoyant pour ne pas pressentir que son humanisme laïc, et son nationalisme, n'auront pas de meilleur défenseur que ce mouvement mirandolien dont il s'exclut par tempérament et par formation. Il n'en adopte aucune des théories — sinon pour constater, avec les néo-platoniciens, que les idées que nous avons des choses ne sont définitivement pas dans les choses. Mais il tolère les tendances nouvelles et parfois les défend, contre l'obscurantisme, contre l'antisémitisme (*Le Prince* XXI) et surtout contre l'autorité supra-humaine revendiquée par l'Eglise. Machiavel combat les idées des nouveaux humanistes, mais il accepte ou favorise chacun de leurs *intérêts* d'intellectuels.

Il n'était pas dans le rôle de Machiavel, attaché de chancellerie, de se lier politiquement au nouvel humanisme. Cette circonstance et ce choix nous ont valu le plus beau testament du premier humanisme, issu du moyen-âge. Machiavel se fût il joint personnellement au mouvement qui allait être celui de l'avenir, ses talents mêmes l'auraient condamné, comme homme de lettres, à rester le fonctionnaire de ce mouvement — à se faire un père Mersenne anticipé, et plus obscur.

6. *Le monde de la politique et le monde de l'anacyclose*

Machiavel partage avec presque tous les humanistes de son temps l'idée que, pour comprendre l'univers, il faut considérer qu'il y existe deux mondes distincts, deux ordres de lois.

Bosch: *La Charette de foin,* détail (Musée du Prado, Madrid).

Là comme ailleurs, la Renaissance est à la fois fille du moyen-âge et lectrice des anciens; l'idée des deux mondes faisait partie du «bon sens» médiéval, mais trouvait sa source chez les penseurs de l'antiquité. Et notamment chez Aristote: le monde d'ici-bas, observait-il, est contradictoire, fluctuant, multiple, transitoire; les objets terrestres doivent tous se créer et se détruire, ils se meuvent en ligne droite, et cessent leur mouvement dès qu'ils cessent d'être poussés. Les astres par contre sont éternels et parfaits, leur mouvement est immuable, circulaire et sans fin. Cent ans après Machiavel, un des grands humanistes midandoliens, le physicien italien Galilée, aura pour premier souci d'attaquer le système «ancien» d'Aristote, en montrant qu'il y a dans les astres des imperfections, des changements, des particularités, et qu'en revanche le mouvement se conserve indéfiniment aussi bien sur terre que dans les cieux.

Machiavel, lui, n'a rien à dire au sujet des astres, mais il est convaincu de l'impermanence du monde où nous vivons. Il reprend une autre idée généralement reçue chez les humanistes de son temps, celle des cycles historiques («la roue de la fortune»), et s'en sert pour repenser la *division* des deux mondes. Ce n'est plus, pour lui, une division dans l'espace, ou dans le temps, mais une division entre deux *échelles* temporelles: l'échelle politique, qui répond aux volontés humaines, et l'échelle historique, qui ne répond qu'à la fortune.

A la longue, c'est toujours la fortune qui détermine les choses; les volontés des hommes finissent par tourner, le mouvement des intérêts se renverse, l'imagination et l'imprévoyance font leur œuvre: ainsi sera toujours rendu à l'empire de la fortune ce que, en un lieu et pour un temps, un effort soutenu et prudent avait réussi à lui soustraire. (Voir ci-dessous *Histoires* V, 1 et *Le Prince* XXV.) Or, à l'échelle historique, l'enchaînement de la fortune reproduit toujours les mêmes suites d'événements; l'empire de la fortune est celui du retour des choses (*ricorso*). Ce système a donc une ressemblance formelle avec celui d'Aristote: à l'échelle politique, le mouvement *orienté* des volontés; à l'échelle historique, le mouvement *cyclique* de la fortune. Mais chez Machiavel il n'y a de place ni pour l'idéal, ni pour toute autre forme «d'imagination». Le monde politique est celui des oppositions, de l'instabilité et des astuces pragmatiques. Le monde historique est celui des *ricorsi* de l'aveugle fortune: non pas le monde de la perfection astronomique, ni le monde de la vie éternelle promise par les prêtres, ni le monde du règne de Dieu prêché par Savonarole, ni l'avenir utopique du nouvel Adam mirandolien.

A l'insu de Machiavel, ce système est lui-même un cas de *ricorso*: tout ce que j'ai dit jusqu'ici se trouve à peu de choses près (vers 340 avant notre ère) dans le *Timée* et les *Lois* de Platon, philosophe dont Aristote lui-même était un disciple dissident. L'idée plus générale des *cycles* historiques est commune chez les auteurs anciens, notamment chez les stoïciens et les historiens latins, que Machiavel connaît. Cette idée s'est conservée au moyen-âge avant de se généraliser parmi les humanistes. Mais Machiavel lui donne une interprétation spéciale, puisée chez un historien gréco-romain qu'on vient de redécouvrir à son époque, Polybe (202-120 avant notre ère). Selon la théorie polybienne de l'*anacyclose*, il n'y a pas un grand cycle historique mais une multitude de mouvements circulai-

res dans le sort des peuples et des Etats. Il ne s'agit plus
(comme chez Platon et chez la plupart des humanistes)
d'un cercle général de l'histoire, mais d'une loi du
mouvement circulaire dans les événements pris à
l'échelle historique, le succès des efforts humains en un
lieu correspondant, à tout moment, à leur déchéance
ailleurs. Je ne reprendrai pas ici l'exposé bref et clair
que Machiavel fait de l'anacyclose dans les textes
ci-joints, au début des deux premiers livres des *Discours*, et du cinquième livre des *Histoires*.

Il faut remarquer, par contre, qu'il ne souffle mot
de l'anacyclose dans *le Prince*. C'est que l'affaire des
princes n'est pas l'histoire mais la lutte politique;
l'intérêt qu'ils poursuivent est immédiat et orienté.
Machiavel ne parle pas beaucoup, non plus, des phases
descendantes de l'histoire, pourtant d'importance égale
aux phases ascendantes. Mais, justement, il ne s'agit
pas de phases, selon la théorie de l'anacyclose, mais
d'*aspects* descendants ou ascendants: les deux mouvements se font simultanément. Et alors il est évident que
l'intérêt des hommes est d'appliquer leurs forces et
leur intelligence à réaliser des mouvements ascendants:
l'anacyclose ne commande pas *chez qui* se réalisera la
part de corruption qu'il doit y avoir à chaque époque.
Ecrivant en conseiller, et non en philosophe, Machiavel
s'occupe donc des aspects ascendants. Et d'ailleurs il
écrit pour des gens qui ont à l'esprit une période de
décadence reconnue par tous les humanistes: l'ensemble du moyen-âge en Europe latine, de Constantin à la
Renaissance. Comme humaniste ou comme conseiller,
la dernière chose que voudrait Machiavel, ce serait de
paralyser l'action. Devant cet exemple trop frappant
de décadence générale, l'anacyclose doit servir à rap-

peler qu'il n'y a jamais de décadence universelle. Il
faut montrer qu'il est toujours possible de construire,
en ce monde-ci; cela servira en même temps à combattre l'attraction des «autres mondes» chez les lecteurs
de Machiavel. En revanche, l'anacyclose, en désignant
le cours de la grande histoire comme étranger aux
volontés humaines, montre que *les hommes* peuvent
tout pour leur intérêt mais rien pour *l'homme*. C'est,
pour le premier humanisme, une très belle réplique à
l'humanisme mirandolien — et au nôtre.

On voit que, tout en luttant pour remplacer des
notions-clefs de la pensée médiévale par des concepts
bourgeois, Machiavel conserve un sentiment bien
médiéval des limites des volontés humaines. Surtout
lorsqu'il cherche à faire valoir le premier humanisme
contre le second (c'est-à-dire l'expérience de l'antiquité
contre le rêve utopique). Le même sentiment s'exprime
dans l'anti-individualisme de Machiavel. Observons-le
à l'œuvre. Les personnages d'époque récente sont
peints en chair et en os, bien individualisés; mais, plus
on s'éloigne dans le temps, plus les personnages perdent
leur individualité pour devenir des *archétypes*: des
êtres dont le rôle dans l'histoire est très clair, mais dont
on ne *voit* pas l'existence particulière, vivante, telle
qu'elle dût être en leur temps. En revanche, c'est
précisément à ces personnages anciens que Machiavel
attribue — à plaisir — des sentiments et des discours:
non pas ceux qu'ils ont pu exprimer, et dont on ne sait
rien, mais ceux que selon leur rôle historique, selon
leur archétype, ils *devaient* exprimer. Pour les personnages récents, par contre, Machiavel cite beaucoup
plus d'actions concrètes, mais le moins possible de
sentiments ou de discours. La leçon est facile à com-

prendre. Lorsque les personnages sont suffisamment proches pour être liés *politiquement* à la situation de Machiavel et de ses lecteurs, seules leurs actions comptent; discours et sentiments distrairaient l'attention en renvoyant à l'imagination individuelle. Lorsqu'au contraire les personnages n'ont d'autres lien avec Machiavel et son époque que ceux de l'*histoire*, leurs actions individuelles ne comptent plus, elles sont enfouies sous les aléas de la fortune; ce qui compte, ce sont les *ricorsi* moraux, le modèle que ces personnages peuvent fournir aux sentiments et aux attitudes des hommes d'aujourd'hui, selon les retours de l'anacyclose. Comme pour un comédien sur une scène, les actes que l'archétype accomplit importent moins que les sentiments et les idées qu'il exprime, puisque ses actes ne valent que pour une situation particulière (qui n'est plus la nôtre) tandis que ses sentiments et ses idées, le travail de sa volonté, valent pour tout homme qui connaîtra une situation semblable.

7. *La morale de Machiavel:*
   vertu et fortune, nécessité et occasion

Le statut différent que Machiavel accorde à ses personnages, selon qu'ils sont proches ou éloignés, illumine le double rôle qu'il accorde à la raison auprès de la volonté. *A l'échelle politique,* la raison renseigne la volonté sur ses intérêts. Mais les intérêts ne se conservent pas à l'échelle historique. Ce qui demeure, ce sont les qualités morales dont dispose la volonté pour faire ses choix. *A l'échelle historique,* donc, la raison peut renseigner la volonté sur les archétypes qui se reforment perpétuellement dans les choix des volontés humaines. On commence à le voir: la théorie de l'anacyclose, ou plus exactement le mariage de mythe et de raison qu'elle exprime chez Machiavel, sert de trame à toute son œuvre politique et historique (même là où cette trame reste cachée) parce qu'elle sert à fonder la *morale* machiavélienne. C'est au fond cette trame morale qui maintient pour nous dans chaque page de Machiavel un certain caractère d'étrangeté. Or, cette conception morale si différente de ce que nous considérons comme moral tient pour l'essentiel en quatre mots qui reviennent partout sous la plume de Machiavel: vertu, fortune, nécessité et occasion.

Prise séparément, la notion de *fortune* nous pose peu de problèmes. C'est le jeu aléatoire et changeant des oppositions multiples à l'intérieur desquelles luttent, fructifient et périssent les volontés humaines, simples et limitées. L'exposé qu'en fait Machiavel au début des livres I et II des *Discours*, et dans *le Prince* XXV, vaut beaucoup mieux que tout ce que je pourrais proposer. Je ne signalerai donc que ce que la notion de fortune exclut. D'abord, l'autonomie de la raison; comme on vient de le voir, la raison reste toujours servante de la volonté, parce que l'unique loi de la fortune est qu'un *savoir* ne prédira jamais le cours des choses. Ensuite, bien sûr, l'humanisme mirandolien et l'individualisme, c'est-à-dire l'idée que l'homme est le centre de l'univers et l'idée qu'il peut à la longue accomplir tout ce qu'il désire; au contraire, puisque la volonté et les actes individuels doivent s'effacer dans la somme des événements historiques, il ne peut y avoir ni progrès, ni «maître et possesseur de l'univers».

Plus précisément, c'est en tant qu'expression de la *nécessité* dans les événements que la fortune empêche de croire au progrès. L'autre aspect de la nécessité, c'est son expression dans les individus. Les caractères individuels étant le fruit des événements, ils sont tout autant une expression de la nécessité que le cours des événements, que la fortune elle-même. La valeur *nécessaire* des caractères, le fil de la *causalité* historique vu à l'échelle des individus, c'est ce que Machiavel nomme vertu.

C'est un mot aussi simple et clair que le mot fortune, le mot *vertu*, mais c'est un mot moral. Compris sans étonnement au temps de Machiavel, ce mot provoque, depuis que ce temps est révolu, les plus belles expressions de dépaysement devant le texte de Machiavel. Le sort du mot vertu dans les commentaires et les traductions trahit presque une névrose collective. Péries multiplie à son sujet approximations et périphrases (que j'ai rétablies). Dans l'édition de la Pléiade, Barincou le laisse en italien, d'ordinaire, rejoignant les commentateurs qui font comme si, malgré que ce terme n'ait pas inquiété les contemporains de Machiavel, le mot *virtù* avait eu chez lui un autre sens que celui qu'il a depuis dans la langue italienne (ou française).

Eh bien non! Comme le reconnaît Anglade, Machiavel veut dire vertu quand il dit vertu. Il n'est ni philosophe ni homme à jouer sur les mots. Ce qui nous empêche de comprendre cela, c'est la même défense qui nous empêche de reconnaître une morale dans sa politique. Voilà précisément ce qui fait problème: la vertu est, pour Machiavel pas moins que pour nous, la valeur morale du caractère, mais Machiavel conçoit cette valeur en humaniste (ancien) qui sait, comme ses lecteurs, ce que peut être la morale au sens romain et pragmatique. Expliquer cette conception humaniste de la vertu, c'est un peu expliquer le cœur de la morale machiavélienne.

Ce que Machiavel abhorre en morale, ce sont les imaginations médiévales que l'humanisme mirandolien est en train d'assimiler, et qui seront ainsi fondues dans *notre* conception de la morale. *Première imagination*: que la vertu dépend de la liberté, plutôt que de la nécessité — mais alors nous serions tous vertueux (et les histoires de faute originelle n'y changent rien; ici et maintenant nous n'avons pas la liberté d'être vertueux). Non, pour répondre à la fortune qui domine dans les choses humaines, il faut que la vertu soit elle aussi une *nécessité*; c'est pourquoi les caractères restent différents, et pourquoi dans des occasions semblables les volontés individuelles sont dissemblables. «Les hommes agissent ou par nécessité ou par choix, et l'on a toujours vu que la vertu est la plus grande là où le choix joue le moins» (*Discours* I, 1).

Deuxième imagination: que la vertu trouve son critère et sa récompense dans l'autre monde. Non, la vertu est précisément la *réunion* d'un désir puissant et des forces pour le satisfaire ici-bas: sinon elle n'a aucun sens pragmatique. Le premier critère de la vertu est donc le succès dû aux forces propres du caractère; nous y reviendrons. *Troisième imagination*: que la vertu est sacrifice de soi. Non, la vertu est *expression* de soi; par définition, une nécessité s'exprime toujours. Le sacrifice de soi n'est rien d'autre que l'expression des vertus faibles: expression retenue, malingre, réprimée, parce que la vertu est telle. *Quatrième imagination:* que la vertu se définit ou se mesure par une notion, un idéal, une valeur établie. Non, c'est l'inverse, ce sont les vertus des hommes qui donnent leur poids (le plus souvent imaginaire) à leurs notions, idéaux et valeurs. C'est dans l'*action* que se trouve la vertu, non dans ce qu'on en pense. La raison peut observer la vertu, mais non la juger; au contraire, l'intérêt de la vie réflexive vient de ce que les actes des hommes enseignent toujours quelque chose de nouveau à la raison, dans le bien ou dans le mal. *Cinquième imagination,* enfin: que la politique n'est pas le champ de la morale, ou ne l'est que difficilement. Non, la politique est le champ le plus nécessaire des actions humaines, parce que c'est le champ de la *lutte* des intérêts. Au sens romain et au sens machiavélien, la politique est le champ essentiel de la vertu et de la morale.

Tout cela, qui peut nous sembler nietzschéen, est en effet pour Machiavel simplement romain. Ce qu'il trouve dans les auteurs latins qu'il aime tant, ce n'est pas d'abord l'illustration des *ricorsi,* mais l'enseignement de la morale véritable, pragmatique — et la dénonciation que cela constitue face à la «vertu» du monde chrétien. On peut lire *le Prince* comme un traité de morale antique. L'audace, le sentiment des opportunités, le courage des moyens durs, la maîtrise devant l'opinion, la frugalité, la discipline, la souplesse, l'effort d'être toujours préparé: toutes ces leçons du *Prince* sont la morale des Romains. (Voir aussi *Discours* I, 12 à 16, sur l'utilité véritable de la religion.)

Le mot latin *virtus* est dérivé de *vir,* l'homme libre, mâle et adulte, c'est-à-dire, dans la civilisation romaine, l'agent politique au sens plein, celui qui a le pouvoir d'agir dans toutes les dimensions de la politi-

que. On a plus ou moins de *virtus* selon qu'on a plus
ou moins la substance, la force, la valeur et le mérite
d'un *vir*. Substance et force sont dans l'individu,
valeur et mérite dans ses actes. La mesure de la vertu
est donc d'un côté le succès de la volonté, mais de
l'autre la marque qu'elle laisse sur la société, la valeur
de cette volonté comme modèle dans la vie publique.
La liberté qui définit le *vir*, en effet, n'est pas une
liberté métaphysique tenant à l'individu, mais une
liberté sociale, la liberté juridique du citoyen. Ce qui
est vertueux, ce qui a valeur morale, est *simultanément*
individuel et social. Ce n'est pas vraiment vertu si une
volonté réussit chez un individu qui représente en
même temps une corruption du corps social: ce sur
quoi Machiavel insiste dans *le Prince* VIII.

Des quatre termes centraux de la morale machiavélienne, il ne reste à définir que l'*occasion*. Et ici nous
rencontrons un authentique problème de traduction.
La *cagione* de Machiavel signifie bien en français
occasion, mais aussi motif, raison, cause, conjoncture,
situation. Tous ces mots apparaissent dans les traductions, dont celle de Périès (et je ne l'ai pas corrigée sur ce
point). L'idée est claire, mais il faut la traduire différemment suivant les contextes. Si je dis ici «occasion»,
c'est que le verbe «occasionner» nous rapproche beaucoup de cette idée: l'occasion est la nécessité du moment
telle que la saisit la volonté, selon son intérêt. Ou
encore: la rencontre concrète de la fortune et de la
vertu, non comme destin, mais comme jeu de la
contradiction entre la nécessité générale et la nécessité
individuelle. Le philosophe dirait que l'occasion est le
sens pragmatique, à l'intérieur du primat de la contradiction. Mais Machiavel n'est pas philosophe, il n'a pas

de théorie générale de l'occasion. Il a plutôt une sagesse politique *des* occasions, que toute son œuvre politique a pour but de transcrire.

Cette sagesse politique, cette habileté dans l'exploitation des occasions, qui est au centre de la morale antique, enseigne qu'il y a pour les peuples de bonnes constitutions et pour les individus de bonnes disciplines, et que ce sont elles qui leur donnent la souplesse et la puissance de se maintenir à travers les variations de la fortune. Cette leçon, pour les individus, est transcrite à l'avant-dernier chapitre du *Prince* et, pour les peuples, dans les *Discours*, notamment en III, 31 : «*Or donc, toute ville armée et organisée à l'image de Rome, et dont les citoyens apprendront chaque jour, soit en public, soit en particulier à développer leur courage et à maîtriser la fortune, réussira toujours, en quelque occurrence* [occasion] *que ce soit, à sauvegarder comme Rome son esprit et sa dignité. Désarmée, et se fiant uniquement aux caprices de la fortune, et non à sa propre* virtù, *elle devra en subir tous les caprices, elle aura le même sort que Venise*[8].»

Quelle que soit, toutefois, la valeur originelle d'une constitution ou d'une discipline, elle doit se corrompre. La nécessité défait toujours ce qu'elle a fait d'abord, c'est l'anacyclose. La solution est d'exploiter les *ricorsi* eux-mêmes, de renouveler constitutions et disciplines en retournant à l'*action* de leur origine, en reprenant l'occasion qui les a fondées. Tout *le Prince* enseigne cela pour les individus, et spécialement les chapîtres XIV, XV et XVII. De nombreux passages

---

8. Machiavel, *Œuvres complètes,* trad. Edmond Barincou, Paris, Gallimard, La Pléïade, 1952, p. 689.

des *Discours* l'enseignent pour les peuples, dont le premier chapitre du livre III: «*Les corps* [politiques] *les mieux constitués et qui ont une plus longue vie sont ceux qui trouvent dans leurs institutions mêmes le principe de leur rénovation, ou encore ceux qui, indépendamment de leurs institutions, parviennent par accident à cette rénovation. Il est également clair comme le jour que, faute de se rénover, ces corps périssent. Or, comme je l'ai dit, cette rénovation consiste pour eux à revenir à leur principe vital*[9].»

Dernière remarque: ce que Machiavel cherchait le moins, en livrant cette morale, c'était d'inspirer la tristesse. Ce qui le distingue des penseurs de son temps, ce n'est pas son acceptation de l'idée des cycles ou son rejet de l'idée du progrès, mais au contraire son refus du *pessimisme* qui accompagne cette position commune (par exemple chez son ami et disciple François Guichardin). En adoptant le point de vue des anciens, et spécialement l'anacyclose, Machiavel recherche le moyen d'avoir une morale pragmatique et sans au-delà, et en même temps confiante, enjouée et *active* — fringante, dirions-nous. Ce moyen, il le trouve dans sa conception de la vertu et, surtout, de l'occasion. Dès lors, il peut exercer sur la fortune et la nécessité un regard joyeux, admiratif et narquois. «*Machiavel qui, dans son* Prince, *nous fait respirer l'air sec et subtil de Florence et ne peut se retenir d'exposer les questions les plus graves au rythme d'un indomptable* allegrissimo, *non sans prendre peut-être un malin plaisir d'artiste à oser ce contraste: une pensée soutenue,*

9. Machiavel, *Œuvres complètes,* trad. Edmond Barincou, p. 607.

*difficile, dure, dangereuse et un rythme galopant,
d'une bonne humeur endiablée*[10].»

8. Le mythe patriarcal

Il y a toutefois des moments où ce chant semble
échapper à son auteur; il y a des délires chez Machiavel,
comme chez tout le monde. En chercher les raisons
sortirait du cadre d'une présentation, mais n'en rien
dire rendrait cette présentation trompeuse. Essayons
donc de relier les plus évidents parmi les éléments du
texte machiavélien qui semblent dépasser la raison
machiavélienne.

Il y a d'abord cette question du «*principe* vital»
qu'on vient de rencontrer, et qui revient très souvent
dans l'œuvre de Machiavel. «Prince» et «principe» ont
la même origine latine: *princeps.* Et sous la plume de
Machiavel il s'agit souvent des deux à la fois, c'est-à-
dire d'un *fondateur.* Il cite à plaisir les fondateurs
légendaires des peuples anciens: Moïse, David, Antée,
Lycurgue, Solon, Romulus, Mahomet (fondateur «des
Turcs»). Il conclut *le Prince* en montrant que c'est un
tel fondateur qui manque aux Italiens. Lui-même, en
fréquentant les auteurs latins, pratique une sorte de
retour au principe; et les Romains, dûment colorés en
archétypes, prennent effectivement dans son œuvre la
figure de principes et de pères de la politique. Ce
besoin du principe, au mépris de l'anacyclose, devient
même une sorte de loi de l'histoire; la fortune et

10. Nietzsche, *Par-delà bien et mal,* trad. Heim, Hildenbrand
et Gratien, Paris, Gallimard, 1971, p. 48.

l'occasion ne suffisent pas à la genèse des peuples ou des villes, il leur faut un fondateur: «*Il faut établir comme règle générale que jamais, ou bien rarement du moins, on n'a vue une république ni une monarchie être bien constituées dès l'origine, ou totalement réformées depuis, si ce n'est par un seul individu; il lui est même nécessaire que celui qui a conçu le plan fournisse lui seul les moyens d'exécution*[11].» L'essentiel d'un Etat serait donc dans la *vertu* de son fondateur, au sens où la vertu, qualité du *vir*, est virilité, qualité du père. Et il s'agit bien d'un père, au sens où ces fondateurs sont au-delà de la causalité historique, ni produits par la nécessité, ni soumis, eux-mêmes, à la fortune: c'est pourquoi eux seuls, et non les citoyens, garantissent la bonne constitution d'un Etat. De la même façon que dans le droit romain le père avait droit de vie ou de mort sur ses enfants.

Mais le *princeps* sur lequel revient si souvent Machiavel est un père *absent*. Au moment de la vérité effective, au moment où Machiavel parle, on ne peut jamais toucher ce père; ce que nous montre plutôt Machiavel, c'est son souvenir, sa légende et sa trace. (Ou, dans le cas de l'Italie, son manque.) De ces pères absents, Machiavel n'en cite d'ailleurs nulle part autant que là (*Discours* I, 2) où il expose ce qui devrait les rendre rationnellement superflus, l'anacyclose.

Par ce biais, tandis que d'une main il impose la rationalité de la causalité historique, qui rend caduque l'idée médiévale de Providence, de l'autre il récupère une partie de la valeur mythique de cette idée, sous la

---

11. Machiavel, *Œuvres complètes,* trad. Edmond Barincou, p. 405.

figure d'un père cette fois terrestre mais quand même extérieur à la condition humaine, et absent. La «Note sur la Florence de Machiavel» montre comment, en passant de l'ordre politique médiéval à l'ordre politique bourgeois, on passe d'un ordre de suzeraineté à un ordre de *souveraineté*, et comment la raison bourgeoise, dont participe Machiavel, a trouvé son modèle de la souveraineté dans le pouvoir dévolu au pape dans l'Eglise. Mais Machiavel va plus loin que cela: au sens de prince, le *princeps* incarne la souveraineté non dans un Etat mais dans un seul homme et, au sens de principe, il incarne même ce qui dans la religion catholique était le *fondement* imaginaire de la souveraineté papale, l'intervention dans l'histoire d'une puissance supérieure à l'histoire. Machiavel emprunte à l'Eglise non seulement la rationalité de la souveraineté mais une partie de son mythe, qui devient partie intégrante du mythe machiavélien du père absent.

Il existe sans doute un mythe du père chez tous les grands auteurs, et en Occident il y a deux façons de livrer ce mythe: selon la loi ou contre elle. Les deux figures classiques en sont le patriarche Abraham qui, selon la loi, tue son fils, à une intervention divine près (Genèse 22), et le roi Laos qui, contre la loi, est tué par un fils aveuglé par le destin, Œdipe. Le père absent machiavélien, le *princeps*, est un père selon la loi, à l'image du père romain (notamment Brutus qui tue ses fils dans *Discours* III, 3; voir *Discours* I, 16, note). Lu du point de vue *des sujets, le Prince* est le portrait d'un père semblable au dieu de l'Ancien Testament commandant à Abraham de tuer son fils: inatteignable, toujours puissant, alternativement sanglant et bénéfique, il gouverne par un mélange d'effroi et de respect.

Ce livre reste le plus bel éloge qu'on ait écrit d'un prince toujours prêt à sacrifier ses sujets.

Même dans l'anacyclose il y a une trace de cela: jamais les hommes ne pourront sortir du territoire circonscrit par les pas de leurs aïeux. Dans *le Prince* même, l'exemple sur lequel Machiavel insiste le plus semble bien mal choisi comme modèle de prince: César Borgia, fils du pape Alexandre VI, fut dans le métier de prince un échec piteux et sanglant. Mais ce fut par contre un très bel exemple d'un fils qui n'eut de vertu qu'en autant et aussi longtemps que vécut son père, et Machiavel prend soin de souligner ce lien causal entre la mort d'Alexandre et la déchéance de César.

Dans tout cela il n'y a que des pères et des fils; il s'agit d'une paternité pure, mythique: *sans femmes.* La vertu est la capacité virile d'être père, et le terme «efféminé» est chez Machiavel le contraire logique de «vertueux». En fait, selon *le Prince* XXV, la vertu impose son cours à la fortune de la même façon qu'un homme s'impose à une femme en la battant. Vertu, fortune, nécessité et occasion composent donc une raison déjouée par le mythe même qui l'alimente: raison déjouée par une figure qui la domine, le *princeps,* et qui la marque d'une coupure par rapport à l'histoire; raison déjouée par une figure qui lui manque, les femmes, et dont le manque la marque d'une coupure par rapport à l'existence sociale.

Dans le texte de Machiavel, les femmes ne manquent pas seulement mythiquement, elles manquent matériellement [12]; il n'y a pratiquement que des hommes se

----

12. Machiavel a écrit deux comédies. L'une, la *Mandragore,* joue sur les moyens d'obtenir la paternité. L'autre, *Clizia,* sur la dispute d'un père et d'un fils pour une femme qui n'apparaît jamais.

groupant et s'opposant entre hommes adultes, sur les places publiques, sans vie domestique et sans enfance. Manquent tout aussi bien les ouvriers (sauf pour leur rôle dans les oppositions de classes) et les paysans, aux dépens desquels les villes sont établies (par leur fondateur) et qui ensuite les alimentent en pain et en troupes, mais dont Machiavel ne discute jamais. Bref, il ne dit rien de la *production* sous les trois modes courants de son temps: production ménagère dans la famille patriarcale, production ouvrière dans le capitalisme urbain, production paysanne dans les campagnes féodales. [13]

Cette politique sans production a une nuance d'irréalité, quelque chose, comme je disais, d'un délire. Mentionnons-en deux aspects. L'irréalité d'abord de l'*espace* machiavélien. A une époque où les voies commerciales avec l'Asie sont ouvertes, où l'exploitation de l'Afrique est bien établie et où le pillage de l'Amérique est commencé depuis vingt ans, Machiavel ne tient aucun compte de cette ouverture économique et politique. Sa géographie moderne est encore plus étroite que sa géographie antique; elle dépasse rarement les frontières de l'Italie, et alors seulement pour en considérer les voisins européens. Pourtant, comme fonctionnaire et comme ambassadeur, Machiavel a travaillé pour les marchands et les banquiers italiens, qui dépendent souvent de cette expansion hors d'Europe. Les cercles humanistes qu'il fréquente, et pour lesquels il écrit, s'intéressent à la civilisation orientale comme à la découverte de l'Amérique. Mais Machiavel

---

13. A l'époque, neuf Italiens sur dix étaient paysans. Florence ne comptait que 1% de la population de la péninsule.

se replie sur l'Italie de ses aïeux; il lui faut un espace clos, moins une terre qu'une arène, où s'affronteront vertueusement les Etats et les hommes. Aussi son regard sur l'Italie comme pays est-il défini par le moment passé de la grandeur de Florence. Aussi, ne dit-il jamais un mot de navires ou de marine (je crois), même dans les quatre-vingt-dix chapîtres de l'*Art de la guerre*.

Irréalité de l'espace de la politique machiavélienne, donc, mais irréalité tout autant de son *matériel*. Rousseau voulait que l'auteur du *Prince* soit l'ami des républiques et non des princes. Il faut lui donner raison sur un point. Si les princes avaient suivi les conseils du *Prince*, ils auraient eu vite fait de se ruiner mutuellement et pour de bon — ce qui fut effectivement leur sort dans les siècles qui suivirent, à l'instigation de la bourgeoisie et spécialement des banquiers. Le sang même que faisait couler César Borgia, en dépensant les trésors du Vatican, n'était pas celui de ses sujets mais celui de ses adversaires et de leurs mercenaires. Qui ne souhaiterait que *nos* princes se mettent à l'école de Machiavel: «*Il n'y a pas d'opinion plus fausse que celle qui veut que l'argent soit le nerf de la guerre. [...] Je m'élèverai donc contre le cri général. Ce n'est pas l'or, ce sont les bons soldats qui sont le nerf de la guerre. L'or ne fait pas trouver de bonnes troupes, mais les bonnes troupes font trouver de l'or*[14].» On pourrait croire que, sous le mythe de la paternité pure, les princes vertueux remplacent le pouvoir d'être féconds (qui impliquerait la production)

14. Machiavel, *Œuvres complètes,* trad. Edmond Barincou, pp. 538-539.

Pollaiolo: Combat de dix hommes nus (gravure florentine, vers 1460).

par celui de faire couler le sang mâle. Cela pouvant même donner de l'or.

La raison de Machiavel tire en partie sa force d'un puissant mythe patriarcal, au sens biblique et au sens politico-économique (autorité du père sur une production ménagère à laquelle il ne participe pas). Or, comme on vient de le voir, ce mythe vient remplir un silence, un silence sur la production. Cela signifie que, dans la raison machiavélienne elle-même, le rôle de la production est *déplacé*. La vertu s'enracine dans la naissance, la parcimonie est conseillée aux princes (*Le Prince* XVI et XII), le pouvoir politique du peuple sous-entend son importance économique. Mais surtout: qu'est-ce que l'*intérêt*, sinon le besoin de la production? quels sont les *biens* dont on peut s'emparer ou par vertu ou par fortune, sinon les capacités productives des paysans (pays), des ouvriers et du commerce (villes), ou des femmes (familles)?

9. *L'occasion d'écrire*

Le conseil et l'acte sont deux choses, Machiavel le sait bien. Sa raison n'aura pas d'autres pouvoirs que ceux définis par son occasion. Par exemple, jugeant que les mercenaires sont des parasites, Machiavel a organisé des milices nationales pour Florence. Elles se sont effondrées devant les Espagnols en août 1512, et avec elles la république florentine. Machiavel y perd son emploi. Néanmoins, l'année suivante, il conseille derechef les milices plutôt que les mercenaires (*Le Prince* XII). Sa vertu personnelle, juge Machiavel, est d'être conseiller plutôt qu'exécutant, et le conseil reste bon. Entre le conseil général et l'acte circonscrit par l'occasion et l'intérêt, il y a la *décision* d'une volonté particulière, qui n'est pas celle du conseiller. La vertu d'un conseiller se trouve donc dans l'utilité et non dans les conséquences de ses conseils. L'utilité même du conseil implique en fait des conséquences contradictoires, puisque les intérêts sont contradictoires. Comparer par exemple *le Prince* V à *Discours* I, 16 et II, 2. La sagesse veut que les princes et les peuples poursuivent des intérêts opposés; c'est l'*opposition* de leurs efforts qui, à condition d'être éclairée et audacieuse, assurera le mouvement ascendant de l'anacyclose. Si l'action humaine appartient toujours strictement à l'échelle politique, le conseil habile appartient toujours un peu à l'échelle historique.

Cette distinction machiavélienne entre le conseil et l'acte s'illustre particulièrement bien dans le cas de l'Eglise. Dans l'immédiat politique, non seulement Machiavel respecte-t-il comme tout le monde le catholicisme des apparences, mais il travaille volontiers auprès du Vatican et en sollicite même, avec succès, une bourse pour écrire les *Histoires*. Pourtant, en tant qu'écrivain, il fait un sort au catholicisme. Et, en tant qu'humaniste et que nationaliste, il juge l'Italie corrompue par le faste des mœurs et les dépenses des cours princières, dont la plus brillante est bien entendu le Vatican. Machiavel est-il hypocrite? Anti-catholique, humaniste et nationaliste seulement dans ses moments de loisir? Non, son honnêteté n'est peut-être pas la nôtre, mais c'est celle de toute la Renaissance italienne: l'honnêteté des actes, la conformité non des actes aux idées mais des actes aux actes. L'*occasion* de Machiavel est celle-ci: qu'il travaille ou non pour le Vatican affectera son intérêt personnel, mais aucunement celui du peuple italien, car la lutte politique pour celui-ci n'est pas encore commencée; au contraire, si Machiavel peut faire quelque chose pour ce peuple, ou contre l'Eglise, c'est par ses écrits publics, ses livres; et jamais il ne permettra à son emploi de colorer ceux-ci. Même, dans ses livres, il saisira toutes les occasions de comparer les actes de l'Eglise à ses prétentions. Publier un conseil dans un livre, c'est en quelque sorte le léguer à la dimension historique. En se faisant écrivain, Machiavel donne à son humanisme et à son nationalisme un peu la valeur d'une échappatoire à l'anacyclose, vers l'avenir, comme le mythe du père absent en est une vers le passé. Contrairement à sa profession, ses livres marqueront peut-être (mais comment?) la culture à venir et l'Italie à venir.

Pourtant, cet écrivain, qu'on vient de défendre contre l'accusation d'être double, fait l'éloge de la duplicité. C'est qu'il ne s'agit pas de la même duplicité. Les paroles peuvent trahir, dit Machiavel, pourvu que l'intérêt soit servi par là. Autre chose est la duplicité qu'on se fait à soi-même, celle que Machiavel déteste comme humaniste et comme homme de raison: cette duplicité qui nous permet, selon la facilité du moment, de servir un intérêt puis un autre en nous racontant que c'est le même. La morale antique qui loue la duplicité politique interdit, en revanche, à la fois les motifs et l'habitude de la duplicité morale: car on ne se ment à soi-même que si l'on cultive la vertu comme un idéal plutôt que comme une nécessité. Vis-à-vis de l'Eglise, encore, Machiavel écrivain nous fournit un exemple de duplicité politique. L'Eglise exploitait déjà depuis plusieurs siècles la distinction, que nous connaissons trop bien, entre la morale, affaire de foi, et la politique, affaire de raison. Machiavel en profite, quand il vient de démontrer un peu trop crûment l'utilité d'une fourberie ou d'un crime, pour s'en laver les mains en anonnant que tout cela est mal (sous-entendu, au sens chrétien). En d'autres mots, il est le premier à laisser à l'Eglise tout le champ de la morale *idéale*. Voir par exemple *le Prince* XVIII.

Ecrivant selon la morale antique sur les historiens antiques, écrivant avec politique sur la vérité politique, Machiavel a su tirer de son occasion, qui était d'être écrivain et non prince, un effet sur l'histoire qui dépasse celui d'aucun prince Médicis. Son honnêteté trouve là sa raison, et si la nôtre s'en étonne toujours, c'est peut-être parce que la force chez nous de cette raison étrangère témoigne que *la* raison n'existe pas.

Notes préliminaires

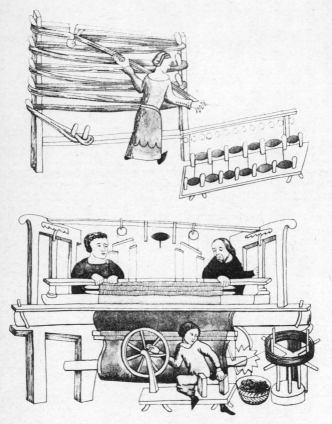

Famille de tisserands, filant et travaillant au métier, treizième
siècle (Archives municipales, Ypres).

La Florence de Machiavel

Machiavel n'est pas Italien, il est Florentin. A son époque, être Italien est une idée, être Florentin est un fait politique, culturel et juridique. Machiavel est donc le citoyen d'une ville, non d'un pays; à vrai dire il est Florentin au seizième siècle comme on était Romain deux mille ans plus tôt. Comme un auteur romain il écrit pour être lu en manuscrit par des gens, sinon qu'il connaît personnellement, du moins dont il connaît de première main la situation politique et culturelle. Ces Florentins lettrés (et les étrangers qui les fréquentent), il écrit dans leur dialecte — dont il rêve de faire l'italien des lettres. Et il écrit au sujet de faits et d'auteurs qu'eux-mêmes connaissent bien, et qu'il traite de leur point de vue.

Reconnaître en Florence la Rome de Machiavel peut nous éviter deux erreurs. D'un côté, Machiavel donne les faits, le plus souvent, sous un éclairage franchement partial; or, cela ne signifie pas qu'il «arrange la vérité». Il sait que ses lecteurs reconnaîtront sa partialité. Comme lorsqu'on discute de choses connues entre amis, il compte même sur cette partialité affichée pour

rendre plus clair le sens de son argumentation. Un bel
exemple est la louange qu'il fait de César Borgia dans
le Prince, et qu'on lit d'ordinaire comme si elle devait
être prise littéralement. Machiavel n'imaginait pas être
lu par quelqu'un qui n'aurait pas suivi personnellement la carrière de César, ou dont l'opinion à ce sujet
ne serait pas déjà faite. Aux lecteurs du *Prince* il
voulait montrer un *côté* de l'activité de César —
d'ailleurs limitée à quatre années — en guise d'illustration du thème du *Prince,* la nécessité et la possibilité de
l'unification de l'Italie par un prince.

Première erreur, donc, ou premier anachronisme: la
fausseté du témoignage de Machiavel. Second anachronisme: l'existence de la nation italienne. Machiavel
ne *nous* prévient pas, bien entendu, que son nationalisme italien est un idéal, mais il ne pouvait être rien
d'autre pour les lecteurs auxquels Machiavel s'adressait. Cela devient clair dès que nous lisons les faits
relatés par Machiavel *sans* les resituer dans l'Italie
d'aujourd'hui. L'Italie décrite par Machiavel est par-
cellaire et soumise, divisée et aléatoire, informe et
inconsciente.

Machiavel aussi sacrifie souvent cet idéal d'auteur
nationaliste à son travail de témoin florentin. A l'occasion, il écrit «Italiens» au sens florentin «d'étrangers».
Surtout, il représente l'Italie du seul point de vue de
Florence, si bien qu'on ne peut soupçonner en le lisant
les vraies forces qui, outre Florence, faisaient l'Italie
politique de son temps — notamment Venise et Gênes.
Il reste que personne n'aurait pu décrire cette Italie
comme une *nation* au sens moderne. L'Italie ne for-
mait au mieux qu'un peuple, ce qui est une nation au
sens ancien, un ensemble de personnes *nées* d'une

même souche. En rêvant de relier les Italiens à l'intérieur d'un Etat unique, qui règnerait seul sur une partie de continent, qui posséderait une culture lettrée commune, fondée sur une langue scolaire unique, Machiavel participe à la construction de notre idée, moderne, de nation. On va voir que cette idée est bourgeoise, et qu'elle s'alimente non du fait italien mais du fait florentin.

La première expression de l'Etat bourgeois

A la fin du moyen-âge, d'autres bourgs sont devenus en même temps que Florence des *Etats* bourgeois, par exemple Bruges, Venise, les villes hanséatiques. Mais c'est dans Florence telle qu'elle vécut du onzième au quinzième siècle que l'on trouve le prototype le plus achevé de la civilisation et de la culture bourgeoises comme nous les connaissons aujourd'hui.

Déjà alimentée par le commerce de toute la vallée de l'Arno à l'époque de la domination germaine en Italie, Florence devient un *bourg* en 1115. En droit médiéval, cela signifie qu'elle est jusqu'à un certain point libérée du pouvoir féodal, et qu'au gouvernement du seigneur se substitue celui des *bourgeois*, c'est-à-dire des marchands qui ont gagné cette liberté juridique dans le but de faciliter les échanges commerciaux (normalement grevés de nombreuses taxes par les seigneurs). La liberté de Florence est plus large que celle de la grande majorité des bourgs médiévaux, et ses bourgeois y installent un gouvernement plus ou moins modelé sur celui de l'antique république romaine (voir «Machiavel et l'antiquité»). A l'extérieur de la ville ils gouvernent

eux-mêmes comme des seigneurs, conquérant contre
les seigneurs voisins des terres et des villes: Prato,
Arezzo, Pistoia, Volterra, Pise. En somme, en quelques générations après la libération juridique de leur
ville, les bourgeois de Florence construisent un Etat.
Sous le régime féodal le passage de la ville-bourg à la
ville-Etat ne s'est fait nulle part aussi facilement qu'en
Italie du nord, et cela compte sans doute pour beaucoup parmi les raisons qui font que, dans cette région
plus tôt que dans toute autre, la bourgeoisie féodale a
donné naissance à la bourgeoisie moderne.

Dès les débuts, la vie politique dans la république
florentine est extrêmement active, mouvementée,
acharnée. Deux grands partis s'opposent, l'un lié au
suzerain féodal de toute l'Italie, l'empereur d'Allemagne (ou plutôt du Saint-Empire germanique), le parti
des *gibelins*, et l'autre lié à un pouvoir plus proche
mais moins puissant, le Vatican. Ce dernier parti, celui
des *guelfes,* finit par l'emporter en 1266, avec l'aide du
frère du roi de France, expulsant les gibelins. En 1293,
les guelfes marquent, comme nul bourg médiéval ne
l'avait fait jusque là, le statut autonome de Florence
comme Etat républicain: les Ordonnances de justice
obligent tous les seigneurs habitant les Etats de Florence à passer trois mois par année dans la ville même,
hors de la protection de leurs châteaux forts. En
pratique cela signifie que les nobles s'intègrent de
plain-pied à la vie politique de la république.

Avant même de devenir bourg, Florence comptait
une industrie majeure, la laine. Pendant que la république conquiert sa souveraineté, cette industrie devient le centre de son économie et de son commerce. Et
aussi de son urbanisme, car les divers métiers de la

laine (*arti*) habitent des quartiers distincts — et s'identifient par des bannières (gonfalons) propres. Les ordonnances de justice abolissent la charge du *podesta*, qui était le «consul» de la première république florentine, sur le modèle romain, et lui substituent un conseil formé des *gonfaloniers,* représentants élus des *arti*, et de huit ministres, ou *priori.* Chaque *arte* est contrôlé par sa *compagnie*, c'est-à-dire l'ensemble des maîtres du métier (ou compagnons). Ce sont eux qui dirigent les fabriques ou distribuent et rétribuent le travail qui se fait à la maison (tout cela n'est pas très différent de l'industrie de la fourrure ou même de la couture à Montréal aujourd'hui). En termes modernes, les compagnons sont des capitalistes réunis en cartels corporatistes (les compagnies) travaillant avec les autres cartels et contrôlant ensemble l'Etat.

On devine ce que cela produit. Les bourgeois au sens propre, c'est-à-dire les principaux marchands et artisans (formant une même classe dans l'ordre féodal), deviennent industriels puis financiers. Ils revendiquent et gagnent une certaine autonomie à l'intérieur de la république et deviennent volontiers seigneurs, se confondant aux autres seigneurs, qui ne peuvent être restés importants qu'en faisant fructifier leurs biens par des moyens capitalistes eux aussi. Les seigneurs se distinguent du peuple (ou, comme dit Machiavel, de la populace, de la plèbe) parce qu'ils disposent de troupes d'hommes armés. Remarquons que la police n'existe pas à l'époque. La république, c'est-à-dire le conseil qui la gouverne, dispose de ses propres troupes intérieures, ainsi que de troupes extérieures bien distinctes. La vie politique s'accompagne donc d'épisodes violents où une partie du peuple, révoltée, s'affronte aux troupes des divers seigneurs ou du conseil de la république. Ces diverses troupes intérieures prises ensemble ne sont pas plus nombreuses que nos corps de police municipaux; mais elles sont moins clairement définies.

Apogée et déclin

L'industrie de la laine ne distingue pas Florence de ses concurrentes du nord de l'Italie, ni celle de la soie qui s'y adjoint à la fin du treizième siècle. Son succès spécial, Florence le doit à sa force et à sa nouveauté en tant qu'Etat républicain, et à la vie politique intense à laquelle cela donne lieu. C'est cette circonstance qui permet à sa grande bourgeoisie (seigneurs inclus) de s'enrichir à peu près continûment au cours de la guerre de Cent Ans (1336-1453), et surtout après la Peste noire qui, durant les chaleurs de l'été 1348, emporte les trois cinquièmes de cette population trop tassée. La guerre de Cent Ans n'est pas *une* guerre mais une période de conflits centrés sur les prétentions de deux familles royales, celle de Valois et celle de Normandie, donc d'Angleterre, à devenir suzerains de la France et des Flandres. Les dépenses entraînées par ces conflits enrichissent toutes les banques d'Europe, et notamment celles de Florence, où la haute bourgeoisie est de plus en plus banquière. Durant cette période, les banquiers florentins frappent 400 000 pièces d'or par an. L'époque favorise aussi les métiers du luxe, tels la soie, et l'orfèvrerie qui se développe très vite à Florence. La plus ancienne industrie de la ville, la laine, connaît aussi un regain, parce que les villes flamandes, concurrentes, sont isolées par la guerre. Florence est la capitale commerciale et financière de l'Europe. De 1343 à 1434, la république est gouvernée par une oligarchie, celle des Albizzi.

C'est l'apogée de Florence, et l'apogée d'un prototype de notre propre civilisation. A l'époque de Jeanne d'Arc, Florence est une ville industrielle capitaliste dont l'économie est liée au commerce extérieur, et dominée par les financiers. Ceux-ci, avec les capitalistes industriels et commerciaux, contrôlent le pouvoir politique, mais doivent en négocier l'exercice, à l'intérieur d'une forme républicaine et électorale, avec ceux qui représentent le peuple ouvrier. Comme celui que nous connaissons, le capitalisme florentin est monopoliste et s'élabore non pas sur un mode de production unique mais sur un mélange de productions industrielles, artisanales et commerciales. Il n'est pas non plus économiquement autonome, mais dépend de l'exploitation de la production ménagère, sous le mode patriarcal, et paysanne, sous le mode féodal. Aussi classique est le fait que ce capitalisme dépend, pour son pouvoir politique, de la division des travailleurs: les *arti* anciens, électeurs des gonfaloniers, forment le peuple «gras», *popolo grasso* (auquel appartiendra Machiavel, fils de notaire); tous les autres forment le peuple «maigre».

Parmi ces derniers, il faut compter les ouvriers de la construction. A cette époque faste, la richesse des seigneurs bourgeois s'exprime au moyen de palais et d'édifices publics (ce sont ces témoignages qui font aujourd'hui de Florence un arrêt obligé de l'itinéraire touristique). Mais c'est par contre dans la hardiesse des lettres et de la peinture que s'exprime le statut politique unique de cette république bourgeoise en

Italie: Cimabue, Dante, Giotto, Boccace, Fra Angelico, Brunelleschi.

La vie politique décrite par Machiavel devrait donc nous êtres compréhensible. Elle est plus dense, plus étroite, plus impétueuse que la nôtre, mais elle s'élève sur les mêmes fondements que celle des Etats modernes. Il suffit de nous rappeler que ces fondements capitalistes et bourgeois sont à l'échelle du prototype: sans doute autour de cent mille âmes. Il faut nous souvenir aussi qu'on n'avait pas fait à l'époque de Machiavel une «vérité naturelle» de la concurrence, ni une «aspiration universelle» de la démocratie. Machiavel reconnaît donc crûment l'importance du corporatisme, de la corruption, de l'élitisme et de l'oligarchie dans la vie politique bourgeoise. Tout comme, ignorant le tabou de la lutte des classes, il nomme les choses et les gens par leur nom.

Il y a un pas entre l'apogée de Florence et l'époque de Machiavel. La fin de la guerre de Cent Ans (1453) signifie la fin de l'expansion du pouvoir florentin. La concurrence est plus facile; les armées sont maintenant libres de semer leurs dégâts dans le nord enrichi de l'Italie; la finance n'a plus besoin du havre florentin contre l'arbitraire féodal; partout en Europe maintenant les princes les plus puissants sont liés à la bourgeoisie (et par elle). Dès 1434, la république florentine tombe aux mains d'une famille de financiers, les Médicis. La décadence commerciale et industrielle de leur ville n'incommode pas les Médicis outre mesure; on sait que le capital financier n'a pas de patrie. D'ailleurs, ils se désintéressent progressivement de la banque pour la politique, ce qui pour eux veut dire aussi bien le Vatican que Florence. Leur monarchie à

Florence s'accompagne du plus généreux mécénat pour les lettres, la peinture et la sculpture. Le règne de Laurent le Magnifique, de 1469 à 1492, consacre le rôle de Florence comme centre intellectuel de l'Italie. Du vivant même de Machiavel (1469-1527) travaillent Raphaël, Botticelli, Verrochio, Michel-Ange, Léonard de Vinci, parmi de nombreux autres protégés occasionnels des Médicis.

Machiavel aussi cherche la faveur des Médicis. Mais il est resté citoyen de Florence; sur ces nouveautés encouragées par les Médicis mais coïncidant avec le déclin de sa patrie, il garde un silence rigoureux. Il ne se tait pas, en revanche, sur un indice plus sérieux de la décadence politique de l'Etat florentin: le règne de Savonarole. En 1494, deux ans après la mort de Laurent, les Médicis perdent le pouvoir. Mais, plutôt que de rétablir la république, le peuple florentin écoute quatre années durant un prophète réformateur religieux, dans la tradition médiévale, le moine dominicain Jérôme Savonarole. Et cela ne cesse qu'à cause du travail de forces étrangères. Un ordre religieux concurrent des Dominicains, les Franciscains, s'alliant au pape Alexandre VI Borgia (le plus scandaleux de l'histoire de l'Eglise), suscite enfin, au printemps 1498, l'hostilité soudaine du peuple pour Savonarole, puis son arrestation, torture et exécution.

Un testament, l'Etat-nation

Machiavel est fonctionnaire de la chute de Savonarole au retour des Médicis, fin 1512. Emprisonné brièvement et soumis à un supplice mineur, puis chassé de la ville par les Médicis, Machiavel cherche à obtenir d'eux un emploi, et s'occupe pour l'immédiat à écrire. C'est donc à ce moment-là que nous le rencontrons, quand il est comme sa patrie en situation de déclin politique. Le nationalisme italien qui marque ses écrits est peut-être une réponse à cet état de fait, le souhait de voir se répéter pour l'ensemble de l'Italie l'ancien succès de Florence comme Etat bourgeois et laïc. Machiavel se désintéresse en revanche des réalités financières, qui vont en fait dicter à l'Italie un destin dominé par deux grandes puissances, le Vatican et la France, le premier étant comme la seconde rejeté par lui à l'extérieur de la nation italienne telle qu'il l'imagine.

Un autre motif encourage aussi Machiavel à méconnaître le poids du Vatican. Son œuvre politique est beaucoup un testament de la grandeur politique de Florence, Etat bourgeois originaire. S'il y a une véritable *théorie* chez Machiavel, c'est sûrement la construction du *concept* (applicable partout) de ce que Florence a été mais n'a pu rester: l'Etat bourgeois, qui devra à l'avenir être un *Etat-nation*. L'irréalité même du nationalisme de Machiavel aide à l'universalité de ce concept. Mais il lui faut d'abord un contenu: la réalité passée de Florence fournit le modèle de l'Etat bourgeois tandis que le trône de Saint Pierre fournit celui du pouvoir *souverain*. En effet, le pouvoir laïc médiéval est un pouvoir multiple, diffus: la suzeraineté. C'est le pouvoir religieux qui fournit l'idée du pouvoir dans l'Etat bourgeois: unique, central, organisé, en un mot souverain. La souveraineté effective est précisément ce qui a manqué à Florence parce qu'elle n'était pas une *nation* (voir *le Prince* XII).

Ce concept du pouvoir souverain, Machiavel fait mine de le découvrir chez les historiens de l'antiquité; mais c'est une transposition qu'il fait là, pour ne pas avoir à dire que la souveraineté politique existe déjà de son temps, comme durant toute la période de la république florentine: non dans l'Etat bourgeois laïc, mais dans l'Etat religieux médiéval, l'Eglise catholique. Machiavel ne peut reconnaître l'existence de cette souveraineté réelle parce qu'elle devrait étouffer la souveraineté bourgeoise qu'il veut créer; pour donner l'unité du pouvoir à l'Etat-nation, Machiavel doit la dénier à l'Eglise. Si le Vatican pouvait faire l'unité de l'Italie, ce serait l'unité d'une principauté féodale, non celle d'un Etat bourgeois, commercial; s'il se fait, l'Etat-nation italien se fera donc sans le Vatican. Et Machiavel de montrer comment le Vatican n'est qu'un trône obéissant à une succession contradictoire d'intérêts profanes, comment le tort de l'Eglise est de n'être pas un simple organe *idéologique* au service d'un Etat laïc (*Discours* I, 12 à 14), comment l'Eglise est incompétente et nuisible en Italie quand elle intervient *politiquement* (*le Prince* XI et *Discours* I, av.-pr. et 12).

Les lecteurs de Machiavel sauront comprendre cette théorie qui confère à l'Etat bourgeois, une fois qu'il a gagné l'indépendance économique d'une *nation*, le statut unitaire et souverain du pouvoir de Saint-Pierre (ce qui ne peut se réaliser dans les simples limites d'une ville commerçante comme la république florentine). Parmi ces lecteurs: les monarchistes Hobbes et Montesquieu, les républicains Spinoza et Rousseau. Il faut dire aussi que ce concept de l'Etat-nation élève au niveau de la théorie le goût dominant de Machiavel pour l'autonomie. Car Machiavel grossit systémati-

quement l'autonomie de la sphère politique, au détri-
ment des facteurs extérieurs. Il grossit de la même
façon l'autonomie de chaque intervenant politique:
individus, classes, Etats, nation italienne à venir. C'est
pourquoi, peut-être, ce prophète de l'Etat-nation qui
doit venir après Florence méconnaît le *contexte* dans
lequel vivront tous les Etats-nations modernes et qui,
lui, se trouve déjà dans la Florence républicaine: la
dualité de l'Etat et de la société civile (pour reprendre
les termes de Gramsci), c'est-à-dire l'interaction de
deux formes de pouvoir politique, l'Etat, forme organisée et représentée, et la vie ordinaire, forme décen-
trée et implicite. Machiavel écrit comme si le pouvoir
politique n'existait que représenté, public, sur une
seule scène: l'Etat. Comme l'Eglise décrite dans les
encycliques, la Florence décrite dans Machiavel est
unilatérale; on n'y entend qu'une seule des voix (celle
du pouvoir organisé) du dialogue formant la vie
politique de la Florence réelle.

Machiavel et l'antiquité

Au moment où il devient écrivain politique, Machiavel est déjà, aux yeux de certains cercles florentins, non pas précisément un érudit, mais un lecteur exceptionnellement original et profond des auteurs de l'antiquité grecque et latine, hormis les philosophes. Et c'est ce statut qu'il assume pour écrire ses trois œuvres politiques, *le Prince*, les *Discours* et l'*Art de la guerre*. Or, l'essentiel de son originalité et de sa profondeur se démontre dans les liens qu'il sait faire entre ses lectures et les événements récents de l'histoire italienne. Cela explique en partie que le pape Léon X de Médicis l'ait chargé d'écrire aussi une œuvre historique, les *Histoires florentines*; cela explique en tout cas la persévérance de Machiavel à poursuivre les *Histoires* sur cinq cents pages — c'est-à-dire jusqu'à sa mort. Cet homme qui était tout l'opposé d'un dilettante savait qu'il y aurait des gens pour écouter ce qu'il avait à dire.

Les œuvres politiques

Dans chacune de ses trois œuvres politiques, Machiavel exerce toute sa pratique des anciens. Mais à chaque fois pour une utilité différente. *Le Prince*, bien entendu, s'adresse à ceux qui ont l'occasion d'être princes et qui entendent non seulement conserver mais renforcer, sinon agrandir, leur principauté. Les *Discours* ont un souci moins étroit; s'adressant à ceux qui apprécient la lecture machiavélienne des anciens, les *Discours* cherchent à la leur enseigner. Cette lecture est politique, mais Machiavel la livre à des gens qui n'ont pas les grands moyens de la politique: les troupes. Aussi en vient-il à écrire parallèlement aux *Discours* une sorte de complément militaire: l'*Art de la guerre*.

Le fonds principal de la pensée politique de Machiavel se trouve donc dans les *Discours*. En fait, l'activité de Machiavel comme écrivain politique s'étend simplement du début de la rédaction des *Discours* (1510?) à son interruption définitive (1520). L'abandon des *Discours* et avec eux de l'écriture politique laisse Machiavel libre de se consacrer à son seul succès littéraire, la pièce *la Mandragore*, ainsi qu'à ses amours avec la comédienne principale. Peu après, et jusqu'à sa mort, il trouve divers emplois d'ambassadeur «à la pige».

La rédaction du *Prince* n'a pris que six mois, en 1513, peu après que le retour des Médicis à Florence eut privé Machiavel de son poste de fonctionnaire et l'eut forcé à l'exil. L'intention en est mercenaire: se faire entendre des Médicis. Mais les destinataires n'accusent pas réception; aux yeux de Machiavel c'est un échec, et il reprend la matière du *Prince* dans le dernier livre des *Discours*, le troisième, à l'intention de l'auditoire lettré, et plutôt républicain, qu'il sait réceptif à ses idées. Plus exactement: à l'intention du seul auditoire qu'il croit maintenant avoir, comme auteur politique. Ironie du sort: le souci de faire effet rend Machiavel plus concis et mieux ordonné dans *le Prince*, si bien que cet «échec» représentera le cœur de son œuvre aux yeux des générations qui l'ont suivi.

C'est quand même une distorsion que cette perception commune. On peut savoir beaucoup de ce que Machiavel a à dire en lisant *le Prince*, mais on ne peut savoir pourquoi il le dit sans faire attention aux *Discours*. *Le Prince* est un petit livre clair, brillant, qui mérite toute l'estime qu'il a reçue depuis quatre siècles; mais la tête avec laquelle il a pu être pensé ne s'y révèle pas. (Pas plus, d'ailleurs, que dans l'*Art de la guerre*, plutôt livresque, peu inspiré et peu estimé.)

Il ne faudrait pas croire cependant que la pensée de Machiavel est masquée dans *le Prince* et nue dans les *Discours*; Machiavel n'écrit pas pour exprimer sa pensée mais pour être utile. Il vise un public précis — et non la postérité — dans les *Discours* autant que dans *le Prince*, et les plus intéressés parmi ses jeunes admirateurs se réunissaient même pour en discuter avec lui, durant les années 1515 à 1517, chez les Rucellai. En un sens, les *Discours* sont peut-être un tout dont *le Prince* illumine une partie, mais en un sens plus important, plus *utile* du point de vue de leur auteur, les deux œuvres se complètent. On a vu («Mythes et raisons», 6) que Machiavel conserve du moyen-âge l'idée qu'il y a deux mondes, l'un de l'histoire, éternel et cyclique selon une harmonie générale, l'autre de la politique, fluctuant et aléatoire suivant les agitations des hommes et leur courte vue. *Le Prince* est consacré à l'une de ces courtes vues (celle d'un prince ambitieux) tandis que les *Discours, grosso modo,* s'occupent d'éclairer l'histoire. Ainsi, par exemple, les épisodes tirés de l'antiquité sont proposés comme illustrations dans *le Prince* et comme modèles dans les *Discours.*

Le Prince s'adresse à quelqu'un qui a le pouvoir, les *Discours* à des gens qui doivent se contenter de l'observer. Et qui, peut-être, auront l'occasion un jour d'animer, de canaliser un mouvement constitué par l'énergie de masses plus importantes. Mais des gens qui, en tout cas, ne sont pas libres de prendre le pouvoir par leurs propres forces. Le plus long chapitre des *Discours* (III, 6) vise à le leur rappeler. Préambule: «*En effet, peu d'individus sont en état de faire une guerre ouverte à un prince, mais chacun est à même de conspirer. Il n'est pas d'entreprise plus dangereuse et plus téméraire pour les hommes qui s'y hasardent: les périls les environnent de toutes parts. Aussi arrive-t-il que bien peu réussissent, pour une infinité qui sont tentés*[1].» Arguments: il faut être «des grands ou des familiers du prince», ne pas être plus que trois ou quatre, et alors mis au courant «au moment de l'exécution et pas avant» — et encore seulement si «vous êtes acculé à faire au prince ce qu'il veut vous faire à vous-même par une nécessité si urgente qu'elle ne vous laisse pas d'autre issue». Bref, les destinataires des *Discours* devraient se contenter de cultiver le point de vue de l'histoire: «*C'est une règle d'or que celle de Tacite qui dit que 'les hommes doivent révérer le passé et se soumettre au présent; désirer les bons princes, et*

---

1. Machiavel, *Œuvres complètes,* trad. Edmond Barincou, p. 617.

supporter les autres quels qu'ils soient'.»[2]

Une certaine lecture des historiens

Dès le deuxième chapitre des *Discours*, Machiavel expose, comme une clef de son texte, sa conception de l'histoire: l'anacyclose (voir «Mythes et raisons», 6). Les cercles lettrés auxquels sont adressés les *Discours* respectent les auteurs de l'antiquité comme les pères mêmes de la liberté intellectuelle et artistique. Grâce au thème de l'anacyclose, qu'il a puisé chez Polybe, historien grec du deuxième siècle avant notre ère, Machiavel compte faire jouer ce respect pour l'antiquité contre une idée qui est en train d'apparaître dans ces mêmes cercles: l'idée de progrès. C'est cette clef, par exemple, qui joue plus haut dans la référence à l'historien romain Tacite. Voilà donc le projet des *Discours:* montrer que le point de vue de l'histoire exclut l'idée de progrès en présentant, dans la perspective d'un thème authentiquement antique, l'anacyclose, une synthèse de ce que Machiavel a appris chez les historiens grecs et romains.

Il s'agit bien de l'ensemble de ses lectures des historiens anciens — éclairées d'ailleurs par sa lecture des poètes anciens. Le titre, *Discours sur la première décade de Tite-Live*, est trompeur. Tite-Live est peut-être à l'époque le plus célèbre des historiens anciens, mais les *Discours* s'alimentent tout autant de Cicéron, Salluste, Pline, Tacite chez les Latins, et chez les Grecs de Xénophon, Polybe et Plutarque. La référence à

---

2. Machiavel, *Œuvres complètes,* trad. Edmond Barincou, p. 617.

Tite-Live est elle-même un peu confuse. A l'avant-propos du livre I, Machiavel annonce un commentaire «sur chacun des livres de Tite-Live que l'injure du temps a épargnés». Cela, à l'époque comme aujourd'hui, signifiait beaucoup plus que la première décade. Tite-Live a consacré sa vie (environ de 60 à 10 avant notre ère) à publier, en suivant l'ordre chronologique depuis la fondation légendaire de Rome, l'*Histoire* ou les *Annales* de cette ville devenue métropole d'un empire. Il eut le temps d'écrire cent quarante-deux livres, dont nous connaissons la table des matières, mais qui sont disparus sous la furie anti-païenne du pape Grégoire III, au huitième siècle, sauf pour les livres 1 à 10, la première «décade», et 20 à 44, soit trente-cinq livres et non dix.

Cette confusion a peu d'importance. Non seulement les *Discours* ne portent-ils pas essentiellement sur Tite-Live, mais ils ne répondent ni à un plan ni même à un projet défini, si ce n'est de faire de l'anacyclose la leçon de l'histoire elle-même, plutôt qu'une simple lecture de celle-ci. En cours de rédaction, les *Discours* ont connu au moins trois vocations successives: d'abord réflexions de lettré, puis ouvrage républicain (mais pondéré) et plus tard, la république florentine paraissant disparue pour longtemps, étude politique à l'intention du cercle Rucellai et de quelques autres.

Mais, d'une vocation à l'autre, l'usage que fait Machiavel des historiens anciens ne varie guère. Formé dans une tradition ou l'imprimé restait exceptionnel, il travaille surtout de mémoire. Des œuvres qu'il utilise, il a retenu une sélection bien personnelle d'épisodes, dont il se sert dans tous ses écrits politiques selon les besoins de l'argumentation. Et il raconte ces épisodes dans un style qui, lui aussi, est le sien propre. Tite-Live et Xénophon, par exemple, abondent en longueurs, en effets de style, en sentiments convenus et en superstitions; rien de cela chez Machiavel (même lorsqu'il cite Tite-Live); il ne s'intéresse qu'à «la vérité effective», l'enchaînement historique. Il se nourrit des auteurs grecs et latins mais, même en parlant d'eux, c'est toujours sa propre pensée qu'il livre, pragmatique, vive, colorée comme une fresque. Et spécialement friande de deux sortes d'épisodes: les recours à la force et les discours.

C'est ce qui s'appelait à l'époque *cultiver* les humanités. Les humanités de Machiavel, c'étaient des livres ou même des recueils d'extraits lus chez des amis durant ses voyages, des résumés et des recueils assemblés durant ses études, des manuscrits, des imprimés, des traductions (du grec au latin) publiées et des traductions privées. L'ensemble n'était pas énorme, on pouvait compter que ceux à qui on parlait avaient lu à peu près la même chose, et l'on relisait souvent ce qu'on avait: être lettré signifiait employer ainsi ses loisirs, à cette époque sans journaux ni revues. Machiavel, selon l'usage de son temps, reprend volontiers à son compte des passages des classiques sans signaler ses emprunts; les lecteurs pouvaient les reconnaître, et d'ailleurs on n'avait pas encore inventé la propriété privée des idées et des mots.

Rome

Dans les textes réunis ici, les épisodes de l'antiquité relatés par Machiavel sont le plus souvent légendaires.

Ils nécessitent, pour être compris, peu de renseignements supplémentaires. Les événements réels à la source de ces légendes nous restent généralement inconnus et, pour les détails connus, le lecteur curieux saura sûrement s'informer dans les dictionnaires usuels.

Ce qui peut manquer, ce sont plutôt quelques indications générales. Quand nous pensons aujourd'hui à l'antiquité romaine, il s'agit généralement de Rome à l'époque de l'empire. Le terme *empire* appliqué à la dernière époque de Rome ne désigne pas ses possessions territoriales dans le monde antique (très étendues), pour la plupart acquises avant cette époque, mais une forme de monarchie militaire instaurée par Jules César en 44 avant notre ère. Cette dictature venait se greffer sur des institutions très anciennes mais corrompues, celles de la *république*. La première décade de Tite-Live, et avec elle la majeure partie des références romaines de Machiavel, s'arrêtent au troisième siècle de la république, soit en 239 avant notre ère.

Sous la république les *citoyens* de Rome (c'est-à-dire ni les femmes, ni les esclaves, ni les enfants, ni les étrangers), réunis en assemblée, élisaient les *magistrats*: préteurs, tribuns, édiles, censeurs, questeurs. Parmi ceux-ci deux *consuls*, élus pour un an, détenaient le pouvoir suprême. Mais ils ne pouvaient gouverner ni, même, être nommés que sous l'autorité du *sénat*, formé de ceux des anciens magistrats qu'on considérait dignes d'y participer, et qui siégeaient à vie. Ce système souple, destiné à permettre la négociation des conflits à travers la division et l'impermanence des pouvoirs, était le fruit de plusieurs siècles de développement, et en fait ne cessa jamais d'évoluer. Dans cette dynamique le sénat était responsable de la stabilité des institutions. La nouveauté de l'empire fut d'enlever cette responsabilité au sénat, puis de donner à César les pouvoirs d'un souverain en le constituant seul consul, sans élection et à vie.

Les citoyens eux-mêmes, sous la république, se divisaient en une minorité de familles (plutôt des tribus) *patriciennes* et une majorité *plébienne.* (Vers la fin de la république, et sous l'empire, cette division devint plus fluide.) Les patriciens dominaient les plébéiens en pouvoir et en fortune, et fondaient traditionnellement cette distinction (avec quelques exceptions) sur des origines familiales remontant à la Rome d'avant l'instauration de la république (située par la légende à 509 avant notre ère). Rome, en effet, s'était déjà imposée comme la ville la plus importante d'Italie au cours d'une première époque, dont nous savons assez peu, celle de la *monarchie.* Les origines de la monarchie remontent à la pure légende (voir *Discours* I, 1); la dernière dynastie royale fut celle des Tarquins.

La Grèce

Parmi les conquêtes réalisées sous la république celle qui, de très loin, marqua le plus la civilisation romaine fut l'assujettissement progressif de la Grèce au cours des deux derniers siècles avant notre ère, à partir de la victoire des Cynocéphales en 197 (voir *le Prince* III). Cette Grèce conquise correspond à peu près à la Grèce d'aujourd'hui. Mais la Grèce antique avait été plus que cela. A partir de mille ans avant notre ère, les Grecs ont habité non pas un pays mais un réseau de villes, essentiellement côtières, situées sur les rives et les îles de la Méditerranée, et reliées par des liens culturels, politiques et commerciaux. Ce réseau s'étendait de l'Asie mineure (la Turquie actuelle) au sud de la péninsule grecque, et plus tard à la Sicile, au sud de l'Italie et à Marseille. Cependant, Machiavel considère l'histoire grecque d'un point de vue romain; quand il parle de la Grèce antique, il pense au sud de la péninsule grecque (ou de la Grèce actuelle). Et, bien sûr, il ne pense qu'à la période observée par les chroniqueurs anciens, ce qui ne remonte guère plus loin que la république romaine.

Les grandes lignes de cette histoire grecque réduite sont faciles à comprendre. Séparées par un relief difficile et aride, les villes grecques, entourées de leurs dépendances agricoles, formaient chacune un petit Etat. Liés par la culture, ces Etats étaient divisés par leur concurrence commerciale et politique. Ils se livraient volontiers la guerre, au gré d'un jeu d'alliances très fluctuant.

Du sixième au quatrième siècle avant notre ère, ces conflits furent dominés par celui de deux villes: Athènes et Sparte (ou Lacédémone). Fondée par Solon, selon la légende, Athènes fut la source principale de ce qui nous reste aujourd'hui de la civilisation grecque antique. Elle était démocratique au sens où la république romaine fut démocratique. Lacédémone avait Lycurgue pour fondateur légendaire (le fondateur étant ici le créateur non pas de la ville mais de ses lois). Son fonctionnement politique était militariste, traditionnaliste, et aussi figé que celui d'Athènes était animé et instable. Seuls les Spartiates «de race» étaient citoyens, dominant des castes inférieures plus populeuses, et respectant avec discipline le gouvernement d'un petit nombre (oligarchie). De Sparte, l'histoire garde surtout le souvenir de son militarisme et de sa stérilité culturelle.

En 404 avant notre ère, Athènes capitula finalement devant les Lacédémoniens. L'Asie mineure était déjà aux mains des Perses, tandis que l'ouest de la Méditerranée avait perdu ses liens politiques avec la péninsule grecque. Sur celle-ci, les forces des grandes villes avaient été sapées par la guerre, et d'ailleurs la victoire spartiate ne fit pas cesser les révoltes, alliances et trahisons. Philippe II, roi de la Macédoine, un pays du nord de la péninsule, mi-grec, mi-barbare (non grec), termina sa conquête de la Grèce en 338, donnant aux Grecs du même coup leur première unité politique, par la soumission.

Mais les Macédoniens, contrairement aux Romains, se souciaient peu d'ajouter à la soumission militaire la conquête politique. Poursuivant cette forme d'empire, le fils de Philippe II, Alexandre le Grand, conquit la Perse (le Proche-Orient) et l'Egypte (où il établit la ville d'Alexandrie aux bouches du Nil). Il s'avança ensuite, à travers l'Afghanistan et le Pakistan actuels, jusqu'au nord de l'Inde. Sa mort survint à 33 ans, et son empire se disloqua quelques années plus tard. C'est un de ses successeurs sur le trône de Macédoine, Philippe V, que les Romains vainquirent en 197 pour s'emparer de la Grèce.

Libre, puis soumise, Athènes était restée la capitale culturelle de la Grèce. Une fois conquise par Rome, elle devint la capitale intellectuelle de l'empire entier, titre qu'elle céda progressivement à Alexandrie au cours du dernier siècle avant notre ère.

Le texte

Les écrits de Machiavel réunis ici sont présentés dans une version corrigée et mise à jour de la traduction de J.V. Péries (1823-1826)[3]. La langue de Péries se conforme à celle de Machiavel quand des traductions plus récentes respectent plutôt le français écrit d'aujourd'hui. On remarquera par exemple que, là où nous

---

3. La traduction Péries des *Œuvres complètes* a été publiée par Michaud, à Paris. On en trouve un exemplaire à la bibliothèque centrale de la ville de Montréal. J'ai corrigé la traduction sur les textes italiens suivants: pour les *Histoires*, l'original dont se sert Péries, Piatti, 1813, réédité avec des notes de V. Fiorini chez Sansoni, Florence, 1894 et 1962; pour les *Discours* et *le Prince*, Chabod, 1944, republié avec des notes de S. Bertelli chez Feltrinelli, Milan, 1960. Les traducteurs et commentateurs se servent souvent de l'édition Cassella (Barbera, Florence, 1929); entre cet original et les miens, rarissimes sont les différences qui ne soient pas effacées par les aléas de la traduction. Le texte de Péries a reçu pour le présent recueil plus de mille retouches. La plupart ne concernent que l'orthographe ou la ponctuation; certaines autres modifient le vocabulaire ou la syntaxe; enfin, plus de cent passages, en général de quelques lignes, sont entièrement retraduits. L'index ci-joint est tiré de celui de Péries.

nous attendons à lire plusieurs phrases divisées par des points, Péries, comme Machiavel, enchaîne les propositions en une seule longue phrase au moyen de points-virgules et de deux-points, afin de rendre plus explicite leur rapport logique. De même, chez l'un comme chez l'autre, le subjonctif est presque aussi commun que l'indicatif. L'on prend facilement, du reste, l'habitude de cette langue dès qu'on en a lu quelques pages, et sa fidélité à l'original nous sert plus qu'elle ne nous dessert, car la distance qu'elle maintient dans la lecture garde présente à notre esprit toute la distance qu'il y a de la mentalité de Machiavel à la nôtre.

Le traducteur, disent les Italiens, est un traître, et cette traduction-ci n'échappe pas à la loi. Un trait, particulièrement, tient à l'époque de la traduction et non à l'écriture de Machiavel: la longueur. La profession de Machiavel l'obligeait chaque jour à écrire beaucoup, et de façon à être compris sur-le-champ. Il se fit de l'italien un outil supérieur en en faisant une langue concise. Jamais un traducteur n'a pu rendre toute cette concision. C'est une rigueur du trait qui se cultive entre gens qui écrivent et lisent des lettres, et non entre les auteurs imprimés et leurs multiples et divers lecteurs — et notamment pas chez ceux du début du dix-neuvième siècle. Péries, donc, rétablit les termes que Machiavel avait soit sous-entendus, soit remplacés par un pronom. Il fournit les paraphrases nécessaires pour distinguer les sens différents que Machiavel pouvait faire tenir au même mot dans la même phrase. Il complète des effets rhétoriques laissés implicites par Machiavel. Il est donc moins nerveux, moins rude, moins schématique; sa saisie est moins pure — mais elle gagne en clarté et en facilité. Et, à travers tout cela, Péries conserve une qualité très caractéristique du texte de Machiavel, mais largement obscurcie dans les traductions plus récentes des œuvres complètes: l'unité du souffle.

Les défauts autant que les qualités de la traduction Péries nous donnent peut-être la plus utile des assurances: si, après s'être accoutumé à ce texte, on s'y sent à l'aise, ce sera sûrement moins par parenté avec l'esprit du traducteur que par fraternité avec celui de Machiavel.

Cette traduction tient aussi de son époque deux particularités qui la rendent spécialement utile pour le présent recueil. Le vocabulaire de Péries a souvent quelque chose de québécois, qui tient bien sûr au fait que la langue parisienne gardait, il y a cent soixante ans, des nuances de sens qu'elle a perdues aujourd'hui mais qui se sont conservées en Amérique. Le vocabulaire de Péries peut aussi sembler «de gauche». C'est un phénomène semblable au premier, qui fait que Péries, comme Machiavel, comme les premiers marxistes, nommaient les faits sociaux avec des mots qui, en leurs temps, étaient ceux de tout le monde mais qui, avec la réaction anti-marxiste, sont devenus à moitié tabous, de telle façon que nous ne pouvons plus nous en servir sans afficher du même coup une couleur politique — quoique, Dieu merci, cela tende aujourd'hui à s'estomper.

Les alinéas sont l'affaire du traducteur, Machiavel ne connaissant que la division en chapitres. Les titres des chapitres le sont aussi, sauf pour *le Prince*, où Machiavel les donne en latin. Les noms et surtout les prénoms italiens sont parfois francisés, parfois pas, au gré de chaque traducteur, et il ne m'a pas semblé nécessaire de corriger chez Péries cet arbitraire général. Pour le reste, il n'y a pas de meilleure introduction au texte que de le lire. Cela donnera peut-être le goût de s'essayer à lire l'original; c'est une curiosité à laquelle il faut s'empresser de céder, même si l'on n'a que les rudiments de l'italien[4].

Au sujet du texte de Machiavel lui-même, il faut préciser le sens d'un mot assez fréquent, surtout dans *le Prince,* le mot *vertu.* Son sens en italien est le même qu'en français, et ce n'est pas le sens de Machiavel: l'époque a trop changé, surtout pour ce qui est de la compréhension de la morale. Machiavel, comme nous, conçoit la vertu comme une qualité louable intrinsèque à un individu, un peuple ou une chose; mais il ne trouve pas cette qualité là où nous avons appris à la rechercher, dans le spirituel. La vertu machiavélienne est physiologique, elle tient au corps, lequel se transcrit dans le caractère. Selon ce point de vue, une «vertu» d'abord spirituelle ne peut être qu'un rêve, qu'une fumée. La vertu machiavélienne est au contraire l'union du talent et de la vitalité avec le courage et la lucidité nécessaires pour leur permettre de donner leurs fruits dans des actions méritoires. Méritoires, car Machiavel ne sait pas ce que c'est que le pessimisme — ou que l'individualisme. Pour lui, l'action vertueuse étant saine, elle doit trouver une réponse saine dans l'éloge, sinon des contemporains, tout au moins de la postérité. La vertu des individus ne peut être que l'expression de la valeur, de la santé générale de la race humaine. Voir «Mythes et raisons».

4. Machiavel se trouve aisément dans les librairies italiennes au Québec.

Après cette unique précision, de nombreux détails du texte resteront obscurs. Mais Machiavel n'a nullement l'intention de se rendre inaccessible, et chaque nouvelle génération de lecteurs l'aime au moins pour cela. Le sens de sa pensée se révèle presque toujours au fil clair de la phrase ou du chapitre, si on a la patience de le lire sans se laisser distraire par l'obscurité d'un détail, ou de plusieurs. Quand Machiavel cite des faits, ce n'est pas pour construire, comme par collage, le sens essentiel de son exposé, mais plutôt pour en enrichir l'argumentation ou les connotations. L'encyclopédisme est tout le contraire du propos de Machiavel; nous servir, pour nous rappeler nos péchés d'ignorance, de la grande distance qu'il y a entre notre époque et celles dont parle Machiavel, c'est le trahir autant que nous-mêmes.

Les notes infrapaginales accompagnant le texte sont donc restreintes. Le lecteur savant n'en a pas besoin; le lecteur non érudit mais curieux peut, sans interrompre sa lecture, noter les noms ou les mots qu'il ne comprend pas pour les retracer plus tard dans un dictionnaire. Les notes se réduisent donc: 1° aux références; 2° aux cas où le texte pourrait prêter à confusion; 3° aux renseignements directement utiles absents des dictionnaires usuels.

Lettre à François Vettori
10 décembre 1513

Tito: *Machiavel,* représentation posthume, 1541 (Vieux-Palais, Florence).

Lettre XXVI
A François Vettori,
ambassadeur de Florence
auprès du Saint-Siège[1]

Magnifique ambassadeur,

Faveur divine ne fut jamais tardive.[2] Je dis cela
parce que je craignais d'avoir, non pas perdu, mais
égaré vos bonnes grâces; vous aviez été si longtemps
sans m'écrire que je ne pouvais en imaginer la raison.
J'attachais peu d'importance, il est vrai, à toutes celles
qui me passaient par la tête; j'avais peur seulement
qu'on ne vous eût écrit que je gardais mal le secret de
vos lettres, et que cela vous eût décidé à rompre notre

1. La lettre est datée du dix décembre 1513 (soit le vingt décembre
suivant le calendrier actuel, adopté en 1582). Les Médicis sont au
pouvoir au Saint-Siège depuis le 11 mars et à Florence depuis
décembre 1582. Ils ont privé Machiavel de son emploi, puis l'ont
exilé. Celui-ci veut faire sentir à son ami et protecteur, très proche
des Médicis, qu'il ne s'est pas résigné à son exclusion du service
diplomatique florentin. Machiavel écrit de sa villa «Santa Maria in
Percussina», où il est assigné à résidence. C'est à San Casciano, à
une quinzaine de kilomètres de Florence sur la route de Rome.
2. Selon Anglade, citation de Pétrarque (1304-1374), le plus imité
des poètes de la Renaissance italienne.

correspondance: j'étais certain cependant qu'à l'exception de Philippo et de Paolo, je ne les avais montrées à personne. J'ai été tout ranimé par votre dernière, du 23 du mois passé. J'ai bien du plaisir à voir avec quelle tranquillité d'esprit vous traitez les affaires. Je vous engage à continuer: quiconque abandonne ses aises pour les aises d'autrui, perd les siennes sans qu'on lui en sache aucun gré. Et puisque la fortune veut se mêler de tout, il faut la laisser faire, se tenir en repos, ne lui causer aucun embarras, et attendre qu'elle permette aux hommes d'agir un peu. Alors vous pourrez prendre plus de peine, surveiller davantage ce qui se passe; alors vous me verrez quitter la campagne et venir vous dire: *Me voilà*. En attendant, pour vous rendre une grâce pareille à celle que j'ai reçue de vous, je ne puis que vous dire dans cette lettre le genre de vie que je mène; et si vous jugez qu'elle vaille la vôtre, je consens avec un véritable plaisir à la poursuivre.

J'habite donc ma *villa*; et depuis les derniers malheurs que j'ai éprouvés, je ne crois pas, en tout, avoir été vingt jours à Florence. Jusqu'à présent je me suis amusé à tendre de ma main des pièges aux grives: me levant avant le jour, je disposais mes gluaux, et j'allais chargé d'un paquet de cages sur le dos, semblable à Geta lorsqu'il revient du port chargé des livres d'Amphytrion. Je prenais ordinairement deux grives, mais jamais plus de sept. C'est ainsi que j'ai passé tout le mois de septembre. Cet amusement, tout sot qu'il est, m'a enfin manqué, à mon grand regret; et voici comment j'ai vécu depuis: je me lève avec le soleil, je vais dans un de mes bois que je fais couper, j'y demeure deux heures à examiner l'ouvrage qu'on a fait la veille, et à m'entretenir avec les bûcherons, qui ont toujours quelque maille à partir, soit entre eux, soit avec leurs voisins. J'aurais à vous dire sur ce bois mille choses qui me sont arrivées, soit avec Frosino de Panzano, soit avec d'autres qui en voulaient. Frosino, particulièrement, en avait envoyé chercher une certaine quantité sans m'en rien dire; et, lorsqu'il s'agit de payer, il voulut me retenir dix livres qu'il prétendait m'avoir gagnées, il y a quatre ans, en jouant à *cricca*, chez Antonio Guicciardini. Je commençai d'abord par faire le diable; je voulais m'en prendre au voiturier qui était allé le chercher, comme à un voleur; mais Jean Machiavel s'interposa dans cette affaire, et nous remit d'accord. Battista Guicciardini, Filippo Ginori, Tommaso del Bene, et quelques autres personnes, m'en ont pris chacun une *catasta,* lorsque nous avons eu ces grands vents du nord. Je promis à tous, et j'en envoyai une à Tommaso, qui la transporta chez lui à Florence, avec sa femme, ses servantes, ses enfants pour ramasser; on aurait dit le Gaburro lorsqu'il vient le jeudi assommer un bœuf avec ses garçons; à l'arrivée, il ne restait que la moitié du bois. Considérant le bénéfice de l'opération, j'ai annoncé aux autres qu'il ne me restait plus de bois: ils en ont tous fait la moue, surtout Battista, qui met ce refus au nombre des grands malheurs de la République.

Lorsque je quitte le bois, je me rends auprès d'une fontaine, et de là à mes gluaux, portant avec moi, soit Dante, soit Pétrarque, soit un de ces poètes appelés mineurs, tels que Tibulle, Ovide, etc.[3] Je lis leurs

3. Tibulle et Ovide sont des poètes latins, «mineurs» par rapport aux grands classiques comme Horace et Virgile.

plaintes passionnées et leurs transports amoureux; je me rappelle les miens, et je jouis un moment de ce doux souvenir. Je vais ensuite à l'hôtellerie qui est située sur la grande-route; je cause avec les passants, je leur demande des nouvelles de leur pays, j'apprends un grand nombre de choses, et j'observe la diversité qui existe entre les goûts et les imaginations de la plupart des hommes. Sur ces entrefaites, arrive l'heure du dîner; je mange en famille le peu de mets que me fournissent ma pauvre petite villa et mon chétif patrimoine. Le repas fini, je retourne à l'hôtellerie; j'y trouve ordinairement l'hôtellier, un boucher, un meunier et deux chaufourniers[4]: je m'encanaille avec eux tout le reste de la journée, jouant à *cricca*, à *tric-trac*; il s'élève mille disputes; aux emportements se joignent les injures; et le plus souvent c'est pour un sous que nous nous échauffons, et que le bruit de nos querelles se fait entendre jusqu'à San-Casciano. C'est ainsi que, plongé dans cette ignoble existence, je tâche d'empêcher mon cerveau de moisir. Je laisse ainsi s'exercer la méchanceté dont la fortune me poursuit: je suis satisfait qu'elle ait pris ce moyen de me fouler aux pieds, et je veux voir si elle n'aura pas honte de me traiter toujours de la sorte.

Le soir venu, je retourne chez moi, et j'entre dans mon cabinet: je me dépouille, sur la porte, de ces habits de paysan, couverts de poussière et de boue; je me revêts d'habits de cour, ou de mon costume, et, habillé décemment, je pénètre dans le sanctuaire des grands hommes de l'antiquité: reçu par eux avec bonté et bienveillance, je me repais de cette nourriture qui

---

4. Ouvriers des fours à chaux.

seule est faite pour moi, et pour laquelle je suis né. Je ne crains pas de m'entretenir avec eux, et de leur demander compte de leurs actions. Ils me répondent avec bonté; et pendant quatre heures j'échappe à tout ennui, j'oublie tous mes chagrins, je ne crains plus la pauvreté, et la mort ne saurait m'épouvanter: je me transporte en eux tout entier. Et comme Dante disait qu'il n'y a pas de science si l'on ne retient ce qu'on a compris; j'ai noté tout ce qui dans leurs conversations m'a paru de quelque importance; j'en ai composé un opuscule *de Principatibus*[5]; dans lequel j'aborde autant que je puis toutes les profondeurs de mon sujet, recherchant quelle est l'essence des principautés, de combien de sortes il en existe, comment on les acquiert, comment on les maintient, et pourquoi on les perd; et si mes rêveries vous ont plu quelquefois, celle-ci ne doit pas vous être désagréable; elle doit surtout convenir à un prince, et spécialement à un prince nouveau: voilà pourquoi je dédie mon ouvrage à la magnificence de Julien. Filippo Casavecchia l'a vu; il pourra vous rendre compte du texte lui-même, et des discussions que nous avons eues ensemble: toutefois je m'amuse encore à l'augmenter et à le polir.

Vous voudriez, magnifique ambassadeur, que j'abandonnasse ma manière de vivre pour venir partager la vôtre: je le ferai certainement; je ne suis retenu en ce moment que par certaines petites affaires personnelles qui seront finies d'ici à six semaines. Ce qui me tient aussi en suspens, c'est que les Soderini sont à Rome, et que si je venais, je serais forcé de les visiter et de leur parler. J'aurais tout lieu de craindre qu'à mon retour,

5. Véritable titre du *Prince*.

au lieu de mettre pied à terre chez moi, on ne me fit descendre au Bargello[6]; car bien que ce gouvernement soit assis sur les fondements les plus solides, et jouisse de la plus profonde sécurité, cependant, comme il est récemment établi, tout doit lui être suspect, et il ne manque pas de colporteurs qui, pour paraître semblables à Paolo Bertini, se feraient valoir à mes dépens, et me laisseraient me tirer d'affaires comme je pourrais. Je vous en prie, délivrez-moi de cette crainte, et je viendrai vous rejoindre au moment convenu, sans faute.

J'ai parlé avec Filippo de mon opuscule, pour savoir s'il était bien de le publier ou de ne pas le publier, et, dans le premier cas, s'il conviendrait de le porter moi-même ou de vous l'envoyer. En ne le publiant pas, j'ai à craindre non seulement que Julien ne le lise pas, mais que cet Ardinghelli ne se fasse honneur auprès de lui de mes derniers efforts. C'est le besoin qui me force à le publier. Car je brûle mes réserves, et je ne puis rester longtemps encore dans la même situation sans que la pauvreté me rende l'objet de tous les mépris. Ensuite je voudrais bien que ces seigneurs Médicis commençassent à m'employer, dussent-ils d'abord ne me faire que retourner des pierres: si je parvenais une fois à me concilier leur bienveillance, je ne pourrais me plaindre que de moi; quant à mon ouvrage, s'ils prenaient la peine de le lire, ils verraient que je n'ai employé ni à dormir ni à jouer les quinze années que j'ai consacrées à l'étude des affaires de l'Etat. Chacun

---

6. C'est-à-dire: que les Médicis ne renvoient Machiavel en prison, à Florence, à cause de ses fréquentations suspectes (comme ils le firent l'hiver précédent).

devrait tenir à se servir d'un homme qui a depuis longtemps acquis de l'expérience. On ne devrait pas non plus douter de ma fidélité; car si jusqu'à ce jour je l'ai scrupuleusement gardée, ce n'est point aujourd'hui que j'apprendrais à la trahir: celui qui a été probe et honnête homme pendant quarante-trois ans (et tel est aujourd'hui mon âge)[7] ne peut changer de nature; et le meilleur garant que je puisse donner de mon honneur et de ma probité, c'est mon indigence.

Je désirerais donc que vous m'écrivissiez ce que vous pensez sur cette matière; et je me recommande à vous. *Sis felix.*[8]

7. Le registre des baptêmes lui donne plutôt 44 ans. Mais à cette époque les papiers qu'on gardait avec soi étaient ceux qu'on avait écrits soi-même. L'âge des gens était une donnée approximative.

8. Salutation latine: Soyez heureux.

Histoires florentines
(extraits)

Livre deuxième.
Chapitre premier.
Usage des républiques
de l'antiquité, de fonder des colonies.
Leurs avantages

Parmi les grands et admirables principes des républiques et des monarchies de l'antiquité, oubliés de nos jours, on distinguait celui de fonder en tout temps de nombreux Etats et de nouvelles cités. Il n'est rien de plus digne d'un excellent prince ou d'une république bien gouvernée, il n'est rien de plus avantageux pour une province, que la fondation de nouvelles villes où les hommes puissent sans peine se défendre ou se livrer à la culture de leurs champs. C'est ce que les anciens pouvaient faire aisément, parce qu'ils avaient coutume d'envoyer dans les pays vaincus ou dépeuplés de nouvelles populations qu'ils nommaient colonies. A l'avantage d'élever de nouvelles villes, cette coutume joignait celui d'assurer la possession du pays vaincu au vainqueur, de repeupler les lieux inhabités, et de maintenir dans la contrée une saine répartition des habitants. Il en résultait que, jouissant plus facilement de toutes les commodités de la vie, les hommes s'y multipliaient, et se montraient plus hardis pour l'attaque et plus rassurés pour la défense. Cette coutume, dont la perte, amenée par la maladresse des républiques et des princes de nos jours, a enfanté la ruine et la faiblesse des Etats, peut seule faire la sécurité des empires, et, comme on l'a dit, entretenir dans les diverses contrées l'abondance de la population. Elle produit la sécurité des empires: car une colonie établie par le prince dans un pays récemment conquis, est comme une forteresse et une sentinelle qui veille au maintien de la fidélité des nouveaux sujets. Elle rend le pays habitable, et y entretient une égale répartition des habitants: car toutes les contrées ne sont ni également fécondes ni également salubres; aussi y en a-t-il où les habitants abondent, d'autres où ils sont rares; et s'il n'existe point un moyen de les transporter d'une contrée où ils sont trop nombreux, dans celle où ils manquent, toutes deux dépérissent bientôt, parce que la rareté des habitants change l'une en désert, tandis que l'autre s'appauvrit par leur surabondance.

Comme la nature ne peut suppléer à ce désordre, il faut avoir recours à l'industrie. Ainsi un pays malsain devient salubre lorsqu'un grand nombre d'hommes viennent tous à la fois l'occuper. La culture améliore la terre, et les feux purifient l'air; ce que la nature ne pourrait exécuter d'elle-même. Venise en est la preuve: située dans un lieu marécageux et malsain, le concours des nombreux habitants qui s'y réfugièrent la rendit salubre. L'insalubrité de l'air empêcha d'abord Pise d'être très peuplée; mais quand Gênes et ses côtes furent ravagées par les Sarrasins, tous ceux que ces barbares avaient chassés des champs paternels y coururent en si grand nombre qu'ils la rendirent populeuse et puissante.

Depuis qu'on a perdu l'usage d'envoyer des colonies, on maintient plus difficilement les pays conquis; les provinces inhabitées ne se repeuplent jamais, et celles qui sont trop peuplées ne peuvent plus se débarrasser de leur superflu. Aussi plusieurs contrées de l'univers, et particulièrement de l'Italie, sont devenues désertes en comparaison des temps anciens; conséquence inévitable de la conduite des princes qui n'eurent jamais l'amour de la véritable gloire, et des républiques dont les institutions n'offrent rien de louable. Ainsi, dans l'antiquité, l'usage des colonies donnait naissance à de nouvelles villes, ou contribuait à l'agrandissement de celles qui existaient déjà. De ce nombre fut la ville de Florence, qui dut son origine à celle de Fiesole, et son accroissement aux colonies.

*
* *

Chapitre 34.
Gauthier de Brienne, duc d'Athènes, demande à être nommé prince de Florence (1342)

Ces condamnations effrayèrent la classe moyenne des citoyens; elles ne satisfaisaient que la populace et les grands; la première, parce que sa nature est de se réjouir du mal; les seconds, parce qu'ils se voyaient vengés de toutes les injures qu'ils avaient reçues de la bourgeoisie. Quand le duc traversait les rues, il était accueilli par des acclamations qui célébraient sa franchise; chacun l'exhortait publiquement à poursuivre toujours ainsi les fraudes des citoyens et à les punir. La commission des vingt s'affaiblissait chaque jour; l'autorité du duc s'élevait sur ses ruines, et la crainte qu'il inspirait était universelle. Chacun, pour qu'on ne pût douter de son dévouement à sa personne, faisait peindre les armes du duc au devant de sa maison; enfin, il ne lui manquait de prince que le titre. Croyant pouvoir tout entreprendre sans crainte, il fit entendre aux seigneurs qu'il était persuadé que, pour le bien même de l'Etat, on devait lui confier sans restriction l'autorité de la seigneurie, et que, puisque toute la ville y consentait, il espérait qu'ils ne s'y opposeraient pas. Quoique les seigneurs eussent prévu depuis longtemps la ruine de la patrie, tous, à cette demande, furent touchés jusqu'au fond de l'âme; et quoiqu'ils connussent le péril qui les menaçait, ils refusèrent courageusement pour ne point trahir la cause de la patrie. Le duc, afin de donner une plus haute idée de sa religion et de sa bonté, s'était logé dans le couvent des frères mineurs de Santa Croce. Pressé de réaliser ses perfides projets, il fit publier une ordonnance pour que tout le peuple eût à s'assembler devant lui sur la place de Santa Croce, le lendemain matin. Cette ordonnance effraya les seigneurs bien plus que ne l'avaient fait précédemment ses paroles; ils se réunirent aux citoyens qu'ils jugeaient les plus attachés à la patrie et à la liberté; et, après avoir pesé les forces du duc, ils virent que leur seul remède était de le supplier, et d'essayer, puisque la résistance était impossible, si les prières seraient assez puissantes pour le détourner de son dessein, ou du moins pour rendre le joug de son autorité moins dur. Une partie des seigneurs alla donc le trouver, et l'un d'entre eux lui parla en ces termes:

«*Nous venons devant vous, Seigneur, amenés par votre invitation et par les ordres que vous avez fait publier pour rassembler le peuple, car nous croyons être sûrs que vous voulez obtenir d'une manière extraordinaire ce que nous ne vous avons point accordé par les voies légitimes. Notre intention n'est point d'opposer la force à vos desseins, mais seulement de vous faire sentir combien le poids dont vous vous chargez sera pesant pour vous, et combien le parti que vous avez choisi vous offre de dangers, afin que vous puissiez toujours vous souvenir combien nos conseils diffèrent de ceux que vous donnent des conseillers qui, loin de songer à votre propre intérêt, ne songent qu'à assouvir leur rage. Vous voulez réduire à l'esclavage une cité qui vécut toujours libre; car, ne vous y trompez pas, le pouvoir que nous avons jadis concédé aux souverains de Naples était de l'amitié, non de la servitude. Avez-vous réfléchi combien, dans une telle cité, on attache d'importance et quelle est la force du seul nom de liberté? Ce nom qu'aucune force humaine ne peut dompter, que le temps ne saurait détruire, et qu'aucun mérite ne balance. Pensez, seigneur, combien de forces sont nécessaires pour tenir une telle cité dans les chaînes. Celles que l'étranger pourra vous prêter sont insuffisantes; vous ne pourrez vous confier à celles de l'intérieur, car ceux qui sont aujourd'hui vos amis, et qui vous ont conseillé de prendre ce parti, auront à peine fait servir votre autorité à abattre leurs rivaux, qu'ils chercheront comment ils peuvent vous détruire, et s'emparer pour eux-mêmes du pouvoir. La populace, sur laquelle vous vous appuyez maintenant, change au plus petit événement: vous pouvez donc bientôt avoir toute la ville pour ennemie, et vous y trouverez sa ruine et la vôtre. Vous ne pouvez remédier à cet inconvénient: ces princes-là seuls peuvent maintenir leurs Etats qui n'ont que des ennemis peu nombreux et faciles à éliminer soit par la mort, soit par l'exil. Mais au milieu des haines universelles on ne peut trouver aucune sécurité. On ne sait d'où viendra le mal; et lorsque l'on craint tout le monde on ne peut compter sur la foi de personne. Si on tente de le faire, on aggrave le danger parce que ceux qui dominent sentent de plus en plus leur haine s'enflammer, et sont plus disposés à la vengeance. Il est indubitable que le temps ne saurait éteindre la soif de la liberté: n'a-t-on pas souvent entendu dire qu'elle a été ressaisie par des cités qui n'avaient jamais goûté ses douceurs, mais qui n'avaient cessé de la chérir, d'après le souvenir qu'en avaient laissé leurs pères; et qui, lorsqu'elles l'avaient ainsi recouvrée, savaient la conserver avec une constance inébranlable et au mépris de tous les dangers. Et, quand même leurs pères n'en auraient pas conservé la mémoire, les édifices publics, les lieux où siégent les magistrats, les marques de leur libre constitution, leur en parlent sans cesse, et tous ces objets sont pour les peuples la cause des plus vifs regrets. Quelque éclatantes que soient vos actions, pourront-elles balancer la douceur de vivre libre, ou étouffer dans le cœur des citoyens le regret de leur état présent? Non; vous ne le pourrez pas, quand même vous ajouteriez à ces Etats toute la Toscane, quand vous rentreriez chaque jour dans cette ville triomphant de nos ennemis; car c'est pour vous et non pour elle que serait toute cette gloire: les citoyens acquerraient non des sujets, mais des compagnons d'esclavage, qui ne serviraient encore qu'à appesantir leurs fers. Et quand rien ne surpasserait la sainteté de vos mœurs, quand la clémence dirigerait tous vos pas, et la justice tous vos jugements, rien ne pourrait vous faire chérir. Si vous croyiez que cela pût suffire, vous vous tromperiez gravement: toute chaîne est pesante pour qui vécut toujours libre, et le moindre lien le blesse. D'ailleurs un gouvernement tyrannique est incompatible avec un bon prince, parce qu'il faut nécessairement que tous deux deviennent semblables, ou que l'un détruise l'autre. Vous avez donc à choisir, ou de régir cette cité par la plus extrême violence, et à cet effet ni les citadelles, ni les gardes, ni les amis du dehors ne pourront le plus souvent suffire; ou vous contenter de l'autorité que nous vous avons donnée: c'est à quoi nous vous engageons, en vous rappelant que le seul pouvoir solide est celui qu'on a obtenu volontairement. Ne cherchez point, en vous laissant aveugler par un peu d'ambition, à atteindre à un rang où, ne pouvant ni demeurer, ni monter davantage, vous soyez réduit à tomber pour votre malheur et le nôtre.»*

Chapitre 35.
Le duc d'Athènes est proclamé prince de Florence à vie, par le peuple
(1342)

Ce discours ne put émouvoir en rien le cœur inflexible du duc. Il répondit que: «*son intention n'était pas de ravir la liberté à la ville, mais de la lui rendre, parce qu'il n'y avait d'esclaves que les cités divisées; que celles qui vivaient unies étaient libres; que si, par ses institutions, Florence échappait au joug des partis, des ambitions et des inimitiés privées, ce serait lui rendre et non lui enlever la liberté; que comme ce n'était pas son ambition qui l'engageait à se charger de ce fardeau, mais les prières d'un grand nombre de citoyens, ils feraient bien eux-mêmes de se contenter de ce dont les autres étaient satisfaits; qu'à l'égard des dangers qu'il pouvait rencontrer dans cette entreprise, il n'en faisait aucun cas; qu'il n'appartenait qu'à un homme sans vertu de se départir du bien par crainte du mal, et qu'à un lâche, de ne pas poursuivre une entreprise glorieuse, parce que l'issue en était douteuse; qu'il espérait se conduire de manière à faire voir bientôt qu'on s'était trop méfié de lui, et qu'on l'avait trop redouté.*»

Les seigneurs voyant qu'ils ne pouvaient rien faire de mieux, convinrent de réunir le peuple sur la place du palais, le lendemain matin, et de donner, avec son autorisation, les pouvoirs de la seigneurie au duc, pendant un an, aux mêmes conditions qu'on les avait déjà accordés à Charles, duc de Calabre. On était au huitième jour de septembre de l'année 1342, quand le duc, accompagné de Messer Jean de la Tosa, de tous ses partisans, et d'une multitude de citoyens, arriva sur la place et monta avec la seigneurie sur la *Ringhiera* (c'est ainsi que les Florentins nomment les degrés qui sont au pied du palais des seigneurs), et on lut de là au peuple les conventions qui avaient été faites entre la seigneurie et le duc. Lorsqu'on en vint à la lecture de l'article où il était dit qu'on lui donnait la seigneurie pour un an, tout le peuple se mit à crier: *Pour la vie!* Messer Francesco Rustichelli, l'un des seigneurs, se levant alors pour parler et calmer le tumulte, sa voix fut couverte par les clameurs de la multitude, de sorte que, par le consentement du peuple, le duc fut élu seigneur non pour un an mais à perpétuité. La populace le prit et le porta en triomphe, en faisant retentir la place de son nom. Il est d'usage que pendant l'absence de la seigneurie celui qui garde le palais se tienne enfermé en dedans: cette fonction était alors confiée à Rinieri di Giotto. Gagné par les amis du duc, il lui ouvrit la porte du palais sans attendre la force, de sorte que les seigneurs, effrayés et couverts de honte, s'en retournèrent chez eux. Le palais fut saccagé par les valets du duc, l'étendard du peuple déchiré et les armes ducales placées sur le palais. Les bons citoyens ne purent voir sans une douleur inexprimable ces tristes événements, qu'accueillaient cependant avec plaisir ceux qui y avaient contribué ou par ignorance ou par méchanceté.

Chapitre 36.
Conduite odieuse du duc.

Lorsque le duc fut en possession de la seigneurie, afin d'ôter l'autorité à ceux qui s'étaient toujours montrés les défenseurs de la liberté, il interdit aux seigneurs de se réunir dans le palais, et leur désigna une maison particulière; il ôta leurs enseignes aux gonfaloniers des compagnies du peuple, cassa les arrêts rendus contre les grands par la justice, délivra les prisonniers, rappela de l'exil les Bardi et les Frescobaldi, et défendit à tous de porter des armes. Pour pouvoir mieux se défendre de ceux du dedans, il se fit l'ami de ceux du dehors. En conséquence, il combla de bienfaits les Arétins et tous ceux qui étaient opposés aux Florentins; fit la paix avec les Pisans[1], quoiqu'il n'eût été fait prince que pour leur faire la guerre; annula les promesses de paiement données aux négociants qui, dans la guerre de Lucques, avaient prêté de l'argent à la république; accrut les taxes sur le sel, en établit de nouvelles; enleva aux seigneurs leur autorité.

1. Les Arétins sont les gens d'Arezzo, les Pisans ceux de Pise.

Ses recteurs étaient Messer Baglione de Pérouse, et
Messer Guglielmo de Scesi, qui, avec Messer Cerrettieri
Bisdomini, composaient tout son conseil. Les charges
qu'il imposait aux citoyens étaient accablantes, et ses
jugements iniques: cette justice sévère, quoique humaine, qu'il avait affectée jusqu'alors, s'était changée en
orgueil et en cruauté. Aussi un grand nombre des
citoyens les plus distingués parmi la noblesse et la
bourgeoisie étaient exposés aux amendes, à la mort et à
tous les tourments. Et, pour ne pas être moins cruel au
dehors qu'au dedans, il établit six recteurs dans les
campagnes de Florence, qui dépouillaient les paysans
après les avoir accablés de coups. Les grands lui étaient
suspects, quoiqu'il en eût reçu des bienfaits et qu'il eût
rendu leur patrie à un grand nombre d'entre eux, parce
qu'il ne pouvait croire que des âmes généreuses, telles
que doivent l'être celles des nobles, pussent se soumettre volontairement à sa domination. Il commença donc
à favoriser la populace, dans l'espoir qu'avec son
appui et celui des armes étrangères il pourrait conserver la tyrannie. A l'arrivée du mois de mai, époque à
laquelle les peuples ont coutume de célébrer des fêtes,
il divisa la populace et la lie du peuple en plusieurs
compagnies, qu'il décora des noms les plus pompeux,
et auxquelles il distribua des enseignes [2] et de l'argent;
de sorte qu'une partie d'entre eux parcourait la ville au
milieu des divertissements, et était reçue avec une
grande splendeur par l'autre. Le bruit de l'élévation du

---

2. Ces enseignes sont des objets symboliques (boules, croissants,
animaux sculptés) placés sur des bâtons. Dans une société illettrée,
elles remplacent nos pancartes et bannières. Il s'agit de célébrer les
semailles.

duc s'étant répandu, une foule de Français accourut auprès de lui; il donna à tous des emplois, comme à des hommes sur lesquels il pouvait entièrement compter; ainsi, Florence devint en peu de temps sujette non seulement des Français, mais encore de leur usages et de leurs costumes, qu'hommes et femmes avaient adoptés sans pudeur, dédaignant leurs propres coutumes. Mais, cc qui indignait d'avantage, c'était les outrages que le duc et les siens se permettaient, sans rougir, contre l'honneur des dames.

Ainsi, les citoyens ne pouvaient voir, sans frémir d'indignation, la majesté de l'Etat anéantie, les institutions renversées, les lois annulées, les mœurs corrompues, et la décence foulée aux pieds. Tous ceux qui n'avaient jamais vu de pompe royale ne pouvaient, sans une douleur profonde, rencontrer le duc, entouré d'une foule de suivants à pied et à cheval. Voyant chaque jour leur honte de plus près, ils étaient forcés d'honorer celui qu'ils haïssaient le plus. La terreur venait ajouter à leurs maux, par la vue des nombreux supplices et des exactions continuelles dont la ville était appauvrie et dévorée. Cette indignation et cette terreur étaient connues du duc, et l'épouvantaient à son tour. Néanmoins il voulait faire voir à chacun qu'il se croyait aimé. Il arriva donc que Matteo di Morozzo, soit pour acquérir ses faveurs, soit pour se tirer lui-même du danger, lui ayant révélé que la famille des Médicis, et quelques autres citoyens avaient conjuré contre lui, le duc, loin d'enquêter sur la chose, fit au contraire périr misérablement le révélateur. Cette conduite ôta le courage à tous ceux qui auraient voulu avertir le duc de ses dangers, et rendit le courage à ceux qui travaillaient à sa chute. Bertone Cini ayant blâmé les taxes qu'il imposait aux citoyens, il lui fit couper la langue d'une manière si cruelle, qu'il ne survécut pas à son supplice. La colère du peuple s'en accrut, ainsi que sa haine contre le duc; car les Florentins, accoutumés à dire et à faire avec pleine liberté tout ce qui leur plaisait, ne pouvaient supporter qu'on leut liât les mains et qu'on leur fermât la bouche.

Cette irritation et ces haines s'accrurent au point que, non seulement les Florentins, qui ne savent ni conserver la liberté ni supporter la servitude, mais que le peuple même le plus servile se serait enflammé du désir de recouvrer la liberté; aussi une foule de citoyens de tous les rangs résolurent-ils ou de perdre la vie, ou de devenir libres. De trois côtés, trois classes de citoyens, les nobles, les bourgeois et les artisans formèrent trois complots. Outre les causes universelles de haine, chacun d'eux en avait de particulières; les grands étaient irrités de ne point participer au gouvernement de l'Etat; les bourgeois, de l'avoir vu sortir de leurs mains; les artisans, d'avoir perdu leurs salaires. Messer Agnolo Acciajuoli était archevêque de Florence: au début il avait prodigué en chaire des louanges au duc, et lui avait concilié la faveur du peuple; mais lorsqu'il le vit maître, et qu'il eut connu sa conduite tyrannique, il crut avoir trahi sa patrie; et, pour expier sa faute, il ne vit d'autre remède que de confier à la main qui avait fait la blessure le soin de la guérir. Il se mit donc à la tête de la plus forte conspiration: elle s'était formée la première, et comprenait les Bardi, les Rossi, les Frescobaldi, les Scali, les Altoviti, les Magalotti, les Strozzi et les Mancini. Les chefs de la seconde étaient Messer Manno et Corso Donati; après eux venaient les Pazzi, les Cavicciulli, les Cerchi et les

Albizzi. Antoine Adimari était à la tête de la troisième, qui comprenait les Médicis, les Bordoni, les Ruccelai et les Aldobrandini. Ces derniers pensèrent d'abord à tuer le duc dans la maison des Albizzi, où l'on croyait qu'il se rendrait le jour de la Saint-Jean, pour voir une course de chevaux; mais il n'y vint point, et le complot échoua. Ils formèrent le projet de l'assaillir lorsqu'il se promènerait dans la ville; mais ils y voyaient de grandes difficultés, attendu que le duc sortait toujours accompagné et bien armé; qu'il variait chaque jour ses promenades, et qu'on ne pouvait fixer aucun endroit pour l'attendre. Ils l'auraient bien massacré dans le conseil, s'ils n'avaient craint de rester, même après la mort du duc, à la merci de ses hommes.

Tandis que les conjurés méditaient ces projets, Antoine Adimari en parla à quelques Siennois[3] de ses amis, pour en obtenir des secours; il leur fit connaître une partie des conjurés, et les assura que toute la ville était disposée à se libérer. L'un d'entre eux communiqua la chose à Messer Francesco Brunelleschi, non pour ébruiter le secret, mais croyant qu'il était au nombre des conjurés. Messer Francesco, soit par crainte pour lui-même, soit par haine pour quelques-uns des conspirateurs, dévoila tout le complot au duc, qui fit arrêter Pagolo del Mazecha et Simone da Montcrappolc. Ils lui révélèrent le nombre et la qualité des conjurés, le duc en fut épouvanté, et on lui conseilla de les citer à comparaître devant lui plutôt que de les faire arrêter. En les provoquant ainsi à fuir, le duc retrouverait la sécurité (par leur exil) sans exciter de trouble. Le duc, en conséquence, fit citer Antoine

---

3. Siennois: gens de Sienne.

Adimari, qui, comptant sur ses complices, se hâta de comparaître; il fut en effet arrêté. Messer Francesco Brunelleschi et Messer Uguccione Buondelmonti, conseillèrent alors au duc de parcourir en armes tout le pays, et de faire mourir tous les conjurés qu'il prendrait. Il rejeta cet avis, parce que ses forces lui parurent insuffisantes contre tant d'ennemis, et il prit un autre parti, qui, s'il eût réussi, aurait raffermi son pouvoir et suppléé à sa faiblesse. Le duc avait coutume de convoquer des citoyens, pour prendre leur avis sur les affaires qui survenaient. Ayant envoyé des ordres à l'extérieur pour rassembler des troupes, il rédigea une liste de trois cents citoyens; et, sous prétexte de les consulter, il les fit convoquer par ses huissiers. Son dessein était, après les avoir réunis, de s'en défaire par la mort ou par la prison. L'arrestation d'Antoine Adimari et l'ordre de faire venir la troupe, qu'on n'avait pu tenir secret, avaient effrayé tous les citoyens, et particulièrement les coupables, de manière que les plus hardis refusèrent d'obéir. Et, comme chacun avait lu la liste, tous les conjurés se reconnurent; ils s'encouragèrent à prendre les armes, et à mourir les armes à la main, comme des hommes, plutôt que comme des veaux conduits à la boucherie; de sorte qu'en peu d'heures, les trois conjurations différentes se découvrirent l'une à l'autre. On décida que le lendemain, 26 juillet 1343, on exciterait une émeute dans le Marché-Vieux; qu'on prendrait soudain les armes, et qu'on appellerait tout le peuple à la liberté.

Chapitre 37.
Florence se soulève contre le duc

Le jour suivant, au son de nones[4], on prend les armes selon l'ordre donné; au cri de liberté, tout le peuple s'arme de son côté; chacun se fortifie dans son quartier sous des enseignes aux armoiries du peuple, que les conjurés avaient secrètement fait faire. Tous les chefs des familles nobles et bourgeoises se réunirent, et jurèrent de se défendre et de faire périr le duc. Il n'y eut que quelques individus de la famille des Buondelmonti et des Cavalcanti, et les quatre familles du peuple qui avaient concouru à son élévation, qui, s'étant joints aux bouchers et à la lie du peuple, accoururent en armes sur la place pour défendre le duc. A ce tumulte, le duc fait fortifier le palais; les siens, qui étaient logés dans différents quartiers de la ville, montent vite à cheval pour se rendre sur la place;

4. Dans les villes on savait l'heure en entendant les cloches des églises qui marquaient à travers la journée la suite des offices du rituel. En réalité, la plupart de ces offices n'étaient célébrés que dans les monastères. Mais leur sonnerie servait à rappeler à tous à la fois l'heure et le culte. Les nones sonnaient vers quinze heures.

mais, en cours de route, ils sont attaqués de toutes parts et tués. Cependant, trois cents cavaliers environ réussirent à rejoindre la place du plais. Le duc se demandait s'il sortirait pour combattre l'ennemi, ou s'il se défendrait dans l'intérieur du palais. De leur côté les Médicis, les Cavicciulli, les Ruccelai, et les autres familles qu'il avait le plus offensées, craignaient, s'il venait à se montrer dehors, qu'un grand nombre de ceux qui avaient pris les armes contre lui ne se montrassent encore ses amis, et pour lui ôter l'occasion de sortir et d'augmenter ainsi ses forces, ils se rassemblèrent et fondirent sur la place. A leur arrivée, les familles plébéiennes qui avaient embrassé le parti du duc, se voyant directement attaquées, changèrent de sentiment aussi soudainement que changeait la fortune du duc. Elles se joignirent toutes à leurs concitoyens, excepté Messer Uggoccione Buondelmonte, qui resta dans le palais, et Messer Giannozzo Cavalcanti, qui se retira avec une partie de ses compagnons dans le Marché-Neuf. Là, monté sur un banc élevé, il conjurait le peuple, qui se rendait sur la place, d'aller y défendre le duc. Pour les déterminer par la crainte, il exagérait ses forces, et les menaçait tous de la mort s'ils s'obstinaient à vouloir combattre leur seigneur. Ne trouvant personne qui voulût le suivre, ni qui pensât même à le punir de son imprudence, voyant qu'il se fatiguait en vain, et déterminé à ne pas tenter davantage la fortune, il retourna s'enfermer chez lui.

Cependant le combat entre le peuple et les soldats du duc, se poursuivait avec acharnement; et quoique le palais facilitât la défense des derniers, ils furent vaincus. Une partie d'entre eux se rendit aux ennemis; l'autre partie se réfugia dans le palais, après avoir abandonné ses chevaux. Tandis que l'on combat sur la place, Corso et Messer Amerigo Donati, accompagnés d'un peuple innombrable, enfoncent les prisons, livrent aux flammes les archives du podestat et de la chambre publique, saccagent les maisons des recteurs, et massacrent tous les agents du duc qui tombent entre leurs mains. Le duc, de son côté, voyant la place envahie et toute la ville soulevée contre lui, et n'espérant plus de secours, essaie de gagner le peuple par quelque acte de générosité. Il se fait amener les prisonniers devant lui, et leur rend la liberté après leur avoir prodigué des paroles pleines de douceur; et, malgré sa répugnance, il crée chevalier Antoine Adimari. Il fit ensuite enlever ses armes de dessus le palais, et les remplaça par celles du peuple. Mais ces concessions tardives et hors de propos, faites par force et contre son gré, ne lui procurèrent que peu d'avantage. Plein de dépit, il se voyait assiégé dans son palais, et reconnaissait trop tard qu'il perdait tout pour avoir voulu trop embrasser, et que sous peu de jours il lui faudrait mourir ou par la faim ou par le fer. Les citoyens, pour rétablir l'ordre dans l'État, se réunirent à Santa-Reparata, et nommèrent quatorze d'entre eux, pris moitié parmi les grands, moitié parmi les bourgeois, auxquels, ainsi qu'à l'évêque, ils donnèrent pouvoir de réformer le gouvernement. Ils élurent en outre six personnes, auxquelles ils confièrent l'autorité du podestat, jusqu'à ce que celui qu'ils avaient choisi fût arrivé.

Des troupes nombreuses, accourues des pays environnants, étaient arrivées au secours du peuple de Florence. On distinguait parmi elles les Siennois, conduits par six ambassadeurs qui jouissaient dans leur patrie de la réputation la plus honorable. Ils s'entremirent pour accorder le peuple et le duc; mais le peuple ne voulut entendre parler d'aucun accommodement que l'on n'eût premièrement remis entre ses mains Messer Guglielmo da Scesi et son fils, ainsi que Messer Cerrettieri Bisdomini. Le duc refusait d'y consentir; mais enfin, menacé par ceux qui étaient renfermés avec lui, il se laissa persuader. Les fureurs sont bien plus ardentes, et les blessures plus profondes, lorsqu'il s'agit de recouvrer la liberté, que lorsqu'il est question de la défendre. Messer Guglielmo et son fils furent jetés au milieu de milliers d'ennemis, et ce jeune homme cependant n'avait pas encore dix-huit ans. Ni son âge, ni son innocence, ni sa beauté ne purent le sauver de la furie de la multitude. Ceux qui n'avaient pu frapper les da Scesi vivants, frappèrent leur cadavre; et, non contents de les traîner, ils les déchirèrent avec le fer, avec les mains, avec les dents même. Pour que chacun de leurs sens ait sa part de vengeance, après avoir entendu les cris des da Scesi, vu leurs blessures, touché leurs chairs en lambeaux, ils voulurent encore en connaître le goût afin que, tout leur extérieur s'en étant repu, leur intérieur s'en rassasie aussi.

Autant cet excès de rage eut une issue funeste pour ces malheureux, autant il fut favorable à Messer Cerrettieri. La multitude ayant épuisé sa cruauté sur ces deux victimes, ne se souvint plus de lui. Il demeura dans le palais totalement oublié, et, pendant la nuit, quelques-uns de ses amis vinrent l'en faire sortir secrètement. La multitude ayant assouvi sa fureur dans le sang qu'elle venait de répandre, conclut un accord par lequel le duc se retirerait sain et sauf avec les siens et ses richesses, renoncerait à toutes les prétentions qu'il pourrait avoir sur Florence, et ratifierait ensuite cette renonciation lorsqu'il serait hors du territoire, dans le Casentino.[5] Ce traité conclu, il partit de Florence le 6 du mois d'août, accompagné d'une foule de citoyens; et, arrivé dans le Casentino, il ratifia, quoiqu'à contrecœur, son abdication. Il n'eût point tenu sa parole si le comte Simone n'avait menacé de le reconduire à Florence. Le duc, ainsi que le prouvent les actes de son gouvernement, fut avare et cruel, d'un difficile accès, plein de hauteur dans ses réponses. Il voulait l'esclavage, non l'affection des hommes, et il aimait mieux être un objet de crainte que d'amour. Ses traits n'étaient pas moins odieux que ses manières: il était petit et noir, avait la barbe longue et clairsemée; de sorte qu'il excitait la haine de quelque côté qu'on l'envisageât. Ainsi, en dix mois la méchanceté de sa politique lui fit perdre la seigneurie que lui avait fait gagner la méchanceté des conseils de certains.

5. Vallée de l'Arno, dans la région d'Arezzo.

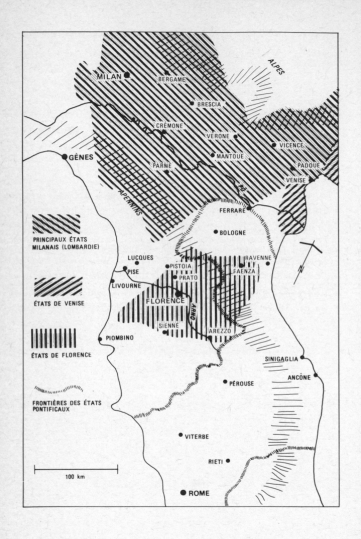

Le nord de l'Italie à la fin du quatorzième siècle.

Chapitre 38.
Révolte d'un grand nombre de villes et de pays, sujets de Florence

Les événements qui venaient de se passer dans la ville encouragèrent les pays soumis aux Florentins à reprendre leur liberté; de sorte que Volterra, Colle, Arezzo, Castiglione, Pistoja, San Geminiano se soulevèrent. Ainsi Florence se trouva privée tout à la fois de son tyran et de ses possessions; et la manière dont elle ressaisit sa liberté apprit à ses sujets comment ils pouvaient recouvrer la leur. Après l'expulsion du duc et la perte de leur domaine, les quatorze citoyens et l'évêque pensèrent qu'il valait bien mieux apaiser leurs sujets en faisant la paix avec eux, qu'exciter leur inimitié par la guerre, et paraître aussi satisfaits de les avoir vus redevenir libres, que de l'être devenus eux-mêmes. Ils envoyèrent donc des députés à Arezzo, pour renoncer à la souveraineté qu'ils avaient sur cette ville, et pour stipuler avec elle que, puisqu'ils ne pouvaient la traiter en sujette, ils pourraient du moins réclamer son secours à titre d'amie. Florence traita également de son mieux avec les autres villes de telle façon que, en autant qu'elles resteraient amies de Florence, celle-ci puisse venir à leur aide et préserver

leur liberté contre les étrangers. Ce parti, qu'avait
dicté la prudence, eut les effets les plus heureux; car
Arezzo, au bout de quelques années, rentra sous la
domination de Florence, et les autres villes furent
obligées de retourner en peu de mois à leur ancienne
obéissance. C'est ainsi que souvent on obtient plus
promptement, et avec moins de périls et de dépenses,
les objets, en paraissant les fuir, qu'en les poursuivant
avec obstination et à force ouverte.

*
* *

Livre troisième[6].
Chapitre 12.
Le pouvoir des arts
(corporations de métier).
Comment il mécontente la plèbe
des travailleurs manuels (1378)

Tandis qu'on s'occupait de ces arrangements, il s'éleva une nouvelle sédition, qui, plus que la précédente, fut préjudiciable à la république. L'incendie et le pillage, qui venait de désoler la ville, était en partie l'ouvrage de la dernière classe des citoyens. Ceux d'entre eux qui avaient montré le plus d'audace craignaient, maintenant que les grands désordres étaient apaisés, d'être punis de leurs excès, et, comme il arrive toujours en pareil cas, d'être abandonnés par ceux même qui les avaient poussés au crime. A ces craintes se joignait la haine que le bas peuple nourrissait contre les riches et les chefs des arts; car ils ne se croyaient pas aussi payés de leurs travaux qu'ils pensaient justement le mériter. En effet, lorsque la ville, du temps de Charles Ier, se divisa en arts, on donna à chacun d'eux des règlements, et un chef par lequel tous les membres

---

6. Dans les chapitres du livre troisième réunis ici, Machiavel montre l'opposition de deux intérêts qui sont par contre mariés dans le texte de l'annexe 2, l'article «Egalité naturelle» de l'*Encyclopédie*. La comparaison des deux rhétoriques peut être instructive.

de chaque corporation étaient jugés en matière civile. Ces arts, comme nous l'avons dit, étaient d'abord au nombre de douze; avec le temps, ils s'élevèrent jusqu'à vingt et un: leur puissance suivit le même progrès; et en peu d'années le gouvernement de la ville se trouva entièrement entre leurs mains. Comme ces arts étaient plus ou moins honorés, ils se divisèrent en majeurs et en mineurs: sept furent appelés majeurs, et quatorze mineurs. De cette division, et des autres causes que nous avons rapportées, résulta l'arrogance des capitaines de parti; car les Guelfes d'ancienne origine, sur lesquels avaient toujours roulé les fonctions de cette magistrature, favorisaient les bourgeois des arts majeurs, et maltraitaient ceux des arts mineurs et leurs défenseurs: c'est ce qui donna lieu à tous les désordres dont nous avons fait le tableau. Mais comme, lors de la classification des corps des arts, il se trouva plusieurs professions auxquelles se livre le menu peuple, qui, par leur nature, ne faisaient point un art particulier, elles se rattachèrent à ceux qui avaient le plus de rapport avec elles. Il en résultat que, lorsqu'elles n'étaient pas satisfaites de leur salaire, ou qu'elles avaient à se plaindre de leurs maîtres, elles ne pouvaient recourir qu'au magistrat de l'art qui les gouvernait, et il leur semblait toujours qu'on ne leur avait pas rendu la justice qu'elles étaient en droit d'attendre. Parmi tous ces arts, celui qui regroupait (et regroupe encore) le plus de ces ouvriers subordonnés était l'art de la laine: son étendue l'avait rendu tout-puissant, son autorité lui avait donné le premier rang, et son industrie nourrissait, et nourrit encore la majeure partie de la populace et des artisans.

Chapitre 13.
La populace se rassemble.
Harangue d'un séditieux

Ainsi donc, ces hommes de la dernière classe du peuple, tant ceux qui étaient subordonnés à l'art de la laine qu'aux autres arts, déjà pleins de ressentiment, par les causes que nous avons exposées, furent encore effrayés des suites que pouvaient avoir les incendies et les vols auxquels ils s'étaient livrés. Ils se réunirent plusieurs fois pendant la nuit pour discuter des événements qui venaient de se passer, et se montrer réciproquement les dangers auxquels ils étaient exposés. Alors l'un d'entre eux, plus hardi et plus éclairé, leur parla en ces termes, pour ranimer leur courage:

«*Si nous avions à délibérer maintenant sur cette question: Devons-nous prendre les armes, brûler et livrer au pillage la demeure des citoyens, et dépouiller les églises? je serais le premier à regarder ce parti comme une entreprise qui mérite réflexion, et peut-être approuverais-je qu'on préférât une pauvreté paisible à un gain périlleux. Mais, puisque nous avons les armes en main, puisque, avec elles, nous avons déjà fait beaucoup de mal, ce à quoi nous devons penser maintenant, c'est de voir comment nous pourrons les garder, et nous mettre en sûreté contre les suites des excès que nous avons commis. Je crois certainement que quand ce conseil ne nous viendrait point d'ailleurs, la nécessité nous l'enseignerait. Vous voyez toute la ville enflammée contre nous de haine et de ressentiment; les citoyens se rapprochent, la seigneurie est sans cesse avec les magistrats: croyez qu'on ourdit contre nous quelque piège, et que quelque grand danger menace nos têtes. Nous devons donc chercher deux choses, et nous proposer deux fins dans nos délibérations: l'une, d'éviter le châtiment de tout ce qui s'est fait ces jours derniers; l'autre, de pouvoir vivre plus libres et plus heureux que par le passé. Il faut, à mon avis, si nous voulons obtenir le pardon de nos anciennes erreurs, en commettre de nouvelles, redoubler les excès, porter en tous lieux le vol et la flamme, et multiplier le nombre de nos complices. Lorsque les coupables sont trop nombreux, on ne punit personne: on châtie un simple délit; on récompense les grands crimes. Quand tout le monde souffre, peu de personnes cherchent à se venger, parce qu'on supporte plus patiemment un mal général qu'une injure particulière. C'est dans l'excès du désordre que nous devons trouver notre pardon, et la voie pour obtenir ce qui est nécessaire à notre liberté. Il me semble que nous marchons à une conquête certaine; car ceux qui pourraient s'opposer à nos projets sont riches et désunis: leur désunion nous donnera la victoire; leur richesse, quand nous les posséderons, sauront nous la conserver. Ne vous laissez point imposer par l'ancienneté de leur rang, dont ils se feront une arme contre vous. Tous les hommes ayant une même origine, sont tous également anciens, et la nature les a tous formés sur le même*

modèle. Mettez-vous nus, nous paraîtrons tous sem-
blables; revêtez-vous de leurs habits, et eux des nôtres,
et, sans aucun doute, nous paraîtrons les nobles, et eux
le peuple; car ce n'est que la richesse et la pauvreté qui
font la différence. Je suis vraiment affligé lorsque je
vois beaucoup d'entre vous se reprocher, dans leur
conscience, ce qu'ils ont fait et vouloir s'abstenir de
nouvelles entreprises: certes, s'il en est ainsi, vous
n'êtes pas les hommes que je croyais que vous dussiez
être. Vous ne devez craindre ni les remords, ni la
honte; car il n'y a jamais de honte pour les vainqueurs,
de quelque manière qu'ils aient vaincu. Nous ne
devons pas faire plus de compte des reproches de la
conscience, parce que, partout où existe, comme chez
nous, la crainte de la faim et de la prison, celle de
l'enfer ne saurait trouver place. Si vous examinez les
actions des hommes, vous trouverez que tous ceux qui
ont acquis de grandes richesses, ou une grande autori-
té, n'y sont parvenus que par la force ou par la ruse; et
qu'ensuite tout ce qu'ils ont usurpé par la fourberie ou
la violence, ils le recouvrent honnêtement du faux titre
de profit pour cacher l'infamie de son origine. Ceux
qui, par trop peu de prudence ou trop d'imbécilité
n'osent employer ces moyens, se plongent chaque jour
davantage dans la servitude et la pauvreté; car les
serviteurs fidèles restent toujours esclaves, et les bons
sont toujours pauvres: il n'y a que les infidèles et les
audacieux qui sachent briser leurs chaînes, et les
voleurs et les fourbes qui sachent sortir de la pauvreté.
Dieu et la nature ont mis la fortune sous la main de
tous les hommes; mais elle est plutôt le partage de la
rapine que de l'industrie, d'un métier infâme que d'un
travail honnête: voilà pourquoi les hommes se dévo-

rent entre eux, et que le sort du faible empire chaque jour. Usons donc de la force quand l'occasion nous le permet; la fortune ne peut nous en offrir une plus favorable: les citoyens sont encore désunis, les seigneurs dans le doute, les magistrats éperdus; avant qu'ils se réunissent et se rassurent, il est facile de les écraser. Nous allons donc ou rester les maîtres absolus de la ville, ou obtenir une si grande part dans le gouvernement, que non seulement on nous pardonnera nos erreurs passées, mais que nous aurons le pouvoir de menacer nos ennemis de nouveaux malheurs. J'avoue que ce projet est hardi et dangereux; mais quand la nécessité entraîne les hommes, l'audace devient prudence; et, dans les grandes entreprises, les âmes courageuses ne calculent jamais le péril: car toujours les entreprises qui commencent par le danger finissent par la récompense, et ce n'est jamais sans danger qu'on peut échapper au danger. Je suis convaincu d'ailleurs que, lorsqu'on voit préparer les prisons, les tortures, les supplices, se tenir coi est plus dangereux qu'agir pour s'en préserver: dans le premier cas, les malheurs sont certains; ils sont douteux dans le second. Que de fois je vous ai entendus vous plaindre de l'avarice de vos maîtres et de l'injustice de vos magistrats! Il est temps aujourd'hui de nous en délivrer, et de nous élever tellement au-dessus d'eux, qu'ils aient, plus que nous ne l'avons jamais eu de leur part, sujet de se plaindre de nous et de nous redouter. L'occasion que nous présente la fortune s'envole; lorsqu'elle a fui, nous cherchons en vain à la ressaisir. Vous voyez les préparatifs de vos adversaires; prévenons leurs desseins: les premiers, d'eux ou de nous, qui reprendront les armes, sont assurés d'une victoire d'où

naîtra la ruine de leurs ennemis, et leur propre gran-
deur. Elle sera, pour beaucoup d'entre nous, la source
des honneurs, et pour tous, de la sécurité.»

Ce discours ne fit qu'enflammer de plus en plus ces
cœurs déjà brûlants de la soif du mal: ils résolurent
donc de prendre les armes aussitôt qu'ils auraient
entraîné dans leur complot un plus grand nombre de
complices, et ils s'engagèrent, par serment, à se
secourir mutuellement, s'il arivait que quelqu'un d'entre eux fût opprimé par les magistrats.

*
* *

Chapitre 17.
La vertu du gonfalonier Michele di Lando brise un nouveau soulèvement populaire (1378)

Cependant la populace se persuade que Michele, dans la réforme de l'Etat, s'est montré trop favorable aux hautes classes de la bourgeoisie, et ne lui a point laissé à elle-même une part assez forte dans le gouvernement pour pouvoir s'y maintenir et s'y défendre: poussée derechef par son audace ordinaire, elle reprend les armes et accourt tumultueusement sur la place avec ses bannières en tête, demandant à grands cris que les seigneurs descendent à la tribune pour y délibérer sur les nouvelles mesures qu'elle croit nécessaires à sa sûreté et à son avantage. Michele, à la vue de cette foule audacieuse, ne veut point l'irriter davantage. Sans écouter ses demandes, il blâme la manière dont elles sont présentées, et engage ces furieux à poser les armes, ajoutant qu'on pourrait alors leur octroyer ce que la dignité de la seigneurie ne permettait pas d'accorder à la force. La multitude, irritée de ce refus des seigneurs, se porte soudain à Santa-Maria-Novella, établit dans son sein huit chefs, avec les ministres et les règlements propres à leur attirer la considération et le respect. Ainsi Florence eut à la fois deux sièges de l'autorité et deux gouvernements. Ces chefs décidèrent qu'à l'avenir huit membres, choisis dans les corps de leurs arts, habiteraient dans le palais avec les seigneurs, et que tout ce que la seigneurie proposerait devrait être confirmé par eux. Ils dépouillèrent Salvestro de Médicis et Michele di Lando de tout ce qui leur avait été accordé dans les précédentes délibérations. Ils s'octroyèrent entre eux de nombreux emplois et traitements afin de soutenir la dignité de ces huit délégués. Ces déterminations prises, pour les rendre valides ils envoyèrent deux députés à la seigneurie demander qu'elles fussent confirmées par les conseils, les menaçant de les y forcer s'ils ne voulaient pas le faire de bonne volonté. Ces députés exposèrent leur mission à la seigneurie avec beaucoup de hauteur et plus de présomption encore, reprochant au gonfalonier l'ingratitude dont il avait payé la dignité qu'on lui avait donnée et les honneurs qu'il avait reçus, ainsi que le peu d'égards de sa condutie envers eux. Comme ils terminaient leur discours par des menaces, Michele ne put supporter tant d'insolence; et se rappelant plutôt le rang qu'il occupait que la bassesse de sa condition primitive, il crut devoir punir une arrogance extraordinaire d'une manière également extraordinaire; et saisissant les armes qu'il portait, il les blessa grièvement, puis les fit enchaîner et mettre en prison.

A peine cette nouvelle est connue qu'elle enflamme la colère de toute cette multitude, qui veut gagner par la violence ce qu'elle n'a pu obtenir d'une autre manière: pleine de fureur, elle s'arme en tumulte, et se met en marche pour contraindre les seigneurs. Michele, de son côté, certain de ce qui allait arriver, se résout à la prévenir, pensant qu'il serait plus glorieux pour lui d'attaquer l'ennemi que de l'attendre dans les murs du palais, ou de se voir déshonoré, comme ses prédécesseurs, par une fuite honteuse. Il réunit en conséquence un grand nombre de citoyens qui commençaient à reconnaître leur erreur, monte à cheval, et, suivi d'une grande troupe d'homme armés, s'avance vers Santa Maria Novella pour combattre les révoltés, qui, comme nous l'avons dit, ayant pris la même résolution, s'ébranlent à leur tour pour se rendre sur la place au moment où Michele se met en marche. Le hasard veut que chaque parti prenne un chemin différent, de sorte qu'ils ne se rencontrent pas. Michele revient sur ses pas, trouve la place occupée et le palais assiégé: il attaque aussitôt les rebelles, les disperse, en chasse une partie de la ville, et force les autres à se cacher après avoir abandonné leurs armes. Cette victoire une fois obtenue, les troubles s'apaisent, grâce aux rares qualités de ce gonfalonier, qui, par son courage, sa prudence et sa bonté, surpassa tous les citoyens de son temps, et fut digne d'être compté parmi le petit nombre de ceux qui ont bien mérité de la patrie. Si son cœur, en effet, eût été ambitieux ou corrompu, la république perdait totalement sa liberté, et tombait sous le joug d'une tyrannie plus cruelle que celle du duc d'Athènes: mais sa vertu[7] était telle, qu'il ne lui vint même jamais une seule pensée qui fût contraire au bien général. Il sut conduire les affaires avec tant de prudence, qu'il obtint la confiance de la plupart des siens, et que ceux qui voulaient résister durent céder à ses armes. Sa conduite imposa à la populace: les artisans honnêtes

---

7. Pour le sens du mot *vertu*, voir ci-dessus «Notes préliminaires: Le texte».

ouvrirent les yeux et reconnurent de quelle ignominie se couvraient ceux qui, après avoir dompté l'orgueil des grands, obéissaient à la lie du peuple.

Chapitre 18.
Nouveaux règlements pour l'élection des seigneurs

Lorsque Michele remporta cette victoire sur la populace, la nouvelle seigneurie était déjà choisie: on y remarquait deux hommes d'une condition si vile et si honteuse, que le désir se manifesta d'échapper à tant d'infamie. Le premier septembre, jour où les nouveaux seigneurs prennent possession de leur charge, la place se trouva pleine de gens armés; et lorsque les anciens seigneurs eurent quitté le palais, il s'éleva du milieu de ces gens armés des voix confuses qui ne voulaient d'aucun seigneur pris parmi le bas peuple; en sorte que la seigneurie, pour satisfaire à ces cris, ôta la magistrature à ces deux membres, dont l'un se nommait Tira, et l'autre Baroccio, et élut à leur place Messer Giorgio Scali et Francesco, fils de Michele. Elle abolit encore les trois arts du menu peuple, qu'on venait d'établir, et priva de leurs emplois ceux qui en faisaient partie, excepté Michele di Lando, Lorenzo di Puccio, et quelques autres individus également recommandables; elle partagea les honneurs en deux portions, dont elle accorda l'une aux arts majeurs, et l'autre aux arts mineurs: seulement on convint qu'il y aurait toujours cinq seigneurs de cette dernière classe et quatre de la première, et que le gonfalonier serait alternativement de l'une et de l'autre. Cette forme de gouvernement ainsi établie mit pour le moment un terme aux troubles qui divisaient la ville. Toutefois, quoique la république eût été retirée des mains de la populace, les artisans de la classe moyenne acquirent plus de puissance que la haute bourgeoisie, qui fut contrainte de céder à ces arts mineurs pour les empêcher de s'allier au menu peuple. Cet arrangement fut encore favorisé par les personnes qui désiraient l'abaissement de ceux qui, sous le nom du parti guelfe, avaient rendu tant de citoyens victimes de leur violence. Comme Messer Giorgio Scali, Messer Benedetto Alberti, Messer Salvestro de Medicis et Messer Tommaso Strozzi étaient au nombre de ceux qui favorisaient cette espèce de gouvernement, ces quatre citoyens se trouvèrent pour ainsi dire les souverains de la république. Cela ne fit qu'affermir la division qui existait déjà entre la haute bourgeoisie et les arts mineurs, et qu'avait fait naître l'ambition des Ricci et des Albizzi. Comme elle a produit dans la suite de graves événements, et que nous aurons souvent à en faire mention, nous appellerons l'une de ces deux factions le parti de la bourgeoisie, et l'autre celui de la populace. Cet état dura trois ans, et ne fut rempli que d'exils et de morts, parce que ceux qui gouvernaient ne voyant au dedans et au dehors que des mécontents, vivaient dans de continuelles alarmes. Les mécontents de l'intérieur tentaient chaque jour ou faisaient craindre quelque révolution nouvelle; ceux du dehors, n'étant retenus par aucun frein, tantôt avec l'appui de

tel prince, tantôt avec celui de telle république,
semaient le trouble de tous côtés.

*
* *

Livre cinquième.
Chapitre premier.
Vicissitudes auxquelles sont exposés les gouvernements

Au milieu des révolutions qu'ils subissent, les empires tombent le plus souvent de l'ordre vers le désordre, pour retourner enfin du désordre à l'ordre; car les choses de ce monde n'ayant point la stabilité en partage, à peine arrivées à leur extrême perfection, elles ne peuvent plus s'élever, et elles doivent nécessairement descendre: de même, lorsqu'elles déclinent, et que les désordres les ont précipitées à leur dernier degré d'abaissement, ne pouvant descendre plus bas, il faut nécessairement qu'elles se relèvent. Ainsi l'on tombe toujours du bien dans le mal, et l'on remonte du mal au bien. La vertu, en effet, enfante le repos, le repos l'oisiveté, l'oisiveté le désordre, et le désordre la ruine: de même, l'ordre naît du désordre, la vertu de l'ordre, et de la vertu, la gloire et la bonne fortune. Les hommes sages ont aussi remarqué que les lettres marchent à la suite des armes, et que, dans tous les Etats, les grands capitaines naissent avant les grands philosophes. Lorsque le courage d'une armée disciplinée a produit la victoire, et la victoire la paix, la force

de ces esprits belliqueux pourrait-elle céder à un char-
me plus doux qu'à celui des lettres, et existe-t-il un
piège plus dangereux que celui qu'elles peuvent tendre
à une ville bien constituée pour y introduire l'oisiveté?
Caton avait sondé toute la profondeur de l'abîme,
lorsqu'il vit toute la jeunesse de Rome suivre avec
admiration les philosophes Diogène et Carnéade, que
les Athéniens avaient envoyés au sénat comme ambassadeurs: il pressentit le mal dont ces loisirs paisibles
menaçaient sa patrie, et fit défendre qu'à l'avenir
aucun philosophe pût être reçu dans Rome.

C'est donc à ces causes que l'on doit attribuer la
ruine des empires; mais, une fois consommée, les
hommes que leurs malheurs ont éclairés reviennent,
comme je l'ai dit, à un gouvernement réglé, à moins
qu'ils ne restent étouffés par une force extraordinaire:
c'est à elles encore que l'Italie dut tantôt sa prospérité
et tantôt son malheur, d'abord sous les anciens
Toscans, depuis sous les Romains. Quoique, dans la
suite, l'Italie n'ait vu sortir des ruines romaines aucune
fondation nouvelle qui ait pu la dédommager de sa
chute, et lui faire recouvrer sa gloire sous un gouvernement sage et vertueux, néanmoins il se manifesta une
telle vertu dans les villes nouvelles et dans les nombreux Etats qui s'élevèrent sur les débris de Rome,
que, quoique aucun d'eux en particulier n'eût obtenu
la supériorité, ils vécurent ensemble dans un tel équilibre et une telle harmonie, qu'ils parvinrent à la
défendre et à la délivrer enfin des barbares.

Si, parmi ces nouveaux Etats, les Florentins eurent
des possessions moins étendues, ils ne furent inférieurs
à aucun d'entre eux, soit en influence, soit en pouvoir.
Placés au centre de l'Italie, riches et prompts à l'atta-

que, ils soutinrent avec bonheur toutes les guerres qu'on leur suscita, ou firent pencher la victoire du côté de ceux qu'ils favorisaient. Si la vertu propre de leurs nombreux voisins ne leur permit jamais de jouir des loisirs d'une longue paix, les fureurs de la guerre ne les entraînèrent jamais non plus dans de grands dangers: et, de même qu'on ne peut dire que la paix existe là où les princes tournent si souvent leurs armes les uns contre les autres, de même on ne saurait regarder comme une guerre, des différends dans lesquels les hommes s'épargnaient entre eux: les villes n'étaient pas ravagées, les Etats demeuraient intacts; et ces guerres se conduisirent sur la fin avec tant de mollesse, qu'on les commençait sans crainte, qu'on les continuait sans danger, et qu'on les terminait sans dommage: de sorte que la vertu, qu'éteint ordinairement une longue paix dans les autres pays, fut étouffée en Italie par la lâcheté des guerres; comme ne le démontreront que trop les événements que nous aurons à décrire depuis 1434 jusqu'en 1494, époque à laquelle on verra comment enfin les chemins furent de nouveau ouverts aux barbares, et comment l'Italie se remit volontairement dans leurs chaînes.

Si les actions de nos princes, et au dehors et au dedans, n'excitent l'admiration ni par leur grandeur ni par leur éclat, comme celles que nous lisons des anciens, en les examinant sous un autre point de vue, on ne verra pas sans un moindre étonnement, qu'une foule de peuples d'un si noble caractère aient pu se laisser tenir en frein par des armées si lâches et si mal conduites. Si, au milieu du récit des événements arrivés dans un monde aussi dépravé, on ne rencontre ni vigueur dans les soldats, ni vertu dans les capitaines, ni

amour de la patrie dans les citoyens, on verra du moins
par quels pièges, avec quelle astuce et quel art perfide
les princes, les soldats, les chefs d'Etats, se condui-
saient pour conserver une réputation qu'ils ne méri-
taient pas. Ces faits ne seront peut-être pas moins
utiles à étudier que les belles actions des anciens; car si
les unes excitent les âmes vertueuses à les imiter, les
autres engagent à les éviter ou à les combattre.

Discours
sur la première décade
de Tite-Live
(extraits)

Dédicace[1].
A Zanobi Buondelmonti
et à Côme Rucellai,
salut

Je vous envoie un présent qui, s'il ne répond point à toutes les obligations que j'ai contractées envers vous, est tel sans doute que Nicolas Machiavel ne pouvait vous adresser rien de plus précieux; car j'y ai exprimé tout ce que je sais, et tout ce qu'ont pu m'apprendre une longue pratique et une étude continuelle des affaires du monde. Mais ni vous, ni les autres, ne pouvez attendre de moi plus que je ne vous offre; et vous n'êtes point en droit de vous plaindre si je ne vous ai pas donné davantage. Vous pourrez être rebutés de la stérilité de mon esprit quand mes récits seront

---

1. Cette dédicace répond à une intention très personnelle, parce qu'elle vient présenter un volume qui ne doit circuler qu'en manuscrit, et qui d'ailleurs reste incomplet (Machiavel ne le terminera jamais). Les dédicataires sont deux jeunes membres de «l'académie» Rucellai (voir «L'héritage de Machiavel», 1513), et le volume est essentiellement destiné à ce groupe d'amis, aux questions desquels Machiavel veut répondre. Celui-ci en profite pour comparer ces amis peu illustres, qui attendent son livre avec impatience, au prince indifférent auquel il a eu «l'aveuglement» d'envoyer le *Prince*.

arides, et de la fausseté de mes jugements, lorsque discutant un si grand nombre de sujets, je tomberai dans quelque erreur; mais, dans ce cas même, je ne sais qui de nous aurait des reproches à faire à l'autre, ou moi, de ce que vous m'avez forcé à traiter une matière que je n'eusse jamais choisie de mon propre mouvement; ou vous, de ce que mes écrits pourraient ne pas entièrement vous satisfaire. Acceptez donc cet ouvrage, comme on doit prendre tout ce qui vient d'un ami, où l'on considère toujours davantage l'intention de celui qui donne que la valeur du présent.

Et soyez convaincus que j'éprouve dans cette circonstance une véritable satisfaction, quand je songe que, me fussé-je trompé en beaucoup d'occasions, il en est cependant une dans laquelle je n'ai point commis d'erreur, c'est de vous avoir choisis entre tous pour vous adresser mes Discours. *Car, en agissant de la sorte, je pense avoir montré quelque reconnaissance des bienfaits que j'ai reçus, et avoir abandonné le sentier vulgairement battu par ceux qui font métier d'écrire, et dont la coutume est de dédier leurs ouvrages à quelque prince auquel, dans l'aveuglement de leur ambition ou de leur avarice, et dans l'effusion de leurs louanges banales, ils prodiguent toutes les vertus, au lieu de le faire rougir de ses vices.*

Pour ne point tomber dans cette erreur commune, j'ai fait choix, non d'un prince en effet, mais de ceux qui par tant de belles qualités mériteraient de l'être; non de qui pourrait me combler de titres, d'honneurs et de richesses, mais de ceux qui, n'ayant pas ces biens en leur pouvoir, ont du moins le désir de me les prodiguer. Car les hommes, pour porter un jugement sain, doivent savoir discerner ceux qui sont véritable-

ment généreux, de ceux qui n'ont que le pouvoir de l'être; ceux qui sauraient gouverner, de ceux qui, sans en avoir la science, se trouvent cependant à la tête d'un empire.

Aussi les historiens font plus d'estime d'Hiéron, simple citoyen de Syracuse, que de Persée, roi de Macédoine; car il ne manquait à Hiéron, pour être prince, que le pouvoir suprême; Persée n'avait des qualités d'un roi, que la royauté.

Jouissez donc du bien et du mal que vous avez cherchés vous-mêmes, et si vous pouvez vous abuser au point de croire que mes recherches vous soient agréables, je m'efforcerai de poursuivre le reste de cette histoire, selon la promesse que je vous ai faite en commençant. *Valete.* [2]

2. Salutation latine: portez-vous bien.

Livre premier.
Avant-propos

Quoique l'homme par sa nature envieuse ait toujours rendu la découverte des méthodes et des systèmes nouveaux aussi périlleuse que la recherche des terres et des mers inconnues, [3] attendu qu'il sera toujours plus prompt à blâmer qu'à louer les actions d'autrui; toutefois, excité par ce désir naturel qui me porta toujours à entreprendre ce que je crois avantageux au public, sans me laisser retenir par aucune considération, j'ai formé le dessein de m'élancer dans une route qui n'a pas encore été frayée; et s'il est vrai que je doive y rencontrer bien des ennuis et des difficultés, j'espère y trouver aussi ma récompense dans l'approbation de ceux qui jeteront sur mon entreprise un regard favorable. Et si la stérilité de mon esprit, une expérience insuffisante des événements contemporains, de trop faibles notions de l'antiquité, pouvaient rendre mon essai insuffisant et peu utile, elles ouvriront du

---

3. Il s'agit des voyages de Colomb, et sans doute aussi de ceux d'Amérique Vespuce, qui vient de mettre ses récits de voyage en circulation à Florence.

moins la voie à celui qui, plus vertueux, plus éloquent et plus éclairé, pourra accomplir ce que j'essaie; et si mon travail ne parvient point à me mériter la gloire, il ne devrait pas non plus m'attirer le mépris.

Quand je considère d'une part la vénération qu'inspire l'antiquité, et, laissant de côté une foule d'autres exemples, combien souvent on achète au poids de l'or un fragment de statue antique pour l'avoir sans cesse sous les yeux, pour en faire l'honneur de sa maison, pour le donner comme modèle à ceux qui font leurs délices de ce bel art, et comme ensuite ces derniers s'efforcent de le reproduire dans leurs ouvrages; quand d'une autre je vois que les actes admirables de vertu dont les histoires nous offrent le tableau, et qui furent opérés dans les royaumes et les républiques antiques, par leurs rois, leurs capitaines, leurs citoyens, leurs législateurs, et par tous ceux qui ont travaillé à la grandeur de leur patrie, sont plutôt froidement admirés qu'imités; que bien loin de là chacun semble éviter tout ce qui les rappelle, de manière qu'il ne reste plus le moindre vestige de l'antique vertu, je ne puis m'empêcher tout à la fois de m'en émerveiller et de m'en plaindre: je vois avec plus d'étonnement encore que dans les causes civiles qui s'agitent entre les citoyens, ou dans les maladies qui surviennent parmi les hommes, on a toujours recours aux jugements que les anciens ont rendus, ou aux remèdes qu'ils ont prescrits; et cependant les lois civiles sont-elles autre chose que les sentences prononcées par les jurisconsultes de l'antiquité, et qui, réduites en code, apprennent aux jurisconsultes d'aujourd'hui à juger? La médecine elle-même n'est-elle pas l'expérience faite par les médecins des anciens temps, et d'après laquelle les

médecins de nos jours établissent leurs jugements?
Toutefois, lorsqu'il s'agit d'asseoir l'ordre dans une
république, de maintenir les Etats, de gouverner les
royaumes, de régler les armées, d'administrer la guerre, de rendre la justice aux sujets, on n'a encore vu ni
prince, ni république, ni capitaine, ni citoyens s'appuyer de l'exemple de l'antiquité. Je crois en trouver la
cause moins encore dans cette faiblesse où les vices de
notre éducation actuelle ont plongé le monde, ou dans
ces maux que cause chez tant d'Etats et de villes
chrétiennes une paresse orgueilleuse, que dans l'ignorance du véritable esprit de l'histoire, qui nous empêche en la lisant d'en saisir le sens réel et de nourrir
notre esprit de la substance qu'elle renferme. Il en
résulte que ceux qui lisent se bornent au plaisir de voir
passer sous leurs yeux cette foule d'événements qu'elle
dépeint, sans jamais songer à les imiter, jugeant cette
imitation non seulement difficile, mais même impossible: comme si le ciel, le soleil, les éléments et les
hommes n'avaient plus le même cours, le même ordre
ou la même puissance qu'autrefois.

Résolu d'arracher les hommes à cette erreur, j'ai cru
nécessaire d'écrire, sur chacun des livres de Tite-Live
que l'injure du temps à épargnés, [4] tout ce qu'en
comparant les événements anciens et modernes je
jugerais propre à faciliter leur intelligence, afin que
ceux qui liraient mes *Discours* pussent retirer de ces
livres l'utilité que l'on doit rechercher dans l'étude de

---

4. Plutôt, les dix premiers livres (la première décade de livres) des
35 épargnés — et dont Machiavel avait connaissance. Il faut croire
que cet avant-propos n'a pas été corrigé quand Machiavel a décidé
de s'arrêter à la première décade.

l'histoire. Et quoique cette entreprise soit difficile, j'espère cependant qu'aidé par ceux qui m'ont engagé à me charger de ce fardeau, je parviendrai à le porter assez loin pour qu'il reste bien peu de chemin à faire à celui qui voudrait atteindre le but désigné.

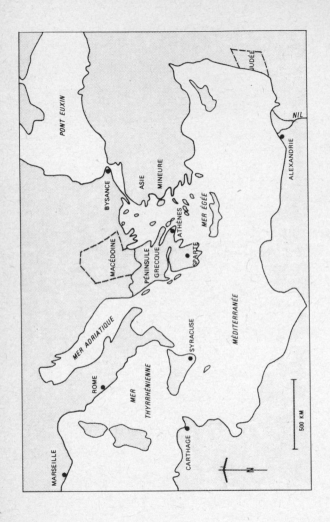

Le monde ancien.

Chapitre premier.
Quels ont été en général les commencements de la plupart des villes, et en particulier ceux de Rome

Ceux qui liront ce qu'était Rome à sa naissance, les législateurs qu'elle eut, et l'ordre qu'ils établirent dans son gouvernement, ne seront point étonnés de voir toutes les vertus se maintenir dans cette ville pendant une si longue suite de siècles, et devenir la base de cet empire immense auquel elle parvint par la suite.

Et pour parler d'abord de son origine, je dis que toutes les villes sont fondées, ou par les naturels du pays où elles s'établissent, ou par des étrangers.

Le premier cas a lieu quand les habitants, disséminés en une foule de petites peuplades, se voient dans l'impossibilité de vivre avec sécurité, les localités et le petit nombre ne permettant à aucune d'entre elles de résister par ses propres forces à l'agression de ceux qui les attaqueraient. A l'approche de l'ennemi ils n'ont pas le temps de se réunir pour la défense commune; s'ils y parviennent, ils sont quand même contraints de lui abandonner la plupart de leurs asiles, et ils deviennent ainsi la proie soudaine de leur ennemi. C'est donc pour fuir ces dangers, que, de leur propre mouvement,

ou poussés par ceux qui ont obtenu dans la tribu le
plus d'autorité, ils se déterminent à habiter ensemble
un lieu de leur choix, plus commode pour vivre et plus
facile à défendre. Athènes et Venise entre autres nous
en offrent l'exemple. La première de ces villes, sous
l'autorité de Thésée, fut bâtie pour y rassembler les
habitants épars de l'Attique. L'autre, réunissant les
nombreuses populations qui s'étaient réfugiées dans la
multitude de petites îles placées à la pointe de la mer
Adriatique, pour fuir les guerres qu'enfantaient chaque jour en Italie, depuis la décadence de l'empire
romain, les invasions des barbares, commença, sans
qu'aucun prince particulier lui donnât un gouvernement, à vivre sous les lois qu'elle crut les plus propres à
la maintenir. Le succès couronna son entreprise, à la
faveur de la longue paix que lui assura son site, la mer
lui fournissant un rempart sans faille et les vaisseaux
pour la franchir manquant aux envahisseurs barbares
qui désolaient l'Italie. C'est ainsi qu'elle a pu élever
sur des fondements aussi faibles la grandeur où nous la
voyons aujourd'hui parvenue.

Le second cas, celui d'une ville fondée par des
étrangers, a lieu par le fait d'hommes libres, ou
d'hommes dépendants d'un autre Etat. On doit mettre
dans cette dernière classe les colonies envoyées par une
république ou par un prince, pour débarrasser leurs
Etats du superflu de la population, ou pour maintenir
leurs nouvelles conquêtes d'une manière plus sûre et
moins dispendieuse. Le peuple romain a fondé un
grand nombre de ces villes dans toute l'étendue de son
empire.

Il est une autre espèce de villes: ce sont celles bâties
par un prince, non dans l'intention d'y fixer sa demeu-

re, mais pour sa seule gloire; telle fut la ville d'Alexandrie fondée par Alexandre. Comme ces cités n'ont point une origine libre, il est rare que leur puissance acquière une grande extension, et qu'on doive les compter parmi les capitales d'un empire. Florence eut une origine de ce genre[5]; et soit qu'elle doive sa naissance aux soldats de Sylla, ou aux habitants de Fiesole, qui, séduits par la longue paix qu'Octave donna à l'univers, se réunirent pour habiter la plaine qu'arrose l'Arno, sa fondation fut dépendante de l'empire romain; aussi ne put-elle, dans les commencements, recevoir d'autres accroissements que ceux qui lui furent concédés par la munificence du prince.

Une ville doit son existence à des hommes libres, lorsqu'un peuple contraint, par la contagion, la famine ou la guerre, de délaisser la patrie de ses pères va, de lui-même ou sous la conduite de ses princes, chercher un nouveau séjour. Ce peuple fixe sa demeure au sein des villes qu'il trouve dans les pays conquis par ses armes, comme fit Moïse; ou il en édifie de nouvelles, ainsi qu'Enée. C'est dans ce dernier cas que se manifestent la sagesse du fondateur et la fortune de son établissement, plus ou moins merveilleux, suivant qu'a été plus ou moins grande la sagesse de celui qui en fut le principe. L'étendue de cette sagesse se connaît à deux choses: la première est le choix du site; la seconde l'ordonnance des lois.

Et comme les hommes agissent ou par nécessité ou par choix, et qu'on a toujours vu que la vertu est la

---

5. Machiavel entend bien que Florence, comme Alexandrie, représente le cas rare de villes fondées pour la gloire d'un prince et qui néanmoins s'étendent.

plus grande là où le choix joue le moins, il y a à
examiner s'il ne serait pas plus avantageux de choisir,
pour asseoir l'emplacement d'une ville, des lieux
stériles où les hommes, contraints à se livrer à l'industrie, moins adonnés à l'oisiveté, vivraient plus unis,
ayant moins de raisons de discorde par la pauvreté leur
situation, ainsi que le prouve l'exemple de Raguse, et
d'une foule d'autres villes bâties dans de semblables
contrées. Ce choix serait sans aucun doute plus sage et
plus utile, si les hommes se contentaient de vivre de ce
qu'ils possèdent, et ne cherchaient point à étendre leur
domination. Mais comme ils ne peuvent assurer leur
sort que par une véritable puissance, il leur est nécessaire de fuir les pays trop stériles et de se fixer dans ces
contrées fécondes, où la richesse du sol leur permet de
s'agrandir, où ils peuvent se défendre contre ceux qui
les attaquent et réprimer quiconque veut s'opposer
à leur agrandissement.

Quant à la mollesse que pourrait inspirer le pays, il
faut que les lois imposent les travaux auxquels le sol ne
contraindrait pas. Il faut imiter ces sages qui, forcés
d'habiter des pays fertiles et riants où ne naissent que
des hommes efféminés et inhabiles à tout exercice
vertueux, ont su obvier à ces inconvénients produits
par l'influence d'un climat voluptueux, en imposant à
ceux qui étaient destinés à porter les armes la nécessité
d'un exercice continuel; de sorte que, grâce à ces
règlements, ils ont formé de meilleurs soldats que dans
des contrées naturellement âpres et stériles. Telle fut
entre autres l'Egypte, où l'influence d'une terre pleine
de délices fut si bien modifiée par la vigueur des
institutions, qu'elle produisit les hommes les plus
éminents en tout genre; et si la longue succession des

temps n'avait pas éteint la mémoire de leur nom, on verrait combien ils étaient plus dignes de louanges qu'Alexandre le Grand et tant d'autres dont le souvenir fleurit encore. Quiconque eût examiné l'empire du Soudan, l'organisation des Mamelucks et la discipline de leur milice, avant que le sultan Sélim l'eût détruite, aurait vu à combien d'exercices militaires ses soldats étaient obligés; et il aurait connu dans le fait combien ils redoutaient cette oisiveté où la douceur du climat aurait pu les plonger s'ils n'en avaient détourné les effets par les lois les plus vigoureuses. Je dis donc que le choix le plus prudent est celui d'une contrée fertile, lorsque les lois peuvent en circonscrire l'influence dans des bornes convenables.

Alexandre le Grand avait formé le dessein d'élever une ville comme monument de sa gloire: l'architecte Dinocrate vint le trouver, et lui montra qu'il pouvait facilement la fonder sur le mont Athos: outre la force naturelle du lieu, on pourrait, disait-il, tailler la montagne de manière à lui donner la forme humaine, entreprise rare et merveilleuse et digne de sa puissance. Alexandre lui demanda alors de quoi vivraient les habitants; il répondit qu'il n'y avait pas pensé. Le prince rit, et laissant de côté le mont Athos, jeta les fondements d'Alexandrie, où les habitants devaient avec plaisir fixer leur demeure, séduits par la fécondité du sol, et par le double avantage de la mer et du Nil.

Si l'on remonte donc à l'origine de Rome, et que l'on considère Enée comme son premier fondateur, ce sera une ville édifiée par des étrangers; si c'est Romulus, elle devra sa naissance aux naturels du pays: mais, de toute manière, son origine aura été libre et indépendante. On verra encore, ainsi qu'il sera dit plus tard, à combien de contraintes les lois établies par Romulus, par Numa et par d'autres législateurs asservirent le peuple: aussi, ni la fertilité du sol, ni la commodité de la mer, ni les fréquentes victoires, ni la grandeur même de l'empire, ne purent, dans le cours de plusieurs siècles, corrompre ses mœurs, et Rome vit fleurir dans son sein toutes ces vertus dont jamais nulle autre république ne fut ornée plus qu'elle.

Et comme les grandes choses qu'elle a opérées, et qu'a célébrées Tite-Live, ont été la suite de délibérations publiques ou particulières, qu'elles eurent lieu dans le sein de la cité, ou au dehors, je commencerai à parler de ce qui s'est passé au dedans par suite de délibérations publiques, m'arrêtant à ce que je jugerai le plus digne d'attention, et y ajoutant toutes les circonstances qui en dépendent. Ce sera l'objet des discours de ce premier livre, ou plutôt de cette première partie.

Chapitre 2.
Combien il y a de sortes
de républiques, et de quelle espèce
fut la république romaine

Je m'abstiendrai de parler des villes dont l'origine est due à un autre Etat, et je parlerai seulement de celles dont les commencements furent libres de toute dépendance étrangère, et qui se sont immédiatement gouvernées d'après leur volonté, soit comme république, soit comme monarchie, et qui, à raison de cette double origine, ont eu une législation et une constitution différentes. Les unes, dès le moment de leur naissance ou peu de temps après, ont reçu leurs lois des mains d'un seul homme, et en une seule fois, telles que les donna Lycurgue à Lacédémone. Les autres les ont reçues à diverses reprises, et selon les événements: telle fut Rome.

On peut appeler heureuse la république à qui le destin accorde un homme si prudent, que les lois qu'il lui donne sont combinées de manière à pouvoir assurer la tranquillité de chacun sans qu'il soit besoin d'y porter la réforme. Et c'est ainsi qu'on voit Sparte observer les siennes pendant plus de huit siècles, sans altération et sans désordre dangereux.

Au contraire, on peut considérer comme malheureuse la cité qui, n'étant pas tombée sous un sage

législateur, est obligée de rétablir elle-même l'ordre
dans son sein. Parmi les villes de ce genre, la plus
malheureuse est celle qui se trouve plus éloignée de
l'ordre; et la plus éloignée de l'ordre est celle dont les
institutions se trouvent toutes détournées de ce droit
chemin qui peut la conduire à son but parfait et
véritable, car il est presque impossible qu'elle trouve
dans cette position quelque événement heureux qui
rétablisse l'ordre dans son sein. Celles, au contraire,
dont la constitution est imparfaite, mais dont les
principes sont bons et susceptibles de s'améliorer,
peuvent, suivant le cours des événements, s'élever
jusqu'à la perfection. Mais on doit être persuadé que
jamais les réformes ne se feront sans danger; car la
plupart des hommes ne se plient pas volontiers à une
loi nouvelle, lorsqu'elle établit dans la cité un nouvel
ordre de choses auquel ils ne sentent pas la nécessité de
se soumettre; et cette nécessité n'arrivant jamais sans
périls, il peut se faire aisément qu'une république
périsse avant d'avoir atteint à un ordre parfait. Celle
de Florence en est une preuve frappante: réorganisée
après la révolte d'Arezzo, en 1502, elle a été boulever-
sée de nouveau après la prise de Prato, en 1512.

Voulant faire connaître quelles furent les formes du
gouvernement de Rome, et par quel concours de
circonstances elles atteignirent à la perfection, je dirai
comme ceux qui ont écrit sur l'organisation des Etats,
qu'il existe trois espèces de gouvernements, appelés
monarchique, aristocratique ou populaire[6], et que

6. Dans le texte, «*Principato, Ottimati e Popolare*», c'est-à-dire
du Prince, des Meilleurs ou du Peuple. C'est le sens *étymologique*
des adjectifs français monarchique, aristocratique et populaire (ou
démocratique).

tous ceux qui veulent établir l'ordre dans la cité
doivent choisir de ces trois espèces celle qui convient le
mieux à leurs desseins.

D'autres plus éclairés, suivant l'opinion générale,
pensent qu'il existe six formes de gouvernement, dont
trois sont tout à fait mauvaises; les trois autres sont
bonnes en elles-mêmes, mais elles dégénèrent si facilement, qu'il arrive aussi qu'elles deviennent dangereuses. Les bons gouvernements sont les trois que nous
avons précédemment indiqués; les mauvais sont ceux
qui en dérivent; et ces derniers ont tant de ressemblance
avec ceux auxquels ils correspondent, qu'ils se confon-
dent sans peine. Ainsi la monarchie se change en
despotisme, l'aristocratie tombe dans l'oligarchie, et la
démocratie se convertit promptement en licence. En
conséquence, tout législateur qui adopte pour l'Etat
qu'il fonde un de ces trois gouvernements, ne l'organise que pour bien peu de temps, car aucun remède ne
peut l'empêcher de se précipiter dans l'Etat contraire,
tant le bien et le mal ont dans ce cas de ressemblance.

Le hasard seul a fait naître parmi les hommes cette
variété de gouvernements; car, au commencement du
monde, les habitants de la terre étaient en petit nombre, et vécurent longtemps dispersés comme les animaux; la population s'étant accrue, ils se réunirent; et,
afin de se mieux défendre, ils commencèrent à distinguer celui qui parmi eux était le plus robuste et le plus
courageux; ils en firent comme leur chef et lui obéirent.
De là résulta la connaissance de ce qui était utile et
honnête, en opposition avec ce qui était pernicieux et
coupable. On vit que celui qui nuisait à son bienfaiteur
faisait naître chez les hommes la haine pour les oppresseurs et la pitié pour leurs victimes; on détesta les

ingrats; on honora ceux qui se montraient reconnaissants; et, dans la crainte d'éprouver à son tour les
mêmes injures qu'avaient reçues les autres, on s'avisa
d'opposer à ces maux la barrière des lois, et d'infliger
des punitions à ceux qui tenteraient d'y contrevenir.
Telles furent les premières notions de la justice.

Alors, quand il fut question d'élire un chef, on cessa
d'aller à la recherche du plus courageux, on choisit le
plus sage, et surtout le plus juste; mais, le prince
venant ensuite à régner par droit de succession et non
par le suffrage du peuple, les héritiers dégénérèrent
bientôt de leurs ancêtres; négligeant tout acte de vertu,
ils se persuadèrent qu'ils n'avaient autre chose à faire
qu'à surpasser leurs semblables en luxe, en mollesse et
en tout genre de voluptés. Le prince commença dès
lors à exciter la haine; la haine l'environna de terreur:
mais, le prince passant promptement de la crainte à
l'offense, la tyrannie ne tarda pas à naître. Telles
furent les causes de la chute des princes; alors s'ourdi-
rent contre eux les conjurations, les complots, non
plus d'hommes faibles ou timides, mais réunissant
surtout ceux qui surpassaient les autres en générosité,
en grandeur d'âme, en richesse, en naissance, et qui ne
pouvaient supporter la vie criminelle d'un tel prince.

La multitude, entraînée par l'exemple des grands,
s'armait contre le souverain, et après son châtiment,
elle obéissait aux grands comme à ses libérateurs. Ces
derniers, haïssant jusqu'au nom de chef unique, orga-
nisaient entre eux un gouvernement, et, dans les
commencements, retenus par l'exemple de la précédente tyrannie, ils conformaient leur conduite aux lois
qu'ils avaient données: préférant le bien public à leur
propre avantage, ils gouvernaient avec justice et veil-

laient avec le même soin à la conservation des intérêts communs et particuliers. Lorsque le pouvoir passa dans les mains de leurs fils, comme ces derniers ignoraient les caprices de la fortune, et que le malheur ne les avait point éprouvés, ils ne voulurent point se contenter de l'égalité civile; mais, se livrant à l'avarice et à l'ambition, arrachant les femmes à leurs maris, ils changèrent le gouvernement, qui jusqu'alors avait été aristocratique, en une oligarchie qui ne respecta plus aucun des droits des citoyens. Ils éprouvèrent bientôt le même sort que le tyran: la multitude, fatiguée de leur domination, s'offrit pour suivre quiconque voulait la venger de ses oppresseurs, et il ne tarda pas à s'élever un homme qui, avec l'appui du peuple, parvint à les renverser.

La mémoire du prince et de ses outrages vivait encore, l'oligarchie venait d'être détruite, et l'on ne voulait pas rétablir le pouvoir d'un seul: on se tourna vers l'Etat populaire, et on l'organisa de manière que ni le petit nombre des grands, ni le prince, n'y obtinrent aucune autorité. Comme tout gouvernement inspire à son origine quelque respect, l'Etat populaire se maintint d'abord, mais pendant bien peu de temps, surtout lorsque la génération qui l'avait établi fut éteinte, car on ne fut pas longtemps sans tomber dans un état de licence où l'on ne craignit plus ni les simples citoyens, ni les hommes publics: de sorte que, tout le monde vivant selon son caprice, chaque jour était la source de mille outrages. Contraint alors par la nécessité, ou éclairé par les conseils d'un homme sage, ou fatigué d'une telle licence, on en revint à l'empire d'un seul, pour retomber encore de chute en chute, de la même manière et par les mêmes causes, dans les horreurs de l'anarchie.

Tel est le cercle dans lequel roulent tous les Etats qui ont existé ou qui subsistent encore. Mais il est bien rare que l'on revienne au point précis d'où l'on était parti; parce que nul empire n'a assez de vigueur pour pouvoir passer plusieurs fois par les mêmes vicissitudes et maintenir son existence. Il arrive souvent qu'au milieu de ses bouleversements, une république, privée de conseils et de force, devient la sujette de quelque Etat voisin plus sagement gouverné; mais si cela n'arrivait point, un empire pourrait parcourir longtemps le cercle des mêmes révolutions.

Je dis donc que toutes ces formes de gouvernements offrent des inconvénients égaux: les trois premières, parce qu'elles n'ont pas d'éléments de durée; les trois autres, par le principe de corruption qu'elles renferment. Aussi tous les législateurs renommés par leur sagesse, ayant reconnu le vice inhérent à chacun, ont évité d'employer uniquement un de ces modes de gouvernement; ils en ont choisi un qui participait de tous, le jugeant plus solide et plus stable, parce que le prince, les grands et le peuple, gouvernant ensemble l'Etat, pouvaient plus facilement se surveiller entre eux. Parmi les législateurs qu'ont rendus célèbres de semblables constitutions, le plus digne d'éloges est Lycurgue. Dans les lois qu'il donna à Sparte, il sut si bien contrebalancer le pouvoir du roi, des grands et du peuple, qu'à sa grande gloire l'Etat se maintint en paix [7] pendant plus de huit cents années.

---

7. Il s'agit bien sûr de la paix intérieure de Sparte, non de la paix avec ses voisines.

Il arriva le contraire à Solon, qui dicta des lois à Athènes, et qui, pour n'y avoir établi que le gouvernement populaire, ne lui assura qu'une existence tellement éphémère, qu'avant sa mort même il vit éclore la tyrannie de Pisistrate. Quoique ensuite les héritiers du tyran eussent été chassés au bout de quarante ans, et qu'Athènes eût recouvré sa liberté, comme on se borna à rétablir le gouvernement de Solon, il ne dura pas plus d'un siècle, malgré les amendements qu'on y fit pour le consolider et pour réprimer l'insolence des grands et la licence de la multitude, deux vices auxquels Solon n'avait point assez fait attention: aussi, comme il ne fit intervenir dans sa constitution ni l'autorité du prince, ni celle des grands, Athènes n'eut qu'une existence extrêmement bornée en comparaison de Lacédémone.

Mais venons à Rome. Cette ville, dans le principe n'eut point, il est vrai, un Lycurgue pour lui donner des lois et pour y rétablir un gouvernement capable de conserver longtemps sa liberté: cependant, par suite des événements que fit naître dans son sein la jalousie qui divisa toujours le peuple et les grands, elle obtint ce que le législateur ne lui avait pas donné. En effet, si Rome ne jouit pas du premier avantage que j'ai d'abord indiqué, elle eut du moins le second en partage; et, si ses premières lois furent défectueuses, elles ne s'écartèrent jamais du chemin qui pouvait les conduire à la perfection. Romulus et les autres rois firent une multitude de bonnes lois, excellentes même pour un gouvernement libre; mais comme leur but principal avait été de fonder une monarchie et non une république, quand cette ville recouvra son indépendance, on s'aperçut que les besoins de la liberté réclamaient une foule de dispositions que les rois

n'avaient point songé à établir. Et quoique ces rois
eussent perdu la couronne par les causes et de la
manière que nous avons indiquées ci-dessus, ceux qui
les chassèrent ayant aussitôt établi deux consuls pour
tenir lieu du roi, on ne fit que bannir de Rome le titre
et non l'autorité royale; de sorte que la république,
renfermant dans son sein des consuls et un sénat, ne
présenta d'abord que le mélange de deux des trois
éléments indiqués, c'est-à-dire la monarchie et l'aristocratie. Il ne restait plus à y introduire que le gouvernement populaire. La noblesse romaine, enorgueillie par
les causes que nous développerons ci-après, souleva
contre elle le ressentiment du peuple; et, pour ne pas
tout perdre, elle fut contrainte à lui céder une partie de
l'autorité; mais d'un autre côté le sénat et les consuls
en retinrent assez pour conserver leur ancien rang dans
l'Etat.

C'est à ces causes qu'est due l'origine des tribuns du
peuple, dont l'institution affermit la république, parce
que chacun des trois éléments du gouvernement obtint
sa portion d'autorité. La fortune favorisa tellement
Rome, que, quoiqu'elle passât de la royauté et de
l'aristocratie au gouvernement populaire, en suivant
les gradations amenées par les mêmes causes que nous
avons développées, cependant on n'enleva point au
pouvoir royal toute l'autorité pour la donner aux
grands, on n'en priva point non plus les grands en
faveur du peuple; mais l'équilibre des trois pouvoirs
donna naissance à une république parfaite. Toutefois
cette perfection n'eut sa source que dans la désunion
du peuple et du sénat, comme nous le ferons voir
amplement dans les deux chapitres suivants.

Chapitre 3.
Des événements qui amenèrent à Rome la création des tribuns, dont l'institution perfectionna le gouvernement de la république

Ainsi que le démontrent tous ceux qui ont parlé sur la politique, et les nombreux exemples que fournit l'histoire, il est nécessaire à celui qui établit la forme d'un Etat et qui lui donne des lois, de supposer d'abord que tous les hommes sont méchants et disposés à faire usage de leur perversité toutes les fois qu'ils en ont la libre occasion. Si leur méchanceté reste cachée pendant un certain temps, cela provient d'un motif qu'on ignore tant qu'on n'a pas fait l'expérience de ce qu'il cache, mais qui finit toujours pas cesser d'agir, avec le temps, dont on dit qu'il est le père de toute vérité.

Après l'expulsion des Tarquins, il semblait que la plus grande concorde régnât entre le peuple et le sénat, et que les nobles, se dépouillant de leur orgueil, eussent revêtu une âme plébéienne qui les rendait supportables même aux dernières classes de la population. Cette union apparente dura, sans que l'on en connût la cause, tant que les Tarquins vécurent. La noblesse qui les redoutait, craignait également que le peuple, si elle l'offensait, ne se rapprochât d'eux, et elle se comportait à son égard avec modération. Mais à peine les Tarquins furent-ils disparus et les nobles eurent-ils cessé de craindre, qu'ils commencèrent à verser sur le peuple le poison qu'ils retenaient dans leur cœur, et à l'accabler de toutes les vexations qu'ils pouvaient imaginer: preuve certaine de ce que j'ai avancé plus haut, que jamais les hommes ne font le bien que par nécessité; mais là où chacun, pour ainsi dire, est libre d'agir à son gré, et de s'abandonner à la licence, la confusion et le désordre ne tardent pas à se manifester de toutes parts. C'est ce qui a fait dire que la faim et la pauvreté éveillaient l'industrie des hommes, et que les lois les rendaient bons. Là où une cause quelconque produit un bon effet sans le secours de la loi, la loi est inutile; mais quand cette disposition propice n'existe pas, la loi devient indispensable. Ainsi, quand les Tarquins, qui tenaient les grands enchaînés par la terreur qu'ils leur inspiraient, n'existèrent plus, il fallut chercher de nouvelles institutions qui produisissent le même effet que la présence des Tarquins. En conséquence, c'est après les troubles, les murmures continuels et les dangers auxquels donnèrent lieu des longs débats qui s'élevèrent entre les plébéiens et la noblesse, que l'on institua les tribuns pour la sécurité du peuple. L'autorité de ces nouveaux magistrats fut entourée de tant d'honneurs et de prérogatives, qu'ils purent tenir sans cesse la balance entre le peuple et le sénat, et mettre un frein aux prétentions insolentes des nobles.

Chapitre 4.
La désunion entre le peuple et le sénat de Rome fut cause de la grandeur et de la liberté de la république

Je ne veux point passer sous silence les désordres qui régnèrent dans Rome depuis la mort des Tarquins jusqu'à l'établissement des tribuns; je m'élèverai en outre contre les assertions de ceux qui veulent que Rome n'ait été qu'une république tumultueuse et désordonnée, et qu'on eût trouvée bien inférieure à tous les autres gouvernements de la même espèce, si sa bonne fortune et ses vertus militaires n'avaient suppléé aux vices qu'elle renfermait dans son sein. Je ne nierai point que la fortune et la discipline n'aient contribué à l'empire des Romains; mais on aurait dû faire attention qu'une discipline excellente n'est que la conséquence nécessaire des bonnes lois, et que partout où elle règne, la fortune à son tour ne tarde pas à faire briller ses faveurs.

Mais venons-en aux autres particularités de cette cité. Je dis que ceux qui blâment les dissensions continuelles des grands et du peuple, me paraissent désapprouver les causes mêmes qui conservèrent la liberté de Rome, et qu'ils prêtent plus d'attention aux cris et aux rumeurs que ces dissensions faisaient naître, qu'aux effets salutaires qu'elles produisaient. Ils ne veulent pas réfléchir qu'il existe dans chaque république deux sources d'opposition, les intérêts du peuple et ceux des grands; que toutes les lois que l'on fait au profit de la liberté naissent de leur désunion, comme le prouve tout ce qui s'est passé dans Rome, où pendant les trois cents ans et plus qui s'écoulèrent entre les Tarquins et les Gracques, les désordres qui éclatèrent dans ses murs produisirent peu d'exils, et firent couler le sang plus rarement encore. On ne peut donc regarder ces dissensions comme funestes, ni l'Etat comme entièrement divisé, lorsque durant un si long cours d'années ces différends ne causèrent l'exil que de huit ou dix individus, les condamnations à l'amende de bien peu de citoyens, et la mort d'un plus petit nombre. On ne peut en aucune manière appeler désordonnée une république où l'on voit éclater tant d'exemples de vertus; car les bons exemples naissent de la bonne éducation, la bonne éducation des bonnes lois, et les bonnes lois de ces désordres mêmes que la plupart condamnent inconsidérément. En effet, si l'on examine avec attention la manière dont ils se terminèrent, on verra qu'ils n'ont jamais enfanté ni exil ni violences funestes au bien public, mais au contraire des lois et des règlements favorables à la liberté de tous.

Et si quelqu'un disait: Mais n'est-ce pas une conduite extraordinaire, et pour ainsi dire sauvage, que de voir tout un peuple accuser à grands cris le sénat, et le sénat le peuple, les citoyens courir tumultueusement à travers les rues, fermer les boutiques, et déserter la ville, toutes choses qui épouvantent même à la simple lecture? Je répondrai que chaque Etat doit avoir ses usages, au moyen desquels le peuple puisse satisfaire son ambition, surtout dans les cités où l'on s'appuie de son influence pour traiter les affaires importantes. Parmi les Etats de cette espèce, Rome vivait sous cette coutume que, lorsque le peuple voulait obtenir une loi, il se livrait aux extrémités dont nous venons de parler, ou refusait d'inscrire son nom pour la guerre; de sorte que, pour l'apaiser, il fallait le satisfaire sur quelque point. Le désir qu'ont les nations d'être libres est rarement nuisible à la liberté, car il naît de l'oppression ou de la crainte d'être opprimé. Et s'il arrivait qu'elles se trompassent, les harangues publiques sont là pour redresser leurs idées; et il suffit qu'un homme de bien se lève et leur démontre par ses discours qu'elles s'égarent. Car les peuples, comme l'a dit Cicéron, quoique plongés dans l'ignorance, sont susceptibles de comprendre la vérité, et ils cèdent facilement lorsqu'un homme digne de confiance la leur dévoile.

Soyons donc avares de critiques envers le gouvernement romain, et faisons attention que tout ce qu'a produit de meilleur cette république provient d'une bonne cause. Si le tribunat doit son origine au désordre, ce désordre même devient digne d'éloges, puisque le peuple obtint par ce moyen sa part dans le gouvernement, et que les tribuns furent les gardiens des libertés romaines. C'est ce que l'on verra dans le chapitre suivant.

Chapitre 5.
A qui, des grands ou du peuple, la garde de la liberté doit être confiée avec le plus de sécurité; et quels sont ceux qui ont le plus de motifs d'exciter des troubles, ceux qui veulent acquérir ou ceux qui veulent conserver

Ceux qui, dans l'établissement d'un Etat, firent briller le plus leur sagesse, ont mis au nombre des institutions les plus essentielles la sauvegarde de la liberté, et selon qu'ils ont su plus ou moins bien la placer, les citoyens ont vécu plus ou moins longtemps libres. Et comme dans tout Etat il existe des grands et des plébéiens, on a demandé dans quelles mains était plus en sûreté le dépôt de la liberté. Les Lacédémoniens jadis, et de nos jours les Vénitiens, l'ont confié aux nobles; mais chez les Romains il fut remis entre les mains du peuple. Il est donc nécessaire d'examiner lesquelles de ces républiques ont fait un meilleur choix. Si l'on s'arrêtait aux motifs, il y aurait beaucoup à dire de chaque côté; mais si l'on examinait les résultats, on donnerait la préférence à la noblesse; car à Sparte et à Venise, la liberté a vécu plus longtemps qu'à Rome.

Mais pour en venir aux raisons, et prenant d'abord les Romains pour exemple, je dirai que l'on doit toujours confier un dépôt à ceux qui sont le moins avides de se l'approprier. En effet, si l'on considère le but des grands et du peuple, on verra dans les premiers la soif de la domination, dans le second, le seul désir de n'être point abaissé, et par conséquent une volonté plus ferme de vivre libre; car le peuple peut bien moins que les grands espérer d'usurper le pouvoir. Si donc les plébéiens sont chargés de veiller à la sauvegarde de la liberté, il est raisonnable de penser qu'ils y veilleront d'un œil plus jaloux, et que ne pouvant s'emparer pour eux-mêmes de l'autorité, ils ne permettront pas que les autres l'usurpent.

D'un autre côté, les défenseurs de l'ordre établi dans Sparte et dans Venise prétendent que ceux qui confient ce dépôt aux mains des plus puissants procurent à l'Etat deux avantages: le premier est d'assouvir en partie l'ambition de ceux qui ont une plus grande influence dans la république, et qui, tenant en main l'arme qui protège le pouvoir, ont, par cela même, plus de motifs d'être satisfaits de leur partage; le second est d'empêcher le peuple, naturellement inquiet, d'employer la puissance qui lui serait laissée, à produire dans un Etat des dissensions et des désordres capables de pousser la noblesse à quelque coup de désespoir, dont les funestes effets peuvent se faire apercevoir un jour. On cite Rome elle-même pour exemple. Lorsque les tribuns eurent obtenu l'autorité, le peuple ne se contenta point qu'un des consuls soit plébéien, il voulut qu'ils le fussent tous deux. Bientôt après, il exigea la censure, puis la préture[8], puis tous les autres emplois du gouvernement. Bien plus encore, toujours

8. C'est-à-dire les offices de censeur et de préteur (catégories de magistrats).

poussé par la même haine du pouvoir, il en vint avec le temps à idolâtrer les hommes qu'il crut capables d'abaisser la noblesse. Telle fut l'origine de la puissance de Marius et de la ruine de Rome.

En examinant toutes les raisons qui dérivent de cette double question, il serait difficile de décider à qui la garde d'une telle liberté doit être confiée; car on ne peut clairement déterminer quelle est l'espèce d'hommes la plus nuisible dans une république, ou ceux qui désirent acquérir ce qu'ils ne possèdent pas, ou ceux qui veulent seulement conserver les honneurs qu'ils ont déjà obtenus. Peut-être qu'après un examen approfondi on en viendrait à cette conclusion: il s'agit ou d'une république qui veut acquérir un empire, telle que Rome par exemple, ou d'une république qui n'a d'autre but que sa propre conservation. Dans le premier cas, il faut nécessairement se conduire comme on le fit à Rome; dans le second, on peut imiter Sparte et Venise pour les motifs et de la manière dont nous parlerons dans le livre suivant.

Quant à la question de savoir quels sont les hommes les plus dangereux dans une république, ou ceux qui désirent d'acquérir, ou ceux qui veulent ne pas perdre ce qu'ils possèdent déjà, je dirai que Marcus Ménénius et Marcus Fulvius, tous deux plébéiens, ayant été nommés, le premier dictateur, le second maître de la cavalerie, pour rechercher tous les fils d'une conspiration qui s'était ourdie à Capoue contre la république romaine, le peuple les investit en outre du pouvoir d'examiner dans Rome la conduite de tous ceux qui, par cabale ou par des voies illégitimes, travaillaient à s'emparer du consulat ou des autres honneurs de l'Etat. La noblesse, convaincue que cette autorité donnée au dictateur n'était dirigée que contre elle, répandit dans Rome que ce n'étaient pas les nobles qui poursuivaient les honneurs par l'intrigue ou par la corruption, mais les plébéiens, qui, peu confiants en leur naissance ou en leur propre mérite, cherchaient, par les moyens les plus illégaux, à s'insinuer dans un rang supérieur: ces rumeurs accusaient particulièrement le dictateur, Ménénius. Celui-ci en fut si puissamment touché qu'il fit une harangue où, après s'être plaint amèrement des calomnies de la noblesse, il renonçait à sa charge et demandait à être soumis au jugement du peuple; sa cause fut plaidée, et il fut déclaré innocent. Dans les débats qui précédèrent le jugement, on examina plus d'une fois quel est le plus ambitieux, ou celui qui veut ne rien perdre, ou celui qui veut obtenir, attendu que ces deux passions peuvent être la source des plus grands désastres.

Cependant, les troubles sont le plus souvent excités par ceux qui possèdent: la crainte de perdre fait naître dans les cœurs les mêmes passions que le désir d'acquérir; et il est dans la nature des hommes de ne croire leurs possessions en sécurité que tant qu'ils continuent d'y ajouter. Il faut considérer en outre que, plus ils possèdent, plus leur force s'accroît, et plus il leur est facile de remuer l'Etat; mais, ce qui est bien plus funeste encore, leur conduite et leur ambition sans frein allument dans le cœur de ceux qui n'ont rien la soif de la possession, soit pour se venger en dépouillant leurs ennemis, soit pour partager ces honneurs et ces richesses dont ils voient les autres mal user.

*
* *

Chapitre 12.
Combien il importe de conserver l'influence de la religion, et comment l'Italie, pour y avoir manqué grâce à l'Eglise romaine, s'est perdue elle-même

Les princes et les républiques qui veulent empêcher l'Etat de se corrompre, doivent surtout y maintenir sans altération les cérémonies de la religion et le respect qu'elles inspirent; car le plus sûr indice de la ruine d'un pays, c'est le mépris pour le culte des dieux: c'est à quoi il sera facile de travailler efficacement, lorsque l'on connaîtra sur quels fondements est établie la religion d'un pays; car toute religion a pour base de son existence quelque institution principale.

Celle des païens était fondée sur les réponses des oracles, ainsi que sur l'ordre des augures et des aruspices: c'est de là que dérivaient toutes leurs cérémonies, leurs sacrifices, leurs rites. Ils croyaient sans peine que le dieu qui pouvait prédire les biens ou les maux à venir, pouvait aussi les procurer. De là les temples, les sacrifices, les prières et toutes les autres cérémonies destinées à honorer les dieux. C'est par les mêmes causes que l'oracle de Délos, le temple de Jupiter Ammon[9], et d'autres non moins célèbres étaient

9. C'est-à-dire le dieu égyptien Amon (le plus souvent Amon-Rê, dieu-soleil), tardivement romanisé sous le nom de Jupiter Ammon.

l'admiration de l'univers et entretenaient sa dévotion. Mais quand ces oracles commencèrent à parler au gré des puissants, et que le peuple eut reconnu la fraude, alors les hommes devinrent moins crédules, et se montrèrent disposés à se soulever contre le bon ordre.

Que les chefs d'une république ou d'une monarchie maintiennent donc les fondements de la religion nationale. En suivant cette conduite, il leur sera facile d'entretenir dans l'Etat les sentiments religieux, l'union et les bonnes mœurs. Ils doivent en outre favoriser et accroître tout ce qui pourrait propager ces sentiments, fût-il même question de ce qu'ils regarderaient comme une erreur. Plus à cet égard leurs lumières sont étendues, plus ils sont instruits dans la science de la nature, plus ils doivent en agir ainsi.

C'est d'une telle conduite tenue par des sages et des hommes éclairés, qu'est née la croyance aux miracles qui a obtenu du crédit dans toutes les religions, même fausses. Les sages mêmes en répétaient le récit, quelle qu'en soit la source, et leur autorité devenait une preuve suffisante pour le reste des citoyens. Rome eut beaucoup de ces miracles, entre lesquels je citerai le suivant. Les soldats romains saccageaient la ville de Veies: quelques-uns d'entre eux entrèrent dans le temple de Junon, et s'étant approchés de sa statue, ils lui demandèrent si elle voulait venir a Rome, *vis venire Romam?* Les uns crurent qu'elle faisait signe d'y consentir; d'autres, qu'elle avait répondu: *Oui.* Ces soldats, pleins de religion (ainsi que Tite-Live le démontre, en faisant observer qu'ils entrèrent dans le temple sans désordre, et pénétrés de respect et de dévotion) crurent aisément que la déesse faisait à leur demande la réponse qu'ils avaient probablement présumée; et Camille, ainsi que les autres chefs du gouvernement, ne manquèrent pas de favoriser et de propager encore cette croyance.

Certes, si la religion avait pu se maintenir dans la république chrétienne telle que son divin fondateur l'avait établie, les Etats qui la professent auraient été bien plus unis et bien plus heureux qu'ils ne le sont maintenant. Mais combien elle est déchue! Et la preuve la plus frappante de sa décadence, c'est de voir que les peuples les plus voisins de l'Eglise romaine, cette capitale de notre religion, sont précisément les moins religieux. Si l'on examinait l'esprit primitif de ses institutions, et que l'on observât combien la pratique s'en éloigne, on jugerait sans peine que nous touchons au moment de la ruine ou du châtiment.

Et comme quelques personnes prétendent que le bonheur de l'Italie dépend de l'Eglise de Rome, j'alléguerai contre cette Eglise plusieurs raisons qui s'offrent à mon esprit, et parmi lesquelles il en est deux surtout extrêmement graves, auxquelles, selon moi, on ne peut opposer aucune objection. D'abord, les exemples coupables de la cour de Rome ont éteint, dans cette contrée, toute dévotion et toute religion: ce qui entraîne une foule d'ennuis et de désordres; et comme partout où règne la religion on doit croire à l'existence du bien, de même où elle a disparu, on doit supposer la présence du mal. Nous, les Italiens, nous pouvons donc remercier l'Eglise et les prêtres d'abord de ceci, que nous sommes maintenant sans religion et sans mœurs; mais nous pouvons surtout les remercier de nous avoir fourni la seconde, et principale, source de notre ruine: à savoir, que l'Eglise a toujours entretenu et entretient incessamment la division dans cette malheureuse contrée. Et en effet, il n'existe d'union et de bonheur que pour les Etats soumis à un gouvernement unique ou à un seul prince, comme la France et l'Espagne en présentent l'exemple.

La cause pour laquelle l'Italie ne se trouve pas dans la même situation, et n'est pas soumise à un gouvernement unique, soit monarchique, soit républicain, c'est l'Eglise seule, qui, ayant possédé et goûté le pouvoir temporel, n'a eu cependant ni assez de puissance, ni assez de courage pour s'emparer du restant de l'Italie, et s'en rendre souveraine. Mais d'un autre côté elle n'a jamais été assez faible pour n'avoir pu, quand elle risquait de perdre son autorité temporelle, appeler à son secours quelque prince qui vînt la défendre contre celui qui par cette victoire serait devenu trop menaçant pour le reste de l'Italie; les temps passés nous en offrent de nombreuses expériences. D'abord, avec l'appui de Charlemagne, elle chassa les Lombards, qui étaient déjà maîtres de presque toute l'Italie; et de nos temps, elle a arraché la puissance des mains des Vénitiens avec le secours des Français, qu'elle a repoussés ensuite à l'aide des Suisses.

Ainsi l'Eglise n'ayant jamais été assez forte pour pouvoir occuper toute l'Italie, et n'ayant pas permis qu'un autre s'en emparât, est cause que cette contrée n'a pu se réunir sous un seul chef, et qu'elle est demeurée asservie à plusieurs princes ou seigneurs; de là ces divisions et cette faiblesse, qui l'ont réduite à devenir la proie non seulement des barbares puissants, mais du premier qui daigne l'attaquer.

C'est l'Eglise que nous pouvons remercier pour cela, et personne d'autre. Et quiconque voudrait acquérir la preuve de cette vérité par une expérience irrécusable, n'aurait besoin que d'avoir assez de puissance pour contraindre la cour de Rome à aller, avec toute l'autorité qu'elle a en Italie, habiter chez les Suisses, chez ce peuple, le seul de tous ceux existant de nos jours qui ressemble aux anciens, et quant à la religion et quant aux institutions militaires, et il verrait qu'en peu de temps les mœurs corrompues de cette cour enfanteraient dans cette contrée des désordres plus profonds que tous ceux que pourrait produire, en quelque temps que ce soit, l'événement le plus désastreux.

Chapitre 13.
Comment les Romains se servirent de la religion pour organiser le gouvernement de la république, poursuivre leurs entreprises et arrêter les désordres

Je ne crois pas hors de propos de rapporter ici quelques exemples de la manière dont les Romains se servirent de la religion pour opérer des réformes dans l'Etat, et pour l'exécution de leurs entreprises: Tite-Live en présente un grand nombre; je me contenterai des suivants.

Quand aux consuls eurent succédé les tribuns militaires avec un pouvoir consulaire, il arriva une année que le peuple romain les choisit tous parmi les plébéiens, à l'exception d'un seul: cette année-là même une peste et une famine accompagnées de nombreux prodiges exercèrent leurs ravages. Les nobles, lors de la nouvelle élection des tribuns, profitant de cette circonstance, publièrent que les dieux étaient irrités contre Rome, parce qu'elle avait compromis la majesté de l'empire, et que le seul moyen de les apaiser était de choisir désormais les tribuns dans l'ordre où ils devaient être pris. Le peuple, épouvanté et craignant d'offenser la religion, choisit tous les nouveaux tribuns parmi les patriciens.

Le siège de Veies offre un exemple de la manière dont les généraux d'armée se prévalaient de la religion pour disposer leurs troupes à une entreprise. Le lac d'Albe avait cru cette année d'une manière prodigieuse; et les Romains, fatigués de la longueur du siège, voulaient retourner à Rome, lorsque l'on fit courir le bruit qu'Apollon et d'autres oracles avaient prédit que la ville de Veies se rendrait l'année où les eaux du lac d'Albe s'élèveraient au-dessus de leurs bords. Cette espérance de prendre bientôt la ville, rendit supportables aux soldats les lenteurs de la guerre et les ennuis du siège. Ils poursuivirent donc leur entreprise avec plaisir, jusqu'au moment où Camille, nommé dictateur, s'empara de Veies après un siège de dix années. Ainsi l'intervention de la religion, employée avec adresse, fut utile et pour conquérir cette ville et pour obliger à choisir les tribuns dans l'ordre de la noblesse. Sans ce moyen, ces deux événements auraient souffert sans doute de grandes difficultés.

Je ne veux pas laisser échapper un autre exemple.

Des désordres s'étaient élevés dans Rome à l'occasion du tribun Térentillus, qui voulait promulguer une loi dont nous dirons plus bas les motifs [10]. Parmi les remèdes que la noblesse crut devoir lui opposer, la religion fut un des plus puissants; et elle s'en servit dans un double but. D'abord on consulta les livres

---

10. Ce n'est qu'au chapitre 39 que Machiavel revient à Térentillus. On se souvient (chap. 3) que les tribuns représentaient le peuple. C'est celui-ci qui faisait les frais des nombreuses guerres où les consuls engageaient la république, et dont les profits allaient aux nobles, ou aux soldats. Térentillus proposait qu'une commission de cinq membres étudie l'autorité des consuls et décrète quelles en seraient à l'avenir les limites. On comprend la suite.

sybillins[11], auxquels on fit prédire que la ville était menacée cette année même de perdre sa liberté si l'on se livrait aux discordes civiles. Cette supercherie, quoique découverte par les tribuns, excita une si grande terreur parmi le peuple, qu'elle glaça soudain toute son ardeur à les suivre. L'autre avantage que les nobles en tirèrent est celui-ci. Un certain Appius Erdonius, suivi d'une foule de bannis et d'esclaves, au nombre de plus de quatre mille, s'était emparé de nuit du Capitole, en sorte que l'on pouvait craindre que si les Æques ou les Volsques, éternels ennemis du nom Romain, étaient venus attaquer Rome, ils l'auraient emportée d'assaut; et cependant les tribuns ne cessaient d'insister avec opiniâtreté sur la nécessité de promulguer la loi de Térentillus, disant que ce danger dont on menaçait la ville n'avait pas le moindre fondement. Un certain Publius Rubetius, homme grave et considéré, sortit alors du sénat, et dans un discours moitié flatteur, moitié menaçant, il exposa les dangers qui environnaient la ville, montra au peuple combien sa demande était hors de saison, et parvint à lui faire jurer de ne point s'écarter des ordres du consul. La multitude obéit, et l'on reprit par force le Capitole. Le consul Publius Valérius ayant été tué au milieu de l'attaque, Titus Quintius fut sur-le-champ nommé à sa place. Ce dernier ne voulut pas laisser respirer le peuple, ni lui donner le temps de penser à la loi de Térentillus: il lui ordonna donc de sortir de Rome et de marcher contre les Volsques, disant que le serment qu'ils avaient

11. En latin, *libri fatales*; recueils des réponses des diseuses sacrées, les sybilles; ces livres étaient encore plus ouverts à l'interprétation que celui de Nostradamus.

prononcé de ne point abandonner le consul, les forçait
à le suivre. Les tribuns s'y opposaient en disant que ce
serment avait été fait au consul expiré et non point à
lui. Néanmoins, Tite-Live fait connaître comment le
peuple, dans la crainte de violer la religion du serment,
aima mieux obéir au consul qu'écouter ses tribuns, et il
ajoute ces paroles en faveur de l'antique religion: «On
n'en était pas venu, comme aujourd'hui, à rendre aux
Dieux le culte de l'indifférence, ou à se faire soi-même
juge, pour soi, de l'obligation entraînée par les serments et par les lois.» Les tribuns craignant alors de
perdre leur crédit, s'accordèrent avec le consul, con-
sentirent à lui obéir, et s'engagèrent à laisser une année
s'écouler sans parler de la loi de Térentillus, à condition que pendant cette même année les consuls ne
pourraient conduire le peuple à la guerre. Et c'est ainsi
que la religion offrit au sénat les moyens de vaincre
une difficulté qu'il n'eût jamais surmontée sans un tel
secours.

Chapitre 14.
Les Romains interprétaient les auspices[12] suivant la nécessité, et mettaient la plus grande prudence à paraître observer la religion, même quand ils étaient contraints de la violer, et punissaient ceux qui témoignaient témérairement du mépris pour elle

Ainsi que je l'ai dit plus haut, non seulement les augures étaient en grande partie le fondement de la religion des païens, mais ils furent une des sources de la grandeur de la république romaine. Aussi c'était de toutes les institutions religieuses celle à laquelle les Romains attachaient le plus d'importance. L'ouverture des comices, les commencements de toutes les entreprises, l'entrée des armées en campagne, le moment de livrer bataille, enfin toute affaire importante, soit civile, soit militaire, rien ne se faisait sans prendre les auspices, et jamais on n'eût entrepris une expédition sans persuader les soldats que les dieux leur promettaient la victoire.

Au nombre des aruspices chargés des augures militaires, il y avait les gardiens des poulets sacrés, qui suivaient toujours les armées. Lorsqu'on se disposait à

12. Auspices: présage obtenu en interprétant le comportement des oiseaux; au sens large, augure, divination de présages par un moyen quelconque (les Romains en avaient de nombreux). Les devins chargés des augures se nommaient aruspices.

livrer bataille à l'ennemi, ces gardiens prenaient les auspices. Ils étaient bons si les poulets mangeaient avec avidité, et alors on combattait avec confiance; si au contraire ils refusaient la nourriture, on s'abstenait d'en venir aux mains. Néanmoins, quand la raison faisait sentir la nécessité d'une entreprise, quoique les auspices fussent contraires, on ne laissait pas de l'exécuter; mais on avait soin de s'y prendre de manière à ne pas être accusé de mépris pour la religion.

C'est ainsi que se conduisit le consul Papirius lors d'une bataille très importante contre les Samnites, qui acheva d'affaiblir et d'abattre ce peuple redoutable. Papirius était campé en face des Samnites; la victoire lui paraissait certaine s'il pouvait leur livrer bataille; impatient de profiter d'une circonstance aussi favorable, il ordonna aux gardiens des poulets sacrés de prendre les auspices; mais les poulets refusèrent de manger. Le chef des gardiens voyant l'ardeur des troupes pour le combat, et la conviction où étaient le général et l'armée de vaincre, ne voulut pas faire perdre l'occasion d'un aussi grand succès; il fit dire au consul que les auspices étaient favorables. Mais tandis que Papirius rangeait son armée en ordre, quelques-uns des gardiens dirent à plusieurs soldats que les poulets n'avaient pas mangé. Ceux-ci le redirent à Spurius Papirius, neveu du consul, qui alla en instruire son oncle. Papirius lui répondit sur le champ qu'il avait à bien faire son devoir, que quant à lui et à l'armée les auspices étaient parfaitement en règle, et que si le chef des gardiens avait fait croire un mensonge, c'était sur lui seul que devait retomber la faute. Et pour que l'effet répondît aux promesses, il donna ordre à ses lieutenants de mettre les gardiens des

poulets sacrés au premier rang de l'armée. Il arriva
qu'en s'avançant contre l'ennemi, un javelot lancé par
un soldat romain atteignit par hasard le chef des
aruspices et le tua. Le consul, en apprenant cet accident, s'écria que tout allait bien, et que les dieux
étaient favorables, puisque l'armée s'était lavée de son
erreur par la mort de l'imposteur, et avait éteint dans
son sang la colère que les dieux pouvaient avoir contre
elle. C'est ainsi que, conciliant avec prudence ses
projets et les oracles, il engagea le combat sans que
l'armée pût soupçonner qu'il eût négligé en rien les
ordres sacrés de la religion.

Lors de la première guerre punique, Appius Pulcher
se conduisit en Sicile d'une manière tout opposée. Il
voulait livrer bataille aux Carthaginois. Il fit consulter
les poulets sacrés; on lui répondit qu'ils refusaient de
manger: «Voyons s'ils voudront boire, dit-il,» et il les
fit jeter à la mer. On se battit, et il fut vaincu. Sa
conduite fut condamnée à Rome, tandis qu'on loua
Papirius: cette différence de traitement vint bien moins
de ce que l'un avait été vaincu, et l'autre vainqueur,
que de ce que le premier avait ménagé les oracles,
tandis que le second les avait témérairement méprisés.
Or, cet usage de consulter les aruspices n'avait d'autre
but que d'exciter les soldats à marcher au combat avec
assurance, parce que la confiance enfante presque
toujours la victoire. Cette pratique n'était pas suivie
seulement par les Romains, mais par les étrangers.
J'en citerai un exemple dans le chapitre suivant.

Chapitre 15.
Comment les Samnites eurent recours à la religion comme à un dernier remède dans leurs maux

Les Samnites, après avoir été vaincus plusieurs fois par les Romains, venaient d'être totalement défaits en Toscane; leurs soldats, leurs capitaines, tout avait péri; leurs alliés, tels que les Toscans, les Gaulois, les Ombriens, avaient partagé leur désastre: «Ni leurs propres hommes, ni leurs alliés ne pouvaient encore résister, mais ils ne renonçaient pas au combat; c'est que, même en vain, ils tenaient à défendre leur liberté, et préféraient être vaincus que de ne pas essayer de vaincre.»[13] Ils résolurent de faire une dernière tentative. Mais comme ils savaient que le succès dépend en grande partie de l'opiniâtreté des soldats, et que pour l'entretenir, le plus sûr moyen est de faire intervenir la religion, ils imaginèrent de renouveler un ancien sacrifice, en se servant à cet effet d'Ovius Paccius, grand-prêtre, et ils en réglèrent les cérémonies de la manière suivante. Après un sacrifice solennel, on fit approcher tous les chefs de l'armée entre les corps des victimes égorgées et les autels allumés: on leur fit jurer de ne

13. La citation, comme toutes les autres, est de Tite-Live (X, 31).

point abandonner un instant le combat; on appela
ensuite tous les soldats les uns après les autres, puis au
milieu de ces autels et d'une foule de centurions qui
tenaient l'épée nue à la main, on leur fit d'abord prêter
serment de ne rien répéter de ce qu'ils verraient ou
entendraient, après quoi on exigea d'eux de promettre
devant les dieux avec les pires malédictions et les
formules les plus épouvantables, de se précipiter partout où leurs chefs le leur commanderaient, de ne
quitter le combat sous aucun prétexte, et de massacrer
tous ceux qu'ils verraient fuir; appelant la vengeance
du Ciel sur leur famille et leurs descendants s'ils
trahissaient leur parole. Quelques-uns d'entre eux,
effrayés, refusèrent de jurer; leurs propres centurions
les exécutèrent sur le champ; et ainsi les suivants,
épouvantés par l'horreur de ce spectacle, jurèrent
unanimement. Et pour donner plus de pompe à cette
assemblée, où plus de quarante mille hommes étaient
réunis, on en habilla la moitié de blanc, avec des
aigrettes et des panaches sur leur casque, et ainsi
disposés, ils allèrent camper près d'Aquilonia.

Le consul Papirius marcha contre eux, et pour
encourager ses soldats il leur dit «que les panaches
n'ont jamais blessé personne, et que les boucliers
peints et dorés n'ont jamais arrêté un javelot romain».
Et, pour affaiblir la crainte qu'aurait pu faire naître
chez ses hommes le serment de leurs ennemis, il leur dit
que ce serment était mieux fait pour terrifier les
Samnites que pour leur donner du courage, car ils
auraient à redouter tout à la fois leurs concitoyens, les
dieux et leurs ennemis. On en vint alors au combat, et
les Samnites furent vaincus, car la vertu des Romains
et la terreur qu'inspiraient les défaites passées, éteigni-

rent chez les Samnites toute l'ardeur dont auraient pu les enflammer le pouvoir de la religion et la sainteté du serment. On voit néanmoins par cette conduite des Samnites, qu'ils ne crurent point avoir une autre ressource, ni pouvoir tenter un autre remède pour réveiller leur courage abattu par les revers; ce qui prouve toujours d'une manière évidente quelle confiance peut inspirer un bon emploi de la religion.

Quoique ce fait puisse être regardé comme étranger à l'histoire romaine, néanmoins, comme il tient à l'une des institutions les plus importantes de cette république, j'ai cru devoir le rapporter en ce lieu, pour ne pas diviser mon sujet et n'avoir plus à y revenir.

Chapitre 16.
Un peuple accoutumé à vivre sous un prince, et qui devient libre par accident, ne maintient qu'avec peine la liberté qu'il a conquise

Une foule d'exemples démontrent à ceux qui consultent la mémoire de l'antiquité, combien il est difficile à un peuple, accoutumé à vivre sous les lois d'un prince, de conserver sa liberté, lorsque quelque accident heureux la lui a rendue, comme à Rome après l'expulsion des Tarquins. Cette difficulté est fondée sur la raison même. Un tel peuple ressemble à un animal abruti, qui, bien que d'une nature féroce, et né dans les forêts, aurait été toujours nourri dans une prison et dans l'esclavage, et qui, venant par hasard à recouvrer sa liberté et à être jeté au milieu des campagnes, ne saurait trouver ni sa pâture, ni l'asile d'une caverne, et deviendrait bientôt la proie du premier qui voudrait l'enchaîner de nouveau. Il en arrive ainsi à un peuple accoutumé à vivre sous les lois d'autrui, qui, ne sachant ni pourvoir à sa défense, ni préserver la chose publique des atteintes de ses ennemis, qui, ne connaissant pas plus les princes qu'il n'est connu d'eux, retombe en peu de temps sous un joug souvent plus intolérable que celui dont il venait de se délivrer.

C'est le danger que court un peuple dont la masse n'est pas entièrement corrompue: car chez celui où le poison a gagné toutes les parties du corps social, la liberté, loin de pouvoir y vivre quelques instants, ne peut pas même y naître, comme je le prouverai ci-après. Aussi, je ne veux parler que des peuples dont la corruption n'est point invétérée, et chez lesquels le bon l'emporte sur le mauvais.

A cette difficulté que je viens de signaler, il faut en joindre une autre; c'est qu'un Etat qui recouvre sa liberté, se fait des ennemis qui sont gens de parti, tandis que ses amis ne le sont point. Il trouve pour ennemis tous ceux qui, à l'ombre du gouvernement tyrannique, se prévalaient de sa puissance pour se nourrir de la richesse du prince, et qui, déchus des moyens d'en profiter, ne peuvent vivre tranquilles, et déploient tous leurs efforts pour ressaisir la tyrannie afin de recouvrer avec elle leur autorité. Les amis qu'il acquiert ne sont point gens de parti; car sous un gouvernement libre, on n'accorde des récompenses ou des honneurs que pour des actions bonnes et déterminées, hors desquelles personne n'a droit à être récompensé ou honoré; et quand quelqu'un possède les honneurs ou les avantages qu'il croit avoir mérités, il ne pense point devoir de reconnaissance à ceux de qui il les a obtenus. D'un autre côté, cette utilité générale, qui appartient à une manière d'exister égale pour tous, ne se fait point sentir tant qu'on la possède: elle consiste à pouvoir jouir librement et sans crainte de son bien, à ne trembler ni pour l'honneur de sa femme, ni pour celui de ses enfants, et à ne rien craindre pour soi: or personne n'avouera jamais qu'il ait des obligations à celui qui ne l'offense pas.

Ainsi, tout gouvernement libre et qui s'élève nouvellement, a des gens de parti pour ennemis, tandis que ses amis ne le sont point. Pour remédier aux inconvénients et aux désordres que ces difficultés entraînent à leur suite, il n'y a pas de remède plus puissant, plus fort, plus sain ni plus nécessaire, que de tuer les fils de Brutus[14] : ainsi que nous l'enseigne l'histoire, ceux-ci ne furent entraînés avec d'autres jeunes Romains à conspirer contre la patrie, que parce qu'ils ne pouvaient plus se prévaloir sous les consuls des mêmes privilèges que sous les rois, de sorte que la liberté du peuple représentait à leurs yeux leur propre asservissement. Celui qui veut gouverner la multitude, sous une forme républicaine ou sous une forme monarchique, doit se protéger contre ceux qui se montrent ennemis du nouvel ordre de choses, s'il ne veut établir un gouvernement éphémère. Il est vrai que je regarde comme réellement malheureux les princes qui, ayant la multitude pour ennemie, sont obligés, pour affermir leur puissance, d'employer des moyens extraordinaires. En effet, celui qui n'a d'ennemis que le petit nombre, peut s'en assurer sans beaucoup de peine et sans éclat; tandis que celui qui est l'objet de la haine générale n'est jamais sûr de rien; et plus il se montre cruel, plus

14. Il ne s'agit pas du Brutus bien connu (Marcus Junius), qui participa à l'assassinat de César (44 av. J.-C.), pour sauvegarder la liberté, selon les livres d'histoires, mais d'un ancêtre plus légendaire (Lucius Junius). Celui-ci, n'ayant lui-même échappé aux hommes de main du roi Tarquin le Superbe, son oncle, qu'en passant pour fou («*brutus*»), puis ayant vu sa sœur, Lucrèce, violée par l'un d'entre eux, souleva les Romains contre la monarchie et instaura la république, vers 509 av. J.-C. Il fit lui-même, dit Tite-Live, exécuter ses fils qui voulaient restaurer la monarchie.

il affaiblit sa propre puissance. La voie la plus certaine est donc de chercher à gagner l'affection du peuple.

Ce que je viens de dire a peu de rapport, je le sais, avec le début de ce chapitre, puisque je parle ici d'un prince et là d'une république; néanmoins, pour ne plus revenir sur le même sujet, je veux en dire encore quelques mots.

Ainsi donc, un prince qui voudra s'attacher un peuple qui serait son ennemi, et je parle ici des princes qui se sont emparés du pouvoir dans leur patrie; ce prince, dis-je, doit examiner d'abord ce que le peuple désire. Il trouvera toujours qu'il veut surtout deux choses: la première est de se venger de ceux qui ont appesanti sur lui les chaînes de l'esclavage; la seconde de recouvrer sa liberté.

Le prince peut remplir entièrement le premier de ces vœux, et satisfaire en partie au second. Quant au premier, je citerai l'exemple suivant.

Cléarque, tyran d'Héraclée, avait été chassé; pendant son exil, il s'éleva des dissensions entre le peuple et les grands. Ces derniers se voyant les plus faibles, résolurent de favoriser Cléarque; et, après s'être concertés avec lui, ils le ramenèrent dans Héraclée malgré l'opposition du parti populaire, auquel ils ravirent la liberté. Dans cette situation, Cléarque, placé entre l'orgueil des grands, qu'il ne pouvait contenir ni réprimer, et la fureur du peuple profondément irrité de la perte de sa liberté, résolut tout à la fois de se débarrasser des grands et de gagner le peuple. Ayant saisi une occasion favorable, il tailla en pièces tous les nobles, à l'extrême satisfaction de la multitude, dont il satisfaisait ainsi l'un des désirs les plus ardents, celui de se venger.

Le prince ne pouvant contenter qu'en partie le désir qu'ont les peuples de recouvrer leur liberté, doit examiner les causes qui leur font désirer d'être libres: il verra que le plus petit nombre ne désire la liberté que pour commander; mais que le nombre infini des autres citoyens l'implore pour vivre avec sécurité. A l'égard des premiers, comme dans toutes les républiques, de quelque manière qu'elles soient organisées, plus de quarante ou cinquante citoyens ne peuvent y parvenir au pouvoir, et que c'est un bien petit nombre, il est facile de s'en assurer, soit en les faisant disparaître, soit en leur accordant assez d'honneurs pour qu'ils puissent être satisfaits, jusqu'à un certain point, de leur situation présente. Quant à ceux qui ne veulent que vivre avec sécurité, il n'est pas difficile non plus de les contenter; il suffit d'établir des lois et des institutions où la puissance du prince se trouve conciliée avec la sûreté de tous. Si un prince suit cette route, et que le peuple est convaincu que ce prince ne cherche dans aucune circonstance à violer les lois, il commencera en peu de temps à vivre heureux et tranquille. On en voit un exemple frappant dans le royaume de France, dont la tranquillité ne repose que sur l'obligation où sont ses rois de se soumettre à une infinité de lois qui n'ont pour but que la sécurité des sujets. Dans ce royaume, les législateurs ont voulu que ses rois pussent disposer à leur gré des armées et des revenus; mais, qu'en toute autre chose, ils fussent obligés de se conformer aux lois.

En conséquence, le prince ou la république qui, dès le départ, n'a pas bien affermi son pouvoir, doit, ainsi que les Romains, saisir la première occasion favorable pour le faire. Qui laisse échapper cette occasion en éprouve bientôt un repentir tardif. Le peuple romain n'était point encore corrompu lorsqu'il recouvra sa liberté: il put la consolider, après la mort des fils de Brutus et la destruction des Tarquins, par tous les moyens et toutes les institutions que nous avons développés. Mais si ce peuple avait été corrompu, ni dans Rome, ni ailleurs, on n'eût trouvé de remèdes assez puissants pour maintenir la liberté, ainsi que nous le démontrerons dans le chapitre suivant.

*
* *

Chapitre 27.
Les hommes savent rarement être ou entièrement bons ou entièrement méchants

Le pape Jules II se rendant à Bologne, en 1505, pour en chasser la famille des Bentivogli, qui avait possédé la souveraineté de cette ville pendant cent années, voulait encore éloigner de Pérouse Jean-Paul Baglioni, qui en était le tyran, faisant comme s'il avait voulu chasser tous les tyrans qui occupaient les possessions de l'Eglise. Arrivé près de Pérouse, et rempli de cet esprit audacieux et délibéré que chacun lui a connu, il ne voulut point attendre pour entrer dans la ville d'être entouré de ses troupes pour le protéger, et y pénétra seul et désarmé, quoique Jean-Paul s'y trouvât avec un assez grand nombre de troupes réunies pour sa défense. Emporté par cette impétuosité qu'il mettait en toute chose, Jules II se livra, défendu seulement par sa garde, entre les mains de son ennemi. Il ressortit pourtant avec celui-ci prisonnier, laissant dans la ville un gouverneur pour y commander au nom de l'Eglise.

Les gens éclairés qui suivaient le pape remarquèrent la témérité du pontife et la lâcheté de Baglioni. Ils ne pouvaient concevoir que ce dernier, par une action qui l'eût à jamais rendu fameux, n'eût pas écrasé d'un seul coup son ennemi, et n'eût pas saisi une fortune en butin, les cardinaux accompagnant le pape dans tout leur luxe de plaisirs. On ne pouvait croire qu'il se fût abstenu d'en agir ainsi par bonté ou par conscience, car le cœur d'un homme assez scélérat pour abuser de sa propre sœur, et pour avoir fait mourir ses cousins et ses neveux afin de régner, ne pouvait renfermer le moindre sentiment d'une piété respectueuse; mais on en tira la conséquence que les hommes ne savent être ni admirablement mauvais, ni parfaitement bons, et que, lorsqu'une scélératesse comporte de la grandeur, ou quelque chose de généreux, ils ne savent pas l'entreprendre. Ainsi Jean-Paul, qui ne rougissait ni d'un inceste, ni d'un parricide reconnu, ne sut pas, ou pour mieux dire n'osa pas, lorsqu'il en avait une occasion légitime, tenter une entreprise où chacun eût admiré son courage, et qui eût laissé de lui une mémoire éternelle, étant le premier qui eût montré aux prélats combien peu d'estime méritait leur façon de vivre et de régner, et ayant fait une chose dont la grandeur eût effacé toute l'infâmie et tous les risques qui eussent pu en résulter.

*
* *

Livre deuxième.
Avant-propos

Les hommes louent toujours, mais pas toujours avec raison, les temps passés, et accusent le présent. Partisans de tout ce qui s'est fait autrefois, ils louent non seulement ces temps dont ils n'ont connaissance que par la mémoire que les historiens nous en ont conservée, mais même ceux que dans la vieillesse ils se souviennent d'avoir vus étant jeunes. Quand leur idée se trouve fausse, comme il arrive le plus souvent, je me persuade que plusieurs raisons peuvent les jeter dans cette erreur.

La première, à mon avis, c'est qu'on ne connaît pas toute la vérité sur les événements de l'antiquité, et que le plus souvent on a caché ceux qui auraient pu déshonorer ces siècles; tandis qu'on célèbre et qu'on amplifie tout ce qui peut ajouter à leur gloire. Peut-être aussi la plupart des écrivains obéissent tellement à la fortune du vainqueur, que, pour illustrer encore ses victoires, ils exagèrent non seulement tout ce qu'il a pu faire de vertueux, mais aussi les actions de ses ennemis; de telle façon que dorénavant, que l'on naisse chez le

«Partisans de tout ce qui s'est fait autrefois, les hommes louent ces temps dont ils n'ont connaissance que par la mémoire que les historiens nous en ont conservée.» *Discours* II a.-p. (Doré: les Chats-Fourrés).

vainqueur ou chez les vaincus, on a motif de s'émerveiller de ces hommes et de leur temps, et l'on est forcé
de les louer et de les aimer au plus haut degré.

Il y a plus. C'est par crainte ou par envie que les
hommes se livrent à la haine: or, ces deux sources si
fécondes de haine sont taries à l'égard du passé; car il
n'y a plus rien à craindre des événements, et l'on n'a
plus sujet de leur porter envie. Mais il n'en est pas ainsi
des événements où vous êtes vous-même acteur, ou qui
se passent sous vos yeux: la connaissance parfaite que
vous pouvez en avoir vous en découvre tous les
ressorts; au bien qui s'y trouve vous savez combien se
mêlent de choses qui vous déplaisent, et forcément
vous voyez ces événements d'un œil moins favorable
que le passé, quoique souvent en vérité le présent
mérite bien davantage nos louanges et notre admiration. Je ne parle point des monuments des arts, qui
portent leur évidence avec eux, et dont le temps
lui-même ne saurait que bien peu augmenter ou diminuer le mérite; mais je parle des mœurs et des usages
des hommes, dont on ne voit point de témoignages
aussi évidents.

Je répéterai donc que cette habitude de louer et de
blâmer, dont j'ai déjà parlé, existe en effet; mais il est
vrai qu'elle ne nous trompe pas toujours. Nos jugements sont parfois dictés par l'évidence; et comme les
choses de ce monde sont toujours en mouvement, elles
doivent tantôt s'élever, ou tantôt descendre.

On a vu, par exemple, une ville ou une province,
recevoir des mains d'un sage législateur l'ordre et la
forme de la vie civile, et, appuyées sur la vertu de
leur fondateur, faire chaque jour des progrès vers un
meilleur gouvernement. Celui qui naît alors dans ces

Etats, et qui loue le passé aux dépens du présent, se trompe, et son erreur est produite par ce que j'ai déjà dit précédemment. Mais ceux qui voient le jour dans cette ville ou dans cette province, lorsque les temps de la décadence sont enfin arrivés, alors ceux-là ne se trompent pas.

En réfléchissant à la manière dont les événements se passent, je crois que le monde a toujours été semblable à lui-même, et qu'il n'a jamais cessé de renfermer dans son sein autant de bien que de mal; mais que ce bien et ce mal passent d'un pays à un autre, comme on peut le voir par l'exemple de ces royaumes de l'antiquité qui alternaient entre bien et mal selon qu'alternaient leurs coutumes, tandis que le monde restait toujours le même. La seule différence, c'est que le bien, qui d'abord exerçait sa vertu en Assyrie, la déplaça sur la Médie, puis en Perse, avant de l'établir en Italie et à Rome; et si, après la chute de l'empire romain, il n'est sorti de ses ruines aucun empire durable, et qui ait conservé cette vertu en un seul lieu, celle-ci s'est répartie dans une foule de nations, qui en ont donné des preuves éclatantes. Tels furent le royaume de France, l'empire des Turcs et du Sultan[15]; tels sont aujourd'hui les peuples d'Allemagne, et, avant eux, ces fameux Sarrazins, qui ont exécuté de si grandes choses, et dont les conquêtes s'étendirent si loin lorsqu'ils eurent renversé l'Empire romain d'orient.

Dans ces différents empires qui ont remplacé les Romains depuis leur chute, ainsi que dans ces sectes diverses, on a vu et l'on voit encore cette vertu être

15. D'Egypte.

désirée et célébrée par des louanges authentiques. Celui qui naît au sein de ces Etats et qui loue le passé plus que le présent, pourrait bien se tromper. Mais celui que l'Italie et la Grèce ont vu naître, et qui en Italie n'est pas devenu Français, ou Turc en Grèce, a raison de blâmer le siècle où il vit, et de louer ceux qui sont écoulés. Dans ces anciens temps tout est plein d'actions merveilleuses; tandis que dans les nôtres il n'y a rien qui puisse racheter la profonde misère, l'infamie et la honte où tout est plongé; temps où sont délaissées la religion, les lois et la discipline, temps salis par toutes les sortes de laideur. Et ce spectacle est d'autant plus hideux qu'il s'observe le plus clairement chez ceux qui siègent aux tribunaux, ceux qui commandent à chacun, et ceux qui prétendent se faire adorer.

Mais, pour en revenir à mon sujet, il semblerait que si le jugement des hommes peut errer dans la préférence qu'on donne au passé sur le présent, préférence qui n'est fondée que sur la connaissance imparfaite que nous avons des événements de l'antiquité, comparée à celle de ce qui s'est passé sous nos yeux, les vieillards du moins devraient porter un jugement sain entre les temps de leur jeune âge et ceux de leur vieillesse, puisqu'ils les ont également observés par eux-mêmes. Cela serait vrai si tous les hommes, pendant la durée de leur vie, conservaient les mêmes idées, et ne ressentaient que les mêmes passions. Mais comme elles changent sans cesse, quoique les temps ne changent pas, la différence des affections et des goûts doit leur montrer les mêmes événements sous des points de vue différents, dans la décrépitude et dans la jeunesse. Si la vieillesse augmente la sagesse et l'expérience de l'homme, elle le dépouille de ses forces: il est impossible alors que ce qu'il aimait dans sa jeunesse ne lui semble pas fastidieux et mauvais en avançant en âge; et, au lieu de s'en prendre à sa manière de voir, il aime mieux en accuser le temps.

D'ailleurs rien ne peut assouvir les désirs insatiables de l'homme: la nature l'a doué de la faculté de vouloir et de pouvoir tout désirer; mais la fortune ne lui permet que d'embrasser un petit nombre d'objets. Il en résulte dans le cœur humain un mécontentement continuel, et un dégoût des choses qu'il possède qui le porte à blâmer le temps présent, à louer le passé et à désirer l'avenir, lors même que ces désirs ne sont excités en lui par aucun motif raisonnable.

Peut-être mériterai-je que l'on me compte parmi ceux qui se trompent, si dans ces Discours je m'étends sur les louanges des anciens Romains, et si j'exerce ma censure sur le siècle où nous vivons. Certes, si la vertu qui régnait en ces temps, et si le vice qui souille tout de nos jours, n'étaient pas plus manifeste que la clarté du soleil, je parlerais avec plus de retenue, dans la crainte de partager l'erreur dont j'accuse les autres: mais la chose est tellement évidente, qu'elle frappe tous les yeux. J'oserai donc exposer sans détour ce que je pense de ces temps et des nôtres, afin que l'esprit des jeunes gens qui liront mes écrits puisse fuir l'exemple des uns et tâcher d'imiter les autres toutes les fois que la fortune leur en présentera l'occasion. C'est le devoir d'un honnête homme d'indiquer aux autres le bien que la rigueur du temps et de la fortune ne lui permet pas de faire lui-même, dans l'espoir que, parmi tous ceux qui sont capables de le comprendre, il s'en trouvera un qui, chéri du ciel, pourra parvenir à l'opérer.

J'ai traité dans le livre précédent des mesures prises par les Romains relativement au gouvernement intérieur de la république; je parlerai dans celui-ci de la conduite que tint ce peuple pour accroître son empire.

Chapitre premier.
Quelle fut la cause la plus puissante de l'empire des Romains, ou la vertu ou la fortune

Un grand nombre d'historiens, parmi lesquels on compte Plutarque, écrivain du plus grand poids, ont pensé que le peuple romain devait la grandeur de l'empire à la fortune plutôt qu'à la vertu. Parmi les raisons qu'il en donne, il compte l'aveu même de ce peuple, qui regardait comme la source de toutes ses victoires la Fortune, déesse à laquelle il avait élevé un plus grand nombre de temples qu'à toutes les autres divinités. Tite-Live paraît avoir partagé cette opinion; car il est rare lorsqu'il met dans la bouche d'un Romain le récit d'une action vertueuse, qu'il n'y joigne aussi la fortune.

Non seulement je ne partage en aucun point cette opinion, mais je ne crois pas qu'on puisse la soutenir. S'il n'a jamais existé une république qui ait fait les mêmes progrès que Rome, c'est que jamais république n'a reçu comme elle des institutions propres à lui faire faire des conquêtes. C'est à la vertu de ses armées qu'elle dut l'empire; mais c'est à sa sagesse, à sa conduite, et au caractère particulier que sut trouver son premier législateur, qu'elle dut la conservation de ses conquêtes, ainsi que nous le ferons amplement voir dans plusieurs des chapitres suivants.

Les uns regardent comme un effet du bonheur et non de la vertu du peuple romain, de n'avoir jamais eu à soutenir en même temps deux guerres dangereuses; car ils n'eurent la guerre avec les Latins que lorsque ces derniers eurent si bien battu les Samnites, que le peuple romain crut devoir prendre leur défense. Ils ne combattirent les Toscans qu'après avoir d'abord subjugué les Latins, et affaibli par de fréquentes défaites la puissance des Samnites. Si deux de ces peuples s'étaient réunis lorsque leurs forces étaient intactes, on peut conjecturer sans peine que la ruine de la république romaine eût suivi.

Mais, de quelque manière que cela soit arrivé, les Romains n'eurent jamais à porter en même temps le fardeau de deux guerres dangereuses; et il semble que toujours la naissance de l'une fût l'extinction de l'autre, ou que l'extinction de la dernière donnât naissance à une nouvelle. Les guerres successives qu'ils eurent à soutenir sont la preuve de ce que j'avance; et, sans parler de celles qui précédèrent la prise de Rome par les Gaulois [16], on voit que, tant qu'ils combattirent contre les Aeques et les Volsques, et que ces deux nations furent puissantes, aucun autre peuple ne s'éleva contre eux. Ces ennemis domptés, la guerre s'alluma contre les Samnites; et, quoique avant qu'elle fût terminée, les peuples du Latium se fussent soulevés contre les Romains, néanmoins, comme les Samnites étaient alliés avec Rome lorsque cette révolte éclata, leur armée aida les Romains à dompter l'insolence des

16. C'est-à-dire, sans remonter plus loin que 390 avant notre ère.

Latins. Ces peuples subjugués à leur tour, les hostilités se réveillèrent dans le Samnium. Les armées Samnites ayant été défaites dans plusieurs batailles, la guerre avec les Toscans prit naissance: elle venait de s'éteindre quand l'arrivée de Pyrrhus en Italie vint redonner une force nouvelle aux Samnites. Ce prince ayant été repoussé et contraint de retourner en Grèce, on vit briller les premières étincelles de la guerre avec les Carthaginois: elle était à peine terminée lorsque tous les Gaulois établis au delà et en deçà des Alpes se liguèrent contre les Romains, et furent exterminés après un carnage affreux, entre Populonie et Pise, à l'endroit où se trouve aujourd'hui la tour Saint-Vincent. A la fin de cette guerre, toutes celles qu'ils eurent pendant l'espace de vingt années offrent peu d'importance, parce qu'ils n'eurent à combattre que les Liguriens et les débris des Gaulois qui se trouvaient en Lombardie. Ils restèrent dans cet état jusqu'au moment où éclata la seconde guerre punique[17], dont pendant seize ans l'Italie fut le théâtre. Cette guerre, terminée avec tant de gloire, donna naissance à celle de la Macédoine, qui ne finit que pour voir s'allumer celle d'Antiochus et de l'Asie. Après avoir remporté la victoire, il ne resta dans tout l'univers ni prince ni république, qui, seuls ou réunis, pussent s'opposer aux forces des Romains.

Mais, avant ces derniers triomphes, si l'on examine la marche des événements militaires et la manière dont ils furent conduits, on y verra un rare mélange de fortune, de vertu et de sagesse: aussi, celui qui voudrait approfondir les causes d'une telle fortune, les

17. La seconde guerre contre Carthage.

découvrirait facilement. C'est une chose certaine que lorsqu'un prince ou une nation s'est acquis une telle réputation, que tous ses voisins le redoutent et tremblent de l'attaquer, on peut être assuré que jamais aucun d'eux ne lui fera la guerre que par nécessité. Ainsi, le plus puissant aura toujours le choix de déclarer la guerre à celui de ses voisins qu'il lui plaira, et d'employer son art à calmer la terreur des autres, qui, retenus en partie par sa puissance, et en partie séduits par les moyens dont il aura cherché à endormir leur prudence, se laisseront facilement apaiser; et les autres princes qui, placés plus loin de ses Etats, n'ont aucun rapport avec lui, regarderont le danger comme trop éloigné d'eux pour se croire menacés.

Leur aveuglement ne cesse que lorsque l'incendie les atteint: alors ils n'ont pour l'éteindre que leurs propres ressources, et elles deviennent insuffisantes lorsque leur ennemi est devenu tout-puissant.

Je ne parlerai pas de l'indifférence avec laquelle les Samnites restèrent à regarder les Romains triompher des Volsques et des Aeques; et, pour ne pas perdre le temps en discours superflus, je me bornerai aux Carthaginois. Ce peuple était déjà puissant et jouissait d'une juste célébrité lorsque les Romains disputaient encore l'empire avec les Samnites et les Toscans: il possédait déjà toute l'Afrique; il était maître de la Sardaigne et de la Sicile, et dominait sur une partie de l'Espagne; sa puissance, son éloignement des frontières des Romains, écartaient de lui la pensée que jamais ce peuple pusse l'attaquer, et il ne songea à secourir ni les Samnites, ni les Toscans: bien au contraire, il se conduisit avec les Romains comme il est ordinaire de le faire avec tout ce qui s'élève; il entra dans leur alliance et rechercha leur amitié. Il ne s'aperçut de sa faute que lorsque Rome, ayant subjugué tous les peuples qui se trouvaient placés entre elle et Carthage, commença à lui disputer la possession de la Sicile et de l'Espagne.

La même erreur aveugla les Gaulois, Philippe de Macédoine et le roi Antiochus: chacun d'eux s'imagina que, tandis que le peuple romain combattait contre ses voisins, la victoire pourrait l'abandonner, et qu'on serait toujours à temps d'échapper à sa puissance ou par la paix ou par la guerre: de sorte que je suis convaincu que bonheur qu'ont eu les Romains dans ces circonstances serait le partage de tout prince qui se conduirait comme eux et saurait déployer la même vertu.

Ce serait ici le lieu de montrer la conduite que tenaient les Romains lorsqu'ils pénétraient dans un pays ennemi, si je n'en avais parlé longuement dans mon traité *du Prince*, où j'ai approfondi cette matière. Je dirai seulement en peu de mots qu'ils cherchèrent toujours à avoir dans leurs nouvelles conquêtes quelque ami qui fût comme une échelle ou une porte pour y parvenir ou y pénétrer, ou qui leur donnât le moyen de s'y maintenir. C'est ainsi qu'ils se servirent des habitants de Capoue pour entrer dans le Samnium; des Camertins, dans la Toscane; des Mamertins, dans la Sicile; des Sagontins, dans l'Espagne; de Massinissa, dans l'Afrique; des Etoliens, dans la Grèce; d'Eumène et de quelques autres princes, dans l'Asie; des Marseillais et des Eduens, dans la Gaule. Ils ne manquèrent jamais d'appuis de cette espèce pour faciliter leurs entreprises, faire de nouvelles conquêtes, et y consolider leur puissance. Les peuples qui observeront une

conduite semblable auront moins besoin des faveurs de
la fortune que ceux qui s'en écarteraient.

Pour qu'on puisse mieux connaître combien la vertu
fut plus puissante dans Rome que la fortune, pour
conquérir un empire, je développerai dans le chapitre
suivant les qualités que possédaient les peuples avec
lesquels cette république eut à combattre, et quelle
opiniâtreté ils mirent à défendre contre elle leur liberté.

Chapitre 2.
Quels furent les peuples que Rome eut à combattre, et avec quelle opiniâtreté ils défendirent leur liberté

Rien ne rendit plus pénible aux Romains la conquête des peuples voisins, et d'une partie des contrées plus éloignées, que l'amour dont la plupart de ces peuples brûlaient alors pour la liberté. Ils la défendirent avec tant d'opiniâtreté, que jamais, sans la vertu prodigieuse des Romains, ils n'eussent été subjugués. Une foule d'exemples nous apprennent à quels dangers ils s'exposèrent pour la conserver ou la reconquérir, et quelles vengeances ils exercèrent contre ceux qui la leur avaient ravie. L'histoire nous instruit aussi des désastres auxquels l'esclavage expose les peuples et les cités.

Tandis que de nos jours il n'existe qu'à peine un seul pays [18] qui puisse se vanter de posséder quelques villes qui ne soient point esclaves, dans l'antiquité toutes les contrées n'étaient peuplées pour ainsi dire que d'hommes entièrement libres. On n'a qu'à voir combien, à l'époque dont nous parlons, il existait de peuples de

---

18. L'Allemagne (comme on l'entendait à l'époque). Machiavel pense sans doute aux villes hanséatiques: Lubeck, Hambourg, Brême, Dantsig, Königsberg, Riga, Cracovie, Stralsund, etc.

cette espèce, depuis les hautes montagnes qui séparent aujourd'hui la Toscane de la Lombardie, jusqu'à l'extrémité de l'Italie, tels que les Toscans, les Romains, les Samnites, et une foule d'autres peuples qui habitaient cette contrée, dans laquelle, suivant les historiens, il n'y eut jamais d'autres rois que ceux qui régnèrent à Rome, et Porsenna, roi des Toscans, dont on ne sait pas même comment s'éteignit la race. Mais on voit déjà que, lorsque les Romains allèrent mettre le siège devant Veies, la Toscane était libre, et chérissait tant sa liberté et abhorrait à un tel point le nom même de prince, que les Véiens s'étant donné un roi pour la défense de leur ville, et ayant demandé l'appui des Toscans contre les Romains, on décida, après de longues délibérations, de ne leur prêter aucun appui tant qu'ils obéiraient à ce roi. On croyait qu'on ne devait pas défendre la patrie de ceux qui eux-mêmes l'avaient déjà soumise à un maître.

On sent aisément d'où naît chez les peuples l'amour de la liberté, parce que l'expérience nous démontre que les cités n'ont accru leur puissance et leurs richesses que pendant qu'elles ont vécu libres. C'est une chose vraiment merveilleuse de voir à quel degré de grandeur Athènes s'éleva, durant l'espace des cent années qui suivirent sa délivrance de la tyrannie de Pisistrate. Mais, ce qui est bien plus admirable encore, c'est la hauteur à laquelle parvint la république romaine, dès qu'elle se fut délivrée de ses rois. La raison en est facile à comprendre: ce n'est pas l'intérêt particulier, mais celui de tous, qui fait la grandeur des Etats. Il est évident que l'intérêt commun n'est respecté que dans les républiques: tout ce qui peut tourner à son avantage s'exécute sans obstacle; et s'il arrivait qu'une mesure pût être nuisible à tel ou tel particulier, ceux qu'elle favorise sont en si grand nombre, qu'on parviendra toujours à la faire prévaloir, quels que soient les obstacles que pourraient y opposer le petit nombre de ceux qu'elle peut blesser.

Le contraire arrive sous un prince; car, le plus souvent, ce qu'il fait dans son intérêt est nuisible à l'Etat, tandis que ce qui fait le bien de l'Etat nuit à ses propres intérêts: en sorte que, quand la tyrannie s'élève au milieu d'un peuple libre, le moindre inconvénient qui doive en résulter pour l'Etat, c'est que sa marche s'arrête, et qu'il ne puisse plus croître ni en puissance ni en richesses; mais le plus souvent, ou, pour mieux dire, toujours, il arrive qu'il rétrograde. Et si le hasard voulait qu'il s'y élevât un tyran doué de quelques vertus, et qui, par son courage et son génie militaire, étendît au loin sa puissance, il n'en résulterait aucun avantage pour la république; lui seul en retirerait tout le fruit: car il ne peut honorer aucun des citoyens courageux et sages qui gémissent sous sa tyrannie, s'il ne veut avoir à les redouter sans cesse. Il lui est impossible, en outre, de soumettre et de rendre tributaires de la ville dont il est le tyran celles que ses armes ont conquises, parce qu'il ne lui sert de rien de la rendre puissante: ce qui lui importe, c'est de semer la désunion dans l'Etat, et de faire en sorte que chaque ville, que chaque province conquise, ne reconnaisse d'autre maître que lui; il faut que ses conquêtes ne profitent qu'à lui seul, et non à sa patrie.

Ceux qui voudront fortifier cette opinion d'une foule d'autres preuves, n'ont qu'à lire le traité de Xénophon sur la tyrannie.

Il n'est donc pas étonnant que les peuples de l'antiquité aient poursuivi les tyrans avec tant d'animosité, qu'ils aient tant aimé à vivre libres, et que le nom même de la liberté ait joui auprès d'eux d'une si grande estime.

Quand Hiéronime, petit-fils d'Hiéron, mourut à Syracuse, la nouvelle de son trépas ne se fut pas plutôt répandue parmi les troupes qui se trouvaient dans les environs de la ville, que l'armée commença à se soulever et à prendre les armes contre les meurtriers; mais, lorsqu'elle entendit tout Syracuse retentir du cri de liberté, fléchie par ce nom seul, elle s'apaisa, étouffa sa colère contre ceux qui avaient tué le tyran, et ne songea qu'à créer dans la ville un gouvernement libre.

Il ne faut pas non plus s'étonner que les peuples exercent des vengeances inouïes contre ceux qui se sont emparés de leur liberté. Les exemples ne me manqueraient pas; mais je n'en rapporterai qu'un seul, arrivé à Corcyre, ville de la Grèce, dans le temps de la guerre du Péloponèse. Cette contrée était divisée en deux factions: l'une favorisait les Athéniens; l'autre les Spartiates: il en résultait que, d'une foule de cités divisées entre elles, une partie avait embrassé l'alliance de Sparte, l'autre celle d'Athènes. Il arriva que la noblesse de Corcyre, obtenant le dessus, ravit au peuple sa liberté; mais les plébéiens, secourus par les Athéniens, reprirent à leur tour la force, s'emparèrent de tous les nobles, et les renfermèrent dans une prison assez vaste pour les contenir tous, d'où ils les tiraient par huit ou dix à la fois, sous prétexte de les envoyer en exil dans diverses contrées, mais en fait pour les faire mourir dans les plus cruels supplices. Ceux qui restaient en prison, s'étant aperçus du sort qu'on leur

réservait, résolurent, autant que possible, de fuir cette
mort sans gloire; et, s'étant armés de tout ce qu'ils
purent trouver, ils attaquèrent ceux qui voulaient
pénétrer dans leur prison, et leur en défendirent
l'entrée. Le peuple étant accouru à ce tumulte, démolit
le haut du bâtiment et les écrasa sous ses ruines.

Ce pays fut encore témoin de plusieurs exemples
semblables et non moins horribles, qui fournissent la
preuve que l'on venge avec plus de fureur la liberté qui
nous est ravie, que celle qu'on tente de nous ravir.

Lorsque l'on considère pourquoi les peuples de
l'antiquité étaient plus épris de la liberté que ceux de
notre temps, il me semble que c'est par la même raison
que les hommes d'aujourd'hui sont moins robustes, ce
qui tient, à mon avis, à la différence entre notre
éducation et celle des anciens, fondée sur la différence
entre notre religion et les religions antiques. En effet,
notre religion nous ayant montré la vérité, et l'unique
chemin du salut, a diminué à nos yeux le prix des
honneurs de ce monde. Les païens, au contraire, qui
estimaient beaucoup la gloire, et y avaient placé le
souverain bien, embrassaient avec enthousiasme tout
ce qui pouvait la leur mériter. On en voit les traces
dans beaucoup de leurs institutions, en commençant
par la splendeur de leurs sacrifices, comparée à la
modestie des nôtres, dont la pompe plus pieuse
qu'éclatante n'offre rien de féroce ou de capable
d'exciter le courage. La pompe de leurs cérémonies
égalait leur magnificence; mais on y joignait des
sacrifices ensanglantés et barbares, où une multitude
d'animaux étaient égorgés: la vue continuelle d'un
spectacle aussi féroce rendait les hommes semblables à
ce culte. Les religions antiques, d'un autre côté, n'ac-

cordaient les honneurs divins qu'aux mortels illustrés par une gloire terrestre, tels que les fameux capitaines ou les chefs de républiques: notre religion, au contraire, ne sanctifie que les humbles et les hommes livrés à la contemplation plutôt qu'à une vie active: elle a, de plus, placé le souverain bien dans l'humilité, dans le mépris des choses de ce monde, dans l'abjection même; tandis que les païens le faisaient consister dans la grandeur d'âme, dans la force du corps, et dans tout ce qui pouvait contribuer à rendre les hommes courageux et robustes. Et si notre religion exige que nous ayons de la force, c'est plutôt celle qui fait supporter les maux, que celle qui porte aux grandes actions.

Il semble que cette morale nouvelle a rendu les hommes plus faibles, et en a fait une proie pour les scélérats. Ils ont senti qu'ils pouvaient sans crainte exercer leur tyrannie, en voyant l'universalité des hommes mieux disposés, dans l'espoir du Paradis, à souffrir leurs outrages qu'à s'en venger.

On peut dire cependant que si le monde s'est efféminé et le Ciel a renoncé aux armes, ce changement tient plutôt sans doute à la lâcheté des hommes qui ont interprété la religion selon la paresse et non selon la vertu: car s'ils avaient considéré qu'elle permet la grandeur et la défense de la patrie, ils auraient vu qu'elle veut également que nous l'aimions et que nous l'honorions, et que nous nous formions nous-mêmes à pouvoir la défendre.

Ces fausses interprétations, qui corrompent l'éducation, sont cause qu'on ne voit plus au monde autant de républiques que dans l'antiquité, et que par conséquent il n'existe plus de nos jours autant qu'alors d'amour pour la liberté. Je croirais cependant que ce qui a le plus contribué à ces changements, c'est l'empire romain, dont les armes et les conquêtes ont renversé toutes les républiques et tous les Etats qui jouissaient d'un gouvernement libre; et quoique cet empire ait été dissous, ses débris n'ont pu se rejoindre, ni jouir de nouveau des bienfaits de la vie civile, excepté dans quelques parties peu nombreuses de ce vaste empire.

Quoi qu'il en soit, les Romains rencontrèrent dans le monde entier toutes les républiques conjurées contre eux, et acharnées à la guerre et à la défense de leur liberté: ce qui prouve que le peuple romain, sans la vertu la plus rare et la plus élevée, n'aurait jamais pu les subjuguer. Et pour en donner un exemple, celui des Samnites me suffira; il est vraiment admirable. Tite-Live avoue lui-même que ces peuples étaient si puissants, et leurs armes si redoutables, qu'ils vinrent à bout de résister aux Romains jusqu'au temps du consul Papirius Cursor, fils du premier Papirius, c'est-à-dire pendant quarante-six ans; malgré leurs nombreuses défaites, la ruine de presque toutes leurs villes, et les défaites sanglantes et réitérées qu'ils éprouvèrent dans leur pays. On est d'autant plus étonné de voir aujourd'hui ce pays, jadis couvert de tant de villes et rempli d'une population si florissante, changé presque en désert, tandis qu'alors ses institutions et ses forces l'auraient rendu invincible, si toute la puissance de Rome ne l'avait attaqué!

Il est facile de déterminer les causes de l'ordre qui régnait alors, et celles de la confusion qui le remplaça: dans les temps passés les peuples étaient libres, et aujourd'hui ils vivent dans l'esclavage. Ainsi que nous l'avons dit, toutes les cités, tous les Etats qui vivent sous l'égide de la liberté, en quelque lieu qu'ils existent, obtiennent toujours les plus grands succès: c'est là que la population est la plus nombreuse, parce que les mariages y sont plus libres, et que l'on en recherche davantage les liens; c'est là que le citoyen voit naître avec joie des fils qu'il croit pouvoir nourrir, et dont il ne craint pas qu'on ravisse le patrimoine; c'est là, surtout, qu'il est certain d'avoir donné le jour non à des esclaves, mais à des hommes libres, capables de se placer, par leur vertu, à la tête de la république: on y voit les richesses multipliées de toutes parts, et celles que produit l'agriculture, et celles qui naissent de l'industrie; chacun cherche avec empressement à augmenter et à posséder les biens dont il croit pouvoir jouir après les avoir acquis. Il en résulte que les citoyens se livrent à l'envi à tout ce qui peut tourner à l'avantage de chacun en particulier et de tous en général, et que la prospérité publique s'accroît de jour en jour d'une manière merveilleuse.

Le contraire arrive aux pays qui vivent dans l'esclavage, ils manquent d'autant plus des avantages ordinaires de la vie que leur servitude est plus sévère. Et la plus sévère des servitudes est celle qui vous soumet à une république: d'abord parce qu'elle est plus durable et qu'elle offre moins d'espoir d'y échapper; ensuite, parce qu'une république ne cherche qu'à affaiblir et à saper tous les autres corps pour faire grandir le sien.

Ce n'est pas ainsi qu'en agit un prince qui vous subjugue, à moins que ce ne soit quelqu'un de ces vainqueurs barbares, fléau de toutes les nations, et destructeurs de toutes les institutions civiles, comme le sont les princes d'Orient: mais, s'il n'est pas dépourvu d'humanité, s'il possède quelques lumières, il aime

d'une égale affection toutes les villes qui lui obéissent,
et il leur laisse l'exercice de leur industrie et la jouissance de presque toutes leurs antiques coutumes; de
sorte que si ces villes ne peuvent plus s'agrandir
comme lorsqu'elles étaient libres, leur esclavage ne les
met pas non plus en danger de périr. Je parle ici de la
servitude dans laquelle tombent les cités en obéissant à
un étranger; j'ai parlé déjà de celle dont un de leurs
citoyens les accable.

Si l'on réfléchit avec attention à tout ce que je viens
de dire, on ne s'étonnera pas de la puissance des
Samnites tant qu'ils furent libres, et de la faiblesse
dans laquelle les fit tomber la servitude. Tite-Live
atteste cette faiblesse dans une multitude de passages,
particulièrement lorsqu'il parle de la guerre de Rome
contre Hannibal, où il rapporte que les Samnites étant
maltraités par une légion qui se trouvait à Nola,
envoyèrent des députés à Hannibal, pour le supplier de
venir à leur secours. Dans leur discours, ils dirent que,
pendant cent ans, ils avaient combattu contre les
Romains avec leurs propres soldats et leurs propres
généraux; qu'ils avaient un grand nombre de fois
résisté aux attaques de deux armées consulaires et de
deux consuls; mais qu'aujourd'hui leur puissance était
tellement déchue, qu'ils pouvaient à peine se défendre
contre une faible légion romaine qui se trouvait à
Nola.

Le Prince
(*des Principautés*)

Dédicace:
Nicolas Machiavel
au Magnifique Laurent,
fils de Pierre de Médicis

Ceux qui ambitionnent d'acquérir les bonnes grâces d'un prince ont ordinairement coutume de lui offrir, en l'abordant, quelques-unes des choses qu'ils estiment le plus entre celles qu'ils possèdent, ou auxquelles ils ont vu qu'il se plaît davantage. Ainsi, on lui offre souvent des chevaux, des armes, des pièces de drap d'or, des pierres précieuses, et d'autres objets semblables, dignes de sa grandeur.

Désirant donc me présenter à Votre Magnificence avec quelque témoignage de mon dévouement, je n'ai trouvé, dans tout ce qui m'appartient, rien qui me soit plus cher ni plus précieux que la connaissance des actions des hommes élevés en pouvoir, que j'ai acquise, soit par une longue expérience des affaires des temps modernes, soit par une étude assidue de celles des temps anciens, que j'ai longuement roulée dans ma pensée et très attentivement examinée, et qu'enfin j'ai rédigée dans un petit volume que j'ose adresser aujourd'hui à Votre Magnificence.

Quoique je regarde cet ouvrage comme indigne de

*paraître devant vous, j'ai la confiance que votre
indulgence daignera l'agréer, lorsque vous voudrez
bien songer que le plus grand présent que je pusse vous
faire était de vous donner le moyen de connaître en très
peu de temps ce que je n'ai appris que dans un long
cours d'années, et au prix de beaucoup de peines et de
dangers.*

*Je n'ai orné cet ouvrage ni de grands raisonnements,
ni de phrases ampoulées et magnifiques, ni, en un mot,
de toutes ces parures étrangères dont la plupart des
auteurs ont coutume d'embellir leurs écrits: j'ai voulu
que mon livre tirât tout son lustre de son propre fond,
et que la variété de la matière et l'importance du sujet
en fissent le seul agrément.*

*Je demande d'ailleurs que l'on ne me taxe point de
présomption si, simple particulier, et même d'un rang
inférieur, j'ai osé discourir du gouvernement des
princes et en donner des règles. De même que ceux qui
veulent dessiner un paysage, descendent dans la plaine
pour observer la structure et l'aspect des montagnes et
des lieux élevés, et montent au contraire sur les
hauteurs lorsqu'ils ont à peindre les plaines: de même
pour bien connaître le naturel des peuples, il est
nécessaire d'être prince; et pour connaître également
celui des princes, il faut être peuple.*

*Que Votre Magnificence accepte donc ce modique
présent dans le même esprit que je le lui adresse. Si elle
l'examine et le lit avec quelque attention, elle y verra
éclater partout l'extrême désir que j'ai de la voir
parvenir à cette grandeur que lui promettent la fortune
et ses autres qualités. Et si Votre Magnificence, du
faîte de son élévation, abaisse quelquefois ses regards
sur ce qui est si au-dessous d'elle, elle verra combien*

peu j'ai mérité d'être la victime continuelle des rigueurs de la fortune. [1]

---

1. Comprendre: «les rigueurs des Médicis».

Chapitre premier.
Combien il y a de sortes de principautés, et par quels moyens on peut les acquérir

Tous les Etats, toutes les dominations qui ont tenu et tiennent encore les hommes sous leur empire, ont été et sont ou des républiques ou des principautés.

Les principautés sont ou héréditaires ou nouvelles.

Les héréditaires sont celles qui ont été longtemps possédées par la famille de leur prince.

Les nouvelles, ou le sont tout à fait, comme Milan le fut pour Francesco Sforza, ou le sont comme des membres ajoutés aux Etats héréditaires du prince qui les a acquises; et tel a été le royaume de Naples à l'égard du roi d'Espagne.

D'ailleurs, les Etats acquis de cette manière étaient accoutumés ou à vivre sous un prince ou à être libres: l'acquisition en a été faite ou avec les armes d'autrui, ou par celles de l'acquéreur lui-même, ou par la faveur de la fortune, ou par l'ascendant de la vertu.

Chapitre 2.
Des principautés héréditaires

Je ne traiterai point ici des républiques, car j'en ai parlé amplement ailleurs: je ne m'occuperai que des principautés; et, reprenant le fil des distinctions que je viens d'établir, j'examinerai comment, dans ces diverses hypothèses, les princes peuvent se conduire et se maintenir.

Je dis donc que, pour les Etats héréditaires et façonnés à l'obéissance envers la famille du prince, il y a bien moins de difficultés à les maintenir que les Etats nouveaux: il suffit au prince de ne point outrepasser les bornes posées par ses ancêtres, et de temporiser avec les événements. Aussi, ne fût-il doué que d'une capacité ordinaire, il saura se maintenir sur le trône, à moins qu'une force irrésistible et hors de toute prévoyance ne l'en renverse: mais alors même qu'il l'aura perdu, le moindre revers éprouvé par l'usurpateur le lui fera aisément recouvrer. L'Italie nous en offre un exemple dans le duc de Ferrare: s'il a résisté, en 1484, aux attaques des Vénitiens, et, en 1510, à celles du pape Jules II, c'est uniquement parce que sa famille était établie depuis longtemps dans son duché.

En effet, un prince héréditaire a bien moins de motifs et se trouve bien moins dans la nécessité de déplaire à ses sujets: il en est par cela même bien plus aimé; et, à moins que des vices extraordinaires ne le fassent haïr, ils doivent naturellement lui être affectionnés. D'ailleurs, dans l'ancienneté et dans la longue continuation d'une puissance s'usent le souvenir et les causes de son introduction, qui sont comme les pierres d'attente que tout changement laisse pour préparer le suivant.

Chapitre 3.
Des principautés mixtes

C'est dans une principauté nouvelle que toutes les difficultés se rencontrent.

D'abord, si elle n'est pas entièrement nouvelle, mais ajoutée comme un membre à une autre, en sorte qu'elles forment ensemble un corps qu'on peut appeler mixte, il y a une première source d'instabilité dans une difficulté naturelle inhérente à toutes les principautés nouvelles: c'est que les hommes changent volontiers de maître dans l'espoir d'améliorer leur sort; que cette espérance leur met les armes à la main contre le gouvernement actuel; mais qu'ensuite l'expérience leur fait voir qu'ils se sont trompés et qu'ils n'ont fait qu'empirer leur situation: conséquence inévitable d'une autre nécessité naturelle, où se trouve ordinairement le nouveau prince, d'accabler ses sujets et par l'entretien de ses armées et par une infinité d'autres charges qu'entraînent à leur suite les nouvelles conquêtes.

La position de ce prince est telle que, d'une part, il a pour ennemis tous ceux dont il a blessé les intérêts en s'emparant de cette principauté; et que, de l'autre, il

«Où se trouve ordinairement le nouveau prince» *Le Prince* III
(Doré: Picrochole en armes)

ne peut conserver l'amitié et la fidélité de ceux qui lui
en ont facilité l'entrée, soit par l'impuissance où il se
trouve de les satisfaire autant qu'ils se l'étaient promis,
soit parce qu'il ne lui convient pas d'employer contre
eux ces remèdes drastiques dont la reconnaissance le
force de s'abstenir; car, quelque force qu'un prince ait
par ses armées, il a toujours besoin, pour entrer dans
un pays, d'être aidé par la faveur des habitants.

Voilà pourquoi Louis XII, roi de France, se rendit
maître en un instant du Milanais[2], qu'il perdit de
même, et que d'abord les seules forces de Lodovico
Sforza suffirent pour le lui arracher. En effet, les
habitants qui lui avaient ouvert les portes, se voyant
trompés dans leur espoir, et frustrés des avantages
qu'ils avaient attendus, ne purent supporter les ennuis
d'une nouvelle domination.

Il est bien vrai que lorsqu'on reconquiert des pays
qui se sont ainsi rebellés, on les perd plus difficilement:
le conquérant, se justifiant de cette rébellion, met
moins de retenue à s'assurer de sa conquête, par le
châtiment des coupables, par l'identification des suspects, par le renforcement des points faibles.

Voilà pourquoi aussi il suffit, pour enlever une
première fois Milan à la France, d'un duc Lodovico
excitant quelques rumeurs sur les confins de cette
province. Il fallut, pour la lui faire perdre une seconde,
que tout le monde se réunît contre elle, que ses armées
fussent entièrement dispersées, et qu'on les chassât de
l'Italie; ce qui ne put avoir lieu que par les causes que
j'ai développées précédemment: néanmoins, Louis XII
perdit cette province et la première et la seconde fois.

2. La région de Milan.

Du reste, c'est assez pour la première expulsion d'en avoir indiqué les causes générales; mais, quant à la seconde, il est bon de s'y arrêter un peu plus, et d'examiner les moyens que Louis XII pouvait employer, et dont tout autre prince pourrait se servir en pareille circonstance, pour se maintenir un peu mieux dans ses nouvelles conquêtes que ne le fit le roi de France.

Je dis donc que les Etats conquis pour être réunis à ceux qui appartiennent depuis longtemps au conquérant, sont ou ne sont pas dans la même contrée que ces derniers, et qu'ils ont ou n'ont pas la même langue.

Dans le premier cas, il est facile de les conserver, surtout lorsqu'ils ne sont point accoutumés à vivre libres: pour les posséder en sûreté, il suffit d'avoir éteint la race du prince qui en était le maître; et si, dans tout le reste, on leur laisse leur ancienne manière d'être, comme les mœurs y sont les mêmes, les sujets vivent bientôt tranquillement. C'est ainsi que la Bretagne, la Bourgogne, la Gascogne et la Normandie, sont restées unies à la France depuis tant d'années; et quand même il y aurait quelques différences dans le langage, comme les habitudes et les mœurs se ressemblent, ces Etats réunis pourront aisément s'accorder. Il faut seulement que celui qui s'en rend possesseur soit attentif à deux choses, s'il veut les conserver: l'une est, comme je viens de le dire, d'éteindre la race de l'ancien prince; l'autre, de n'altérer ni les lois ni les impôts: de cette manière, l'ancienne principauté et la nouvelle ne seront, en bien peu de temps, qu'un seul corps.

Mais, dans le second cas, c'est-à-dire quand les Etats acquis sont dans une autre contrée que celui auquel on les réunit, quand ils n'ont ni la même langue, ni les mêmes mœurs, ni les mêmes institutions, alors les difficultés sont excessives, et il faut un grand bonheur et une grande habileté pour les conserver. Un des moyens les meilleurs et les plus efficaces, serait que le vainqueur vînt y fixer sa demeure personnelle: rien n'en rendrait la possession plus sûre et plus durable. C'est aussi le parti qu'à pris le Turc à l'égard de la Grèce, que certainement, malgré toutes ses autres mesures, il n'aurait jamais pu conserver s'il ne s'était déterminé à venir l'habiter.

Quand il habite le pays, le nouveau prince voit les désordres à leur naissance, et peut les réprimer sur-le-champ. S'il en est éloigné, il ne les connaît que lorsqu'ils sont déjà grands, et qu'il ne lui est plus possible d'y remédier.

D'ailleurs, sa présence empêche ses officiers de dévorer la province; et, en tout cas, c'est une satisfaction pour les habitants d'avoir pour ainsi dire sous la main leur recours au prince lui-même. Ils ont aussi plus de raisons de l'aimer, s'ils veulent être de bons et fidèles sujets, et sinon, de le craindre. Enfin, l'étranger qui voudrait assaillir cet Etat s'y hasarde bien moins aisément; d'autant que le prince y résidant, il est très difficile de le lui enlever.

Le meilleur moyen qui se présente ensuite, est d'établir des colonies dans un ou deux endroits qui soient comme les clefs du pays: sans cela on est obligé d'y entretenir un grand nombre de gens d'armes et d'infanterie. L'établissement des colonies est peu dispendieux pour le prince: il peut, sans frais ou du moins presque sans dépense, les envoyer et les entretenir; il ne blesse que ceux auxquels il enlève leurs champs et leurs maisons pour les donner aux nouveaux habitants. Or, les hommes ainsi offensés n'étant qu'une très faible partie de la population, et demeurant dispersés et pauvres, ne peuvent jamais devenir nuisibles; tandis que tous ceux que sa rigueur n'a pas atteints demeurent tranquilles par cette seule raison: ils n'osent d'ailleurs se mal conduire, dans la crainte qu'il ne leur arrive aussi d'être dépouillés. En un mot, ces colonies, si peu coûteuses, sont plus fidèles et font moins de tort aux sujets; et, comme je l'ai dit précédemment, ceux qui en souffrent étant pauvres et dispersés, sont incapables de nuire. Sur quoi il faut remarquer que les hommes doivent être ou caressés ou écrasés: ils se vengent des injures légères; ils ne le peuvent quand elles sont très grandes; d'où il suit que, quand il s'agit d'offenser un homme, il faut le faire de telle manière qu'on ne puisse redouter sa vengeance.

Mais si, au lieu d'envoyer des colonies, on se détermine à entretenir des troupes, la dépense qui en résulte s'accroît sans bornes, et tous les revenus de l'Etat sont consumés pour le garder. Aussi l'acquisition devient une véritable perte, qui blesse d'autant plus que les habitants se trouvent davantage lésés: car ils ont tous à souffrir, ainsi que l'Etat, et du logement et du déplacement des troupes. Or, chacun se trouvant exposé à cette charge, tous deviennent ennemis du prince, et ennemis capables de nuire, puisqu'ils demeurent injuriés dans leurs foyers. Une telle garde est donc de toute manière aussi inutile que celle des colonies serait profitable.

Mais ce n'est pas tout. Quand l'Etat conquis se trouve dans une autre contrée que l'Etat héréditaire du conquérant, il est beaucoup d'autres soins que celui-ci ne saurait négliger: il doit se faire chef et protecteur des princes voisins les moins puissants de la contrée, travailler à affaiblir ceux d'entre eux qui sont les plus forts, et empêcher que, sous un prétexte quelconque, un étranger aussi puissant que lui ne s'y introduise: introduction qui sera certainement favorisée; car cet étranger ne peut manquer d'être appelé par tous ceux que l'ambition ou la crainte rend mécontents. C'est ainsi, en effet, que les Romains furent introduits dans la Grèce par les Etoliens, et que l'entrée de tous les autres pays où ils pénétrèrent leur fut ouverte par les habitants.

A cet égard, voici quelle est la marche des choses: aussitôt qu'un étranger puissant est entré dans une contrée, les moins puissants parmi les princes qui s'y trouvent s'attachent à lui et favorisent son entreprise, excités par l'envie qu'ils nourrissent contre ceux dont la puissance était supérieure à la leur. Il n'a donc point de peine à gagner ces princes moins puissants, qui tous se hâtent de ne faire qu'une seule masse avec l'Etat qu'il vient de conquérir. Il doit seulement veiller à ce qu'ils ne prennent trop de force ou trop d'autorité: avec leur aide et ses propres moyens, il viendra sans peine à bout d'abaisser les plus puissants, et de se rendre seul arbitre de la contrée. S'il néglige, en ces circonstances, de se bien conduire, il perdra bientôt le fruit de sa conquête; et tant qu'il la gardera, il y éprouvera toute espèce de difficultés et d'ennuis.

Les Romains, dans les pays dont ils se rendirent les maîtres, ne négligèrent jamais rien de ce qu'il y avait à faire. Ils y envoyaient des colonies, ils y protégeaient les plus faibles, sans toutefois accroître leur puissance; ils y abaissaient les grands; ils ne souffraient pas que des étrangers puissants y acquissent le moindre crédit.

Je n'en veux pour preuve qu'un seul exemple. Qu'on voie ce qu'ils firent dans la Grèce: ils y soutinrent les Achéens et les Etoliens; ils y abaissèrent le royaume de Macédoine, ils en chassèrent Antiochus[3]: mais quelques services qu'ils eussent reçus des Achéens et des Etoliens, ils ne permirent pas que ces deux peuples accrussent leurs Etats; toutes les sollicitations de Philippe[4] ne purent obtenir d'eux qu'ils fussent ses amis, sans qu'il y perdît quelque chose; et toute la puissance d'Antiochus ne put jamais les faire consentir à ce qu'il possédât le moindre Etat dans ces contrées.

Les Romains, en ces circonstances, agirent comme doivent le faire des princes sages, dont le devoir est de penser non seulement aux désordres présents, mais encore à ceux qui peuvent survenir, afin d'y remédier par tous les moyens que peut leur indiquer la prudence. C'est, en effet, en les prévoyant de loin, qu'il est bien plus facile d'y porter remède; au lieu que si on les a laissés s'élever, il n'en est plus temps, et le mal devient incurable. Il en est alors comme de la consomption, dont les médecins disent qu'au départ c'est une maladie facile à guérir mais difficile à reconnaître, mais que si elle n'est ni reconnue ni soignée, elle devient avec le temps facile à reconnaître mais difficile à guérir. C'est ce qui arrive dans toutes les affaires d'Etat: lorsqu'on prévoit le mal de loin, ce qui n'est donné qu'aux hommes doués d'une grande sagacité, on le guérit bientôt; mais lorsque, par défaut de lumière, on n'a su

    3. Antiochos III, le Grand, roi de Syrie, dont l'empire à l'époque était plus grand mais moins riche que celui des Romains, auxquels il disputait la Grèce.
    4. Philippe V, roi de Macédoine.

le voir que lorsqu'il frappe tous les yeux, la cure se trouve impossible. Aussi les Romains, qui savaient prévoir de loin tous les inconvénients, y remédièrent toujours à temps, et ne les laissèrent jamais suivre leur cours pour éviter une guerre: ils savaient bien qu'on ne l'évite jamais, et que si on la diffère, c'est à l'avantage de l'ennemi. C'est ainsi que, quoiqu'ils pussent alors s'en abstenir, ils voulurent la faire à Philippe et à Antiochus, en Grèce même, pour ne pas avoir à la soutenir contre eux en Italie. Ils ne goûtèrent jamais ces paroles que l'on entend sans cesse sortir de la bouche des sages de nos jours: profite des cadeaux du temps présent. Ils préférèrent profiter de la vertu et de la prudence; car le temps chasse également toutes choses devant lui, et il apporte à sa suite le bien comme le mal, le mal comme le bien.

Mais revenons à la France, et examinons si elle a fait aucune des choses que je viens d'exposer. Je parlerai seulement du roi Louis XII, et non de Charles VIII, parce que le premier ayant plus longtemps gardé ses conquêtes en Italie, on a pu mieux connaître ses manières de procéder. Or, on a dû voir qu'il fit tout le contraire de ce qu'il faut pour conserver un Etat qui n'est pas semblable à celui auquel on a dessein de l'ajouter.

Le roi Louis XII fut introduit en Italie par l'ambition des Vénitiens, qui voulaient, par sa venue, acquérir la moitié du duché de Lombardie. Je ne prétends point blâmer le parti qu'embrassa le roi: puisqu'il voulait commencer à mettre un pied en Italie, où il ne possédait aucun ami, et où la conduite de Charles VIII lui avait même fermé toutes les portes, il était forcé d'embrasser les premières amitiés qu'il put trouver; et le parti qu'il prit pouvait même être heureux, si dans le reste de sa politique, il n'eût commis aucune autre erreur. Ainsi, après avoir conquis la Lombardie, il regagna bientôt la réputation que Charles lui avait fait perdre: Gênes se soumit; les Florentins devinrent ses alliés; le marquis de Mantoue, le duc de Ferrare, les Bentivogli, la dame de Forli, les seigneurs de Faenza, de Pesaro, de Rimini, de Camerino, de Piombino, les Lucquois, les Pisans, les Siennois, tous coururent au-devant de son amitié. Aussi les Vénitiens durent-ils reconnaître quelle avait été leur imprudence, lorsque, pour acquérir deux villes dans la Lombardie, ils avaient rendu le roi de France souverain des deux tiers de l'Italie [5].

Dans de telles circonstances, il eût été sans doute facile à Louis XII de conserver dans cette contrée tout son ascendant, s'il eût su mettre en pratique les règles de conduite exposées ci-dessus; s'il avait protégé et défendu ces nombreux amis, qui, faibles et tremblants, les uns devant l'Eglise, les autres devant les Vénitiens, étaient obligés de lui rester fidèles, et au moyen desquels il pouvait aisément s'assurer de tous ceux auxquels il restait encore quelque puissance.

Mais il était à peine arrivé dans Milan, qu'il fit tout le contraire, en aidant le pape Alexandre VI à s'emparer de la Romagne. Il ne comprit pas qu'il s'affaiblissait lui-même, en se privant des amis qui s'étaient jetés

5. Machiavel, qui omet rarement d'exagérer, parvient ici à faire sursauter la grande majorité des commentateurs. Venise gagnait tout le pays au sud du lac de Garde, de Vérone à Crémone, tandis que Louis XII ne gagnait que le Milanais, ce qui est beaucoup, mais nettement moins que le sixième de l'Italie au nord du royaume de Naples. Voir carte, «l'Italie de Machiavel», p. 12.

dans ses bras, et qu'il agrandissait l'Eglise, en ajoutant au pouvoir spirituel, qui lui donne déjà tant d'autorité, un pouvoir temporel aussi considérable.

Cette première erreur en entraîna tant d'autres, qu'il fallut que le roi vînt lui-même en Italie pour mettre une borne à l'ambition d'Alexandre VI, et l'empêcher de se rendre maître de la Toscane.

Ce ne fut pas tout. Non content d'avoir ainsi agrandi l'Eglise, et de s'être privé de ses amis, Louis, brûlant de posséder le royaume de Naples, se détermina à le partager avec le roi d'Espagne: de sorte que, tandis qu'il était seul arbitre de l'Italie, il y introduisait lui-même un rival auquel purent recourir tous les ambitieux et tous les mécontents; et lorsqu'il pouvait laisser sur le trône un roi qui s'estimait heureux d'être son tributaire, il l'en renversa pour y placer un prince qui était en état de l'en chasser lui-même.

Le désir d'acquérir est sans doute une chose ordinaire et naturelle; et quiconque s'y livre, quand il en a les moyens, en est plutôt loué que blâmé: mais en former le dessein sans pouvoir l'exécuter, c'est encourir le blâme et commettre une erreur. Si donc la France avait des forces suffisantes pour attaquer le royaume de Naples, elle devait le faire; si elle ne les avait pas, elle ne devait point le partager.

Si le partage de la Lombardie avec les Vénitiens pouvait être excusé, c'est parce qu'il lui donna le moyen de mettre le pied en Italie; mais celui du royaume de Naples n'ayant pas été pareillement déterminé par la nécessité, demeure sans excuse. Ainsi Louis XII a fait cinq fautes en Italie: il y avait ruiné les faibles, il y avait augmenté la puissance d'un puissant, il y avait introduit un prince étranger très puissant, il n'était point venu y demeurer, et n'y avait pas envoyé de colonies.

Cependant, tant qu'il vécut, ces cinq fautes auraient pu ne pas lui devenir funestes, s'il n'en eût commis une sixième, celle de vouloir dépouiller les Vénitiens de leurs Etats. En effet, il eût été bon et nécessaire de les affaiblir, si par ailleurs il n'avait pas agrandi l'Eglise et appelé l'Espagne en Italie; mais ayant fait l'un et l'autre, il ne devait jamais consentir à la ruine des Vénitiens, parce que, tant qu'ils seraient restés puissants, ils auraient empêché les ennemis du roi d'attaquer la Lombardie. En effet, d'une part, ils n'y auraient consenti qu'à condition de devenir les maîtres de ce pays; de l'autre, personne n'aurait voulu l'enlever à la France pour le leur donner; et enfin il eût paru trop dangereux d'attaquer les Français et les Vénitiens réunis.

Si l'on me disait que Louis n'avait abandonné la Romagne au pape Alexandre, et partagé le royaume de Naples avec l'Espagne, que pour éviter la guerre, je répondrais ce que j'ai déjà dit, qu'il ne faut jamais, pour un pareil motif, laisser subsister un désordre; car on n'évite point la guerre, on ne fait que la retarder à son propre désavantage.

Si l'on alléguait encore la promesse que le roi avait faite au pape de conquérir cette province pour lui, afin d'obtenir la dissolution de son mariage et le chapeau de cardinal pour l'archevêque de Rouen (appelé ensuite le cardinal d'Amboise[6]), je répondrais par ce qui

6. Georges d'Amboise, qui devint en même temps (1498) premier ministre de Louis XII. Celui-ci voulut plus tard lui donner la succession d'Alexandre VI (1503); il n'y parvint pas.

sera dit dans la suite, touchant les promesses des princes, et la manière dont ils doivent les garder.

Louis XII a donc perdu la Lombardie pour ne s'être conformé à aucune des règles que suivent tous ceux qui, ayant acquis un Etat, veulent le conserver. Il n'y a là aucun miracle; c'est une chose toute simple et toute naturelle.

Je me trouvais à Nantes à l'époque où le Valentinois (c'est ainsi qu'on appelait alors César Borgia, fils du pape Alexandre VI) se rendait maître de la Romagne: le cardinal d'Amboise, avec lequel je m'entretenais de cet événement, m'ayant dit que les Italiens ne comprenaient rien aux affaires de guerre, je lui répondis que les Français n'entendaient rien aux affaires d'Etat, parce que, s'ils y avaient compris quelque chose, ils n'auraient pas laissé l'Eglise s'agrandir à ce point. L'expérience, en effet, a fair voir que la grandeur de l'Eglise et celle de l'Espagne en Italie, ont été l'ouvrage de la France, et ensuite la cause de sa ruine dans cette contrée. De là aussi on peut tirer cette règle générale qui trompe rarement, si même elle trompe jamais: c'est que le prince qui en rend un autre puissant travaille à sa propre ruine; car cette puissance est produite ou par l'adresse ou par la force: or, l'une et l'autre de ces deux causes rendent quiconque les emploie, suspect à celui pour qui elles sont employées.

Chapitre 4.
Pourquoi les Etats de Darius, conquis par Alexandre, ne se révoltèrent point contre les successeurs du conquérant après sa mort

Lorsque l'on considère combien il est difficile de conserver un Etat nouvellement conquis, on peut s'étonner de ce qui se passa après la mort d'Alexandre le Grand. Ce prince s'était rendu maître en peu d'années de toute l'Asie, et mourut presque aussitôt. Il était probable que l'empire profiterait de son trépas pour se révolter; néanmoins ses successeurs s'y maintinrent, et ils n'éprouvèrent d'autre difficulté que celle qui naquit entre eux de leur propre ambition.

Je répondrai à cela que toutes les principautés que l'on connaît, et dont il est resté quelque souvenir, sont gouvernées de deux manières différentes: ou par un prince et des esclaves, qui ne l'aident à gouverner, comme ministres, que par une grâce et une concession qu'il veut bien leur faire; ou par un prince et des barons, qui tiennent leur rang non de la faveur du souverain, mais de l'ancienneté de leur race; qui ont des Etats et des sujets qui leur appartiennent et les reconnaissent pour seigneurs, et qui ont pour eux une affection naturelle.

Dans les principautés gouvernées par un prince et par des esclaves, le prince possède une bien plus grande autorité, puisque, dans toute l'étendue de ses Etats, lui seul est reconnu pour supérieur, et que si les sujets obéissent à quelque autre, ils ne le regardent que comme son ministre ou son officier, pour lequel ils ne ressentent aucun attachement personnel.

On peut de nos jours citer, comme exemple de l'une et l'autre sorte de gouvernement, la Turquie et le royaume de France.

Toute la Turquie est gouvernée par un seul maître, dont tous les autres Turcs sont esclaves, et qui, ayant divisé son empire en plusieurs *sandjaks,* y envoie des gouverneurs qu'il révoque et qu'il change au gré de son caprice.

En France, au contraire, le roi se trouve au milieu d'une foule de seigneurs de race antique, reconnus pour tels par leurs sujets, qui en sont aimés, et qui jouissent de prérogatives que le roi ne pourrait leur enlever sans danger pour lui.

Si l'on réfléchit sur la nature de ces deux formes de gouvernement, on verra qu'il est difficile de conquérir l'empire des Turcs; mais qu'une fois conquis, il est très aisé de le conserver.

La difficulté de conquérir l'empire turc vient de ce que le conquérant ne peut jamais être appelé par les grands de cette monarchie, ni espérer d'être aidé dans son entreprise par la rébellion de quelques-uns de ceux qui entourent le monarque. J'en ai déjà indiqué les raisons. Tous, en effet, étant également ses esclaves, tous lui devant également leur fortune, il est bien difficile de les corrompre; et quand même on y parviendrait, il faudrait en attendre peu d'avantages, parce qu'ils ne peuvent pas entraîner les peuples dans leur révolte. Celui donc qui voudrait attaquer les Turcs, doit s'attendre à les trouver réunis contre lui, espérer peu d'être favorisé par des désordres intérieurs, et ne compter guère que sur ses propres forces.

Mais la conquête une fois faite et le monarque vaincu en bataille rangée, de manière à ne pouvoir plus refaire ses armées, on n'a plus à craindre que sa race; laquelle une fois éteinte ne laisse plus personne à redouter, parce qu'il n'y a plus personne qui conserve quelque ascendant sur le peuple; de sorte que si avant la victoire il n'y avait rien à espérer des sujets, de même après l'avoir remportée il n'a plus rien à appréhender de leur part.

Il en est tout autrement des Etats gouvernés comme la France. Il peut être facile d'y entrer en gagnant quelques-uns des grands du royaume; et il s'en trouve toujours de mécontents, qui sont avides de nouveautés et de changements, et qui d'ailleurs peuvent effectivement, par les raisons que j'ai déjà dites, ouvrir les chemins du royaume et faciliter la victoire: mais, s'agit-il ensuite de se maintenir, c'est alors que le conquérant éprouve toutes sortes de difficultés, et de la part de ceux qui l'ont aidé, et de la part de ceux qu'il a dû opprimer.

Là, il ne lui suffit pas d'éteindre la race du prince, car il reste toujours une foule de seigneurs qui se mettront à la tête de nouveaux mouvements; et comme il ne lui est possible ni de les contenter tous ni de les détruire, il perdra sa conquête dès que l'occasion s'en présentera.

Maintenant, si nous considérons la nature du gouvernement de Darius, nous trouverons qu'il ressemblait à celui de la Turquie: aussi Alexandre eut-il à combattre contre toutes les forces de l'empire, et dut-il d'abord défaire le monarque en pleine campagne; mais, après sa victoire et la mort de Darius, le vainqueur, par les motifs que j'ai exposés, demeura tranquille possesseur de sa conquête. Et si ses successeurs étaient restés unis, ils en auraient joui également au sein du repos et des voluptés; car on ne vit s'élever dans tout l'empire que les troubles qu'eux-mêmes y excitèrent.

Mais, quant aux Etats gouvernés comme la France, il s'en faut bien qu'il soit possible de s'y maintenir avec autant de tranquillité. Nous en avons la preuve dans les fréquents soulèvements qui se formèrent contre les Romains, soit dans l'Espagne, soit dans les Gaules, soit dans la Grèce. Ces rébellions eurent pour cause les nombreuses principautés qui se trouvaient dans ces contrées, et dont le seul souvenir, tant qu'il subsista, fut pour les vainqueurs une source de troubles et d'inquiétudes. Il fallut que la puissance et la durée de la domination romaine en eussent éteint la mémoire, pour que les possesseurs fussent enfin tranquilles.

Il y a même plus. Lorsque, dans la suite, les Romains furent en guerre les uns contre les autres, chacun des partis put gagner et avoir pour soi celles de ces anciennes principautés où il avait le plus d'influence, et qui, après l'extinction de la race de leurs princes, ne connaissaient plus d'autre domination que celle de Rome.

Quiconque aura réfléchi sur toutes ces considérations, ne s'étonnera plus sans doute de la facilité avec laquelle Alexandre se maintint en Asie, et de la peine, au contraire, que d'autres, tel que Pyrrhus, eurent à

conserver leurs conquêtes. Cela ne tint point à l'habileté plus ou moins grande du conquérant, mais à la
différente nature des Etats conquis.

Chapitre 5.
Comment on doit gouverner les Etats ou principautés qui, avant la conquête, vivaient sous leurs propres lois

Quand les Etats conquis sont, comme je l'ai dit, accoutumés à vivre libres sous leurs propres lois, le conquérant peut s'y prendre de trois manières pour s'y maintenir: la première est de les détruire; la seconde, d'aller y résider en personne; la troisième, de leur laisser leurs lois, se bornant à exiger un tribut, et à y établir un gouvernement peu nombreux qui les contiendra dans l'obéissance et la fidélité: ce qu'un tel gouvernement fera sans doute; car, tenant toute son existence du conquérant, il sait qu'il ne peut la conserver sans son appui et sans sa protection; d'ailleurs, un Etat accoutumé à la liberté, est plus aisément gouverné par ses propres citoyens que par d'autres.

Les Spartiates et les Romains peuvent ici nous servir d'exemple.

Les Spartiates se maintinrent dans Athènes et dans Thèbes, en n'y confiant le pouvoir qu'à un petit nombre de personnes; néanmoins ils les perdirent par la suite. Les Romains, pour rester maîtres de Capoue, de Carthage et de Numance, les détruisirent et ne les perdirent point. Ils voulurent agir en Grèce comme les

Spartiates: ils lui rendirent la liberté, et lui laissèrent ses propres lois; mais cela ne leur réussit point. Il fallut, pour conserver cette contrée, qu'ils y détruisissent un grand nombre de cités; ce qui était le seul moyen sûr de posséder. Et, au fait, quiconque ayant conquis un Etat accoutumé à vivre libre ne le détruit point, doit s'attendre à en être détruit. Dans un tel Etat, la rébellion est sans cesse excitée par le nom de la liberté et par le souvenir des anciennes institutions, que ne peuvent jamais effacer de sa mémoire ni la longueur du temps ni les bienfaits d'un nouveau maître. Quelque précaution que l'on prenne, quelque chose que l'on fasse, si l'on ne dissout point l'Etat, si l'on n'en disperse les habitants, on les verra, à la première occasion, rappeler, invoquer leur liberté, leurs institutions perdues, et s'efforcer de les ressaisir. C'est ainsi qu'après plus de cent années d'esclavages, Pise brisa le joug des Florentins.

Mais il en est bien autrement pour les pays accoutumés à vivre sous un prince. Si la race de ce prince est une fois éteinte, les habitants, déjà façonnés à l'obéissance, ne pouvant s'accorder dans le choix d'un nouveau maître, et ne sachant point vivre libres, sont peu empressés de prendre les armes; en sorte que le conquérant peut sans difficulté ou les gagner ou s'assurer d'eux. Dans les républiques, au contraire, il existe un principe de vie bien plus actif, une haine bien plus profonde, un désir de vengeance bien plus ardent, qui ne laisse ni ne peut laisser un moment en repos le souvenir de l'antique liberté: il ne reste alors au conquérant d'autre parti que de détruire ces Etats ou de venir les habiter.

Chapitre 6.
Des principautés nouvelles, acquises par les armes et par l'habileté de l'acquéreur

Qu'on ne s'étonne point si, en parlant de principautés tout à fait nouvelles de prince et de constitution, j'allègue de très grands exemples. Les hommes marchent presque toujours dans des sentiers déjà battus; presque toujours ils agissent par imitation: mais il ne leur est guère possible de suivre bien exactement les traces de celui qui les a précédés, ou d'égaler la vertu de celui qu'ils ont entrepris d'imiter. Ils doivent donc prendre pour guides et pour modèles les plus grands personnages, afin que, même en ne s'élevant pas au même degré de grandeur et de gloire, ils puissent en reproduire au moins le parfum. Ils doivent faire comme ces archers prudents, qui, jugeant que le but proposé est au delà de la portée de leur arc et de leurs forces, visent encore plus loin, pour que leur flèche arrive au point qu'ils désirent atteindre.

Je dis d'abord que, pour les principautés tout à fait nouvelles, le plus ou le moins de difficulté de s'y maintenir dépend du plus ou du moins de vertu que possède celui qui les a acquises: aussi peut-on croire que communément la difficulté ne doit pas être très grande. Il y a lieu de penser que celui qui, de simple particulier, s'est élevé au rang de prince, est un homme habile ou bien secondé par la fortune; sur quoi j'ajouterai, que moins il devra à la fortune, mieux il saura se maintenir. D'ailleurs, un tel prince n'ayant point d'autres Etats, est obligé de venir vivre dans son acquisition; ce qui diminue encore la difficulté.

Mais, quoiqu'il en soit, pour parler d'abord de ceux qui sont devenus princes par leur propre vertu et non par la fortune, les plus remarquables sont Moïse, Cyrus, Romulus, Thésée, et quelques autres semblables.

Que si l'on doit peu raisonner sur Moïse, parce qu'il ne fut qu'un simple exécuteur des ordres de Dieu, il y a toujours lieu de l'admirer, ne fût-ce qu'à cause de la grâce qui le rendait digne de s'entretenir avec la Divinité. Mais en considérant les actions et la conduite, soit de Cyrus, soit des autres conquérants et fondateurs de royaumes, on les admirera également tous, et on trouvera une grande conformité entre eux et Moïse, bien que ce dernier eût été conduit par un si grand maître.

On verra d'abord que tout ce qu'ils durent à la fortune, ce fut l'occasion qui leur fournit une matière à laquelle ils purent donner la forme qu'ils jugèrent convenable. Sans cette occasion, les grandes qualités de leur âme seraient demeurées inutiles; mais aussi, sans ces grandes qualités, l'occasion se serait vainement présentée. Il fallut que Moïse trouvât les Israélites esclaves et opprimés en Egypte, pour que le désir de sortir de l'esclavage les déterminât à le suivre. Pour que Romulus devînt le fondateur et le roi de Rome, il fallut qu'il fût porté hors d'Albe et exposé aussitôt après sa naissance. Cyrus eut besoin de trouver les Perses mécontents de la domination des Mèdes, et les Mèdes amollis et efféminés par les délices d'une longue paix. Enfin Thésée n'aurait point fait éclater sa vertu [7], si les Athéniens n'avaient pas été dispersés. Le bonheur de ces grands hommes naquit donc des occasions; mais ce fut par leur vertu qu'ils surent les connaître et les mettre à profit pour la grande prospérité et la gloire de leur patrie. Ceux qui, comme eux, et par les mêmes moyens, deviendront princes, n'acquerront leur principauté qu'avec beaucoup de difficultés, mais ils la maintiendront aisément.

En cela, leurs difficultés viendront surtout des nouvelles institutions, des nouvelles formes qu'ils seront obligés d'introduire pour fonder leur gouvernement et pour leur sûreté; et l'on doit remarquer qu'en effet il n'y a point d'entreprise plus difficile à conduire, plus incertaine quant au succès, et plus dangereuse que celle d'introduire de nouvelles institutions. Celui qui s'y engage a pour ennemis tous ceux qui profitaient des institutions anciennes, et il ne trouve que de tièdes défenseurs dans ceux pour qui les nouvelles seraient utiles. Cette tiédeur, au reste, leur vient de deux causes: la première est la peur qu'ils ont de leurs adversaires, lesquels ont en leur faveur les lois existantes; la seconde est l'incrédulité commune à tous les hommes, qui ne veulent croire à la bonté des choses nouvelles que lorsqu'ils en ont été bien convaincus par l'expérience. De là vient aussi que si ceux qui sont ennemis trouvent l'occasion d'attaquer, ils le font avec toute la chaleur de l'esprit de parti, et que les autres se

7. Sur le mot vertu, voir la «Note sur le texte».

défendent sans ardeur, en sorte qu'il y a du danger à combattre avec eux.

Afin de bien raisonner sur ce sujet, il faut considérer si les innovateurs sont puissants par eux-mêmes, ou s'ils dépendent d'autrui, c'est-à-dire si, pour conduire leur entreprise, ils en sont réduits à prier, ou s'ils ont les moyens de contraindre.

Dans le premier cas, il leur arrive toujours malheur, et ils ne viennent à bout de rien; mais dans le second, au contraire, c'est-à-dire quand ils ne dépendent que d'eux-mêmes, et qu'ils sont en état de forcer, ils courent bien rarement le risque de succomber. C'est pour cela qu'on a vu réussir tous les prophètes armés, et finir malheureusement ceux qui étaient désarmés. Sur quoi l'on doit ajouter que les peuples sont naturellement inconstants, et que, s'il est aisé de les persuader de quelque chose, il est difficile de les affermir dans cette persuasion: il faut donc que les choses soient disposées de manière que, lorsqu'ils ne croient plus, on puisse les faire croire par force.

Certainement Moïse, Cyrus, Thésée et Romulus n'auraient pu faire longtemps garder leurs institutions, s'ils avaient été désarmés; et ils auraient eu le sort qu'a éprouvé de nos jours le frère Jérôme Savonarole, dont toutes les institutions périrent aussitôt que la masse eut commencé de ne plus croire en lui, attendu qu'il n'avait pas le moyen d'affermir dans leur croyance ceux qui croyaient encore, ni de forcer les incrédules.

Toutefois, répétons que les grands hommes, tels que ceux dont il s'agit, rencontrent d'extrêmes difficultés; mais que tous les dangers sont sur leur route; que c'est là qu'il leur faut la vertu pour les surmonter; et que lorsqu'une fois ils ont traversé ces obstacles, qu'ils ont commencé à être admirés, et qu'ils se sont délivrés de ceux de même rang qui leur portaient envie, ils demeurent puissants, tranquilles, honorés et heureux.

A ces grands exemples que j'ai cités, j'en veux joindre quelqu'autre d'un ordre inférieur, mais qui ne soit point trop disproportionné; et j'en choisis un seul qui suffira: c'est celui de Hiéron de Syracuse. Simple particulier, il devint prince de sa patrie, sans rien devoir de plus à la fortune que la seule occasion. En effet, les Syracusains opprimés l'élurent pour leur général, et ce fut par ses services en cette qualité, qu'il mérita d'être encore élevé au pouvoir suprême. D'ailleurs, dans son premier état de citoyen, il avait montré tant de vertu, qu'il a été dit de lui, que pour bien régner il ne lui manquait que d'avoir un royaume. Au surplus, Hiéron détruisit l'ancienne milice et en établit une nouvelle; il abandonna les anciennes alliances pour en contracter d'autres: possédant alors des soldats et des alliés entièrement à lui, il put, sur de pareils fondements, élever l'édifice qu'il voulut; de sorte que, s'il n'acquit qu'avec beaucoup de peine, il en eut peu à garder l'acquis.

Chapitre 7.
Des principautés nouvelles
qu'on acquiert par les armes d'autrui
ou par la fortune

Ceux qui, de simples particuliers, deviennent princes par la seule faveur de la fortune, le deviennent avec peu de peine; mais ils en ont beaucoup à se maintenir. Aucune difficulté ne les arrête dans leur chemin: ils y volent; mais elles se montrent lorsqu'ils sont arrivés.

Tels sont ceux à qui un Etat est concédé, soit moyennant une somme d'argent, soit par le bon plaisir du concédant. C'est ainsi qu'une foule de concessions eurent lieu dans l'Ionie et sur les bords de l'Hellespont, où Darius établit divers princes, afin qu'ils gouvernassent ces Etats pour sa sûreté et pour sa gloire. C'est encore ainsi que furent créés ceux des empereurs qui, du rang de simples citoyens, furent élevés à l'empire par la corruption des soldats. L'existence de tels princes dépend entièrement de deux choses très incertaines, très variables: de la volonté et de la fortune de ceux qui les ont créés. Et ils ne savent ni ne peuvent se maintenir dans leur élévation. Ils ne le savent, parce qu'à moins qu'un homme ne soit doué d'un grand esprit et d'une grande vertu, il est peu probable qu'ayant toujours vécu simple particulier, il sache commander; ils ne le peuvent, parce qu'ils n'ont point de forces qui leur soient attachées et fidèles.

De plus, des Etats subitement formés sont comme toutes les choses qui, dans l'ordre de la nature, naissent et croissent trop promptement: ils ne peuvent avoir des racines assez profondes et des adhérences assez fortes pour que le premier orage ne les renverse point; à moins, comme je viens de le dire, que ceux qui en sont devenus princes n'aient assez d'habileté pour savoir se préparer sur-le-champ à conserver ce que la fortune a mis dans leurs mains, et pour fonder, après l'élévation de leur puissance, les bases qui auraient dû être établies auparavant.

Relativement à ces deux manières de devenir prince, c'est-à-dire par habileté ou par fortune, je veux alléguer deux exemples qui vivent encore dans la mémoire des hommes de nos jours: ce sont ceux de Francesco Sforza et de César Borgia.

Francesco Sforza, par une grande vertu, et par le seul emploi des moyens convenables, devint, de simple particulier, duc de Milan; et ce qui lui avait coûté tant de travaux à acquérir, il eut peu de peine à le conserver.

Au contraire, César Borgia, vulgairement appelé le duc de Valentinois, devenu prince par la fortune de son père[8], perdit sa principauté aussitôt que cette même fortune ne le soutint plus, et cela quoiqu'il n'eût rien négligé de tout ce qu'un homme prudent et vertueux devait faire pour s'enraciner profondément dans les Etats que les armes d'autrui et la fortune lui avaient donnés. Il n'est pas impossible, en effet, comme je l'ai

8. Le pape Alexandre VI.

déjà dit, qu'un homme extrêmement vertueux pose, après l'élévation de son pouvoir, les bases qu'il n'aurait point fondées auparavant; mais un tel travail est toujours très pénible pour l'architecte, et dangereux pour l'édifice.

Au surplus, si l'on examine attentivement la marche du duc, on verra combien il avait fait pour consolider sa grandeur future; et c'est sur quoi il ne paraît pas inutile de m'arrêter un peu: car l'exemple de ses actions présente sans doute les meilleurs leçons qu'on puisse donner à un prince nouveau; et si toutes ses mesures n'eurent en définitive aucun succès pour lui, ce ne fut point par sa faute, mais une contrariété extraordinaire et sans borne de la fortune.

Alexandre VI, voulant agrandir le duc son fils, y trouva pour le présent et pour l'avenir beaucoup de difficultés. D'abord, il voyait qu'il ne pouvait le rendre maître que de quelque Etat qui fût du domaine de l'Eglise; et il savait que le duc de Milan et Venise n'y consentiraient point, d'autant plus que Faenza et Rimini étaient déjà sous la protection des Vénitiens. De plus, le pape voyait toutes les forces de l'Italie, et spécialement celles dont il aurait pu se servir, dans les mains de ceux qui devaient redouter le plus sa puissance; de sorte qu'il ne pouvait compter nullement sur leur fidélité, car elles étaient sous la dépendance des Orsini, des Colonna, et de leurs partisans. Il ne lui restait donc d'autre parti à prendre que celui de tout brouiller et de semer le désordre entre tous les Etats de l'Italie, afin de pouvoir en saisir sûrement quelques-uns à la faveur des troubles. Cela ne lui fut point difficile. Les Vénitiens, en effet, s'étant déterminés, pour d'autres motifs, à rappeler les Français en Italie, non seulement il ne s'opposa point à ce dessein, mais encore il en facilita l'exécution par la dissolution du mariage déjà bien ancien du roi Louis XII avec Jeanne de France. Ce prince vint donc en Italie avec l'aide des Vénitiens et le consentement du pape; et à peine fut-il arrivé à Milan, qu'Alexandre en obtint des troupes pour une expédition en Romagne, que le roi lui consentit dans le but d'alimenter sa propre réputation. Le duc de Valentinois, une fois gagnée cette province et écrasés les Colonna, voulant assurer sa conquête et continuer plus avant, rencontra deux difficultés: l'une venait de ce que les troupes qu'il avait ne lui paraissaient pas bien fidèles; l'autre tenait à la volonté du roi; c'est-à-dire que, d'un côté, il craignait que les troupes des Orsini, dont il s'était servi, ne lui manquassent au besoin, et non seulement ne l'empêchassent de faire de nouvelles acquisitions, mais ne lui fissent même perdre celles qu'il avait déjà faites; de l'autre, il appréhendait que le roi n'en fît tout autant. Quant aux troupes des Orsini, il avait déjà fait quelque épreuve de leurs dispositions, lorsqu'après la prise de Faenza, étant allé attaquer Bologne, il les avait vues très tièdes à l'assaut; et, pour ce qui est du roi, il avait pu lire le fond de sa pensée, quand, après s'être emparé du duché d'Urbin, il avait tourné ses armes contre la Toscane, et que le roi l'avait obligé à se désister de son entreprise.

Dans ces circonstances, le duc forma le dessein de se rendre indépendant des armes et de la volonté d'autrui. Pour cela, il commença par affaiblir dans Rome les partis des Orsini et des Colonna, en gagnant tous ceux de leurs adhérents qui étaient nobles, les faisant ses gentilshommes, leur donnant, selon leur qualité, de riches traitements, des honneurs, des commandements de troupes, des gouvernements de place: aussi arriva-t-il qu'en peu de mois l'affection de tous les partis se tourna vers le duc.

Ensuite, lorsqu'il eut dispersé les partisans de la maison Colonna, il attendit l'occasion de détruire ceux des Orsini; et cette occasion s'étant heureusement présentée pour lui, il sut en profiter plus heureusement encore. En effet, les Orsini ayant reconnu un peu tard que l'agrandissement du duc et de l'Eglise serait la cause de leur ruine, tinrent une sorte de diète dans un endroit du pays de Pérouse, appelé *la Magione*; et de cette assemblée s'ensuivirent la révolte d'Urbin, les troubles de la Romagne, et une infinité de dangers que le duc surmonta avec l'aide des Français. Ayant par là rétabli sa réputation, et ne se fiant plus ni à la France ni à aucune autre force étrangère, il eut recours à la ruse, et il sut si bien dissimuler ses sentiments, que les Orsini se réconcilièrent avec lui par l'entremise du seigneur Pagolo, dont il s'était assuré par toutes les marques d'amitié possibles, en lui donnant des habits, de l'argent, des chevaux. Après cette réconciliation, ils eurent la simplicité d'aller se mettre entre ses mains à Sinigaglia.

Ces chefs une fois détruits, et leurs partisans gagnés par le duc, il avait d'autant mieux fondé sa puissance, que d'ailleurs, maître de la Romagne et du duché d'Urbin, il s'était attaché les habitants en leur faisant goûter un commencement de bien-être. Sur quoi sa conduite pouvant encore servir d'exemple, il n'est pas inutile de la faire connaître.

La Romagne, acquise par le duc, avait eu précédemment pour seigneurs des hommes faibles, qui avaient plutôt dépouillé que gouverné, plutôt divisé que réuni leurs sujets; de sorte que tout ce pays était en proie aux vols, aux brigandages, aux violence de tous les genres. Le duc jugea que, pour y rétablir la paix et l'obéissance envers le prince, il était nécessaire d'y former un bon gouvernement: c'est pourquoi il y commit Messer Ramiro d'Orco, homme cruel et expéditif, auquel il donna les plus amples pouvoirs. Bientôt, en effet, ce gouverneur fit naître l'ordre et la tranquillité; et il acquit par là une grande notoriété. Mais ensuite le duc, pensant qu'une telle autorité n'était plus nécessaire, et que même elle pourrait devenir odieuse, établit au centre de la province un tribunal civil, auquel il donna un très bon président, et où chaque commune avait son avocat. Il fit bien plus: sachant que la rigueur d'abord exercée avait excité quelque haine, et désirant éteindre ce sentiment dans les cœurs, pour qu'ils lui fussent entièrement dévoués, il voulut faire voir que si quelques cruautés avaient été commises, elles étaient venues, non de lui, mais de la méchanceté de son ministre. Dans cette vue, saisissant l'occasion, il le fit exposer un matin sur la place publique de Césène, coupé en quartiers, avec un billot et un coutelas sanglant à côté. Cet horrible spectacle satisfit le ressentiment des habitants, et les frappa en même temps de terreur. Mais revenons.

Après s'être donné des forces telles qu'il les voulait, et avoir détruit en grande partie celles de son voisinage qui pouvaient lui nuire, le duc se trouvant très puissant, se croyait presque entièrement assuré contre les dangers immédiats. Toutefois, pour poursuivre ses conquêtes, il aurait à tenir compte du roi de France; il savait que celui-ci, s'étant tardivement aperçu de son erreur, ne supporterait plus de telles entreprises de la part du duc. Il se mit donc à la recherche d'amitiés nouvelles, tout en atténuant son appui à la cause des Français, au moment où ceux-ci marchaient vers le royaume de Naples pour combattre les Espagnols qui assiégeaient Gaëte. Et il serait bientôt parvenu à s'assurer contre eux, si son père Alexandre avait vécu.

Voilà donc ce que fut sa conduite quant à l'immédiat. Or, pour ce qui est de l'avenir, il devait d'abord s'inquiéter qu'un nouveau pape ne fût mal disposé à son égard, et ne cherchât à lui enlever ce qu'Alexandre VI lui avait donné. C'est à quoi il voulut pourvoir, du vivant de celui-ci, par les quatre moyens suivants: premièrement, en éteignant complètement les races des seigneurs qu'il avait dépouillés, et ne laissant point ainsi au pape les occasions que l'existence de ces races lui aurait fournies; deuxièmement, en gagnant les gentilshommes de Rome, afin de tenir par eux le pontife en respect; troisièmement, en s'attachant, autant qu'il le pouvait, le sacré collège[9]; quatrièmement, en se rendant, avant la mort de son père, assez puissant pour se trouver en état de résister par lui-même à un premier choc. Au moment où Alexandre mourut, trois de ces choses étaient consommées, et il regardait la quatrième comme l'étant à peu près. Il avait effectivement fait périr tous ceux des seigneurs dépouillés qu'il avait pu atteindre; et fort peu lui avaient échappé: il avait gagné les gentilshommes romains; il s'était fait un très grand parti dans le sacré collège; et enfin, quant à l'accroissement de sa puissance, il projetait de se rendre maître de la Toscane; ce

9. Les cardinaux en tant qu'électeurs du prochain pape.

qui lui semblait facile, puisqu'il l'était déjà de Pérouse et de Piombino, et qu'il avait pris Pise sous sa protection. Et, n'étant plus entravé par le roi de France (qui venait d'être dépouillé du royaume de Naples par les Espagnols, ce qui laissait les deux adversaires dans l'obligation de s'acheter l'amitié du duc), il allait sauter sur Pise. Après cela, Lucques et Sienne devaient aussitôt se soumettre, soit par crainte, soit par envie contre les Florentins; et ceux-ci demeureraient alors sans ressources. S'il avait mis tout ce plan à exécution (et il en serait venu à bout dans le courant de l'année où le pape mourut), il se serait trouvé assez de forces et assez de réputation pour se soutenir par lui-même et ne plus dépendre que de sa propre puissance et de sa propre vertu. Mais la mort d'Alexandre survint lorsqu'il n'y avait encore que cinq ans que le duc s'était mis en campagne; à ce moment, ce dernier se trouva n'avoir que le seul État de la Romagne bien établi: dans tous les autres, son pouvoir était encore chancelant; il était placé entre deux armées ennemies, et attaqué d'une maladie qui aurait pu l'emporter.

Cependant, il y avait en lui tant de force animale et de vertu, il savait si bien l'art de gagner les hommes et de les détruire, et les bases qu'il avait données à sa puissance étaient si solides, que s'il n'avait pas eu deux armées sur le dos, ou s'il n'avait pas été malade, il eût surmonté toutes les difficultés. Et ce qui prouve bien la solidité des bases qu'il avait posées, c'est que la Romagne attendit plus d'un mois pour se décider contre lui; c'est que, bien qu'à demi mort, il demeura en sûreté dans Rome, et que les Baglioni, les Vitelli, les Orsini, accourus dans cette ville, ne purent s'y faire un parti contre lui; c'est qu'il put, sinon faire nommer pape qui il voulait, du moins empêcher qu'on nommât qui il ne voulait pas. Si sa santé n'eût point éprouvé d'atteinte au moment de la mort d'Alexandre, tout lui aurait été facile. Aussi me disait-il, lors de la nomination de Jules II[10], qu'il avait pensé à tout ce qui pouvait arriver si son père venait à mourir, et qu'il avait trouvé remède à tout; mais que seulement il n'avait jamais imaginé qu'en ce moment il se trouverait lui-même en danger de mort.

En résumant donc toute la conduite du duc, non seulement je n'y trouve rien à critiquer, mais il me semble qu'on peut la proposer pour modèle à tous ceux qui sont parvenus au pouvoir souverain par la faveur de la fortune et par les armes d'autrui. Doué d'un grand courage et d'une haute ambition, il ne pouvait se conduire autrement; et l'exécution de ses desseins ne put être arrêtée que par la brièveté de la vie de son père Alexandre, et par sa propre maladie.

10. Tout ceci se passe en 1503. Le 18 août, Alexandre VI Borgia meurt à 73 ans des fièvres dont son fils César, 27 ans, est lui-même terrassé. Les Borgia sont d'origine espagnole. Les Italiens n'ont pas goûté (on devine pourquoi) les onze ans du règne d'Alexandre VI. Le sacré collège comprend 21 Italiens, 6 Français, 11 Espagnols. Loin de pouvoir faire élire son propre candidat (ou même sa propre personne), César doit se liguer avec Louis XII, qui cherche l'élection de Georges d'Amboise. L'adversaire est le cardinal italien Julien della Rovere. Sans gagner immédiatement sa propre élection celui-ci obtient un délai par l'élection d'un mourant, Francesco Piccolomini, élu sous le nom de Pie III le 16 septembre. Il meurt le 18 octobre et della Rovere devient Jules II le premier novembre. Aux Espagnols il a promis de respecter les possessions de César Borgia et d'effacer ses dettes des livres du Trésor pontifical (c'est-à-dire, de ne pas lui réclamer le fruit des pillages qu'Alexandre VI lui avait permis d'y faire).

Quiconque, dans une principauté nouvelle, jugera qu'il lui est nécessaire de s'assurer contre ses ennemis, de se faire des amis, de vaincre par force ou par ruse, de se faire aimer et craindre par les peuples, de se faire suivre et respecter par les soldats, de détruire ceux qui peuvent et doivent lui nuire, de remplacer les anciennes institutions par de nouvelles, d'être à la fois sévère et amène, magnanime et libéral, de former une milice nouvelle et dissoudre l'ancienne, de ménager l'amitié des rois et des princes, de telle manière que tous doivent aimer à lui plaire et craindre de lui faire injure: celui-là, dis-je, ne peut trouver des exemples plus récents que ceux que présente la vie politique du duc de Valentinois.

La seule chose qu'on ait à reprendre dans sa conduite, c'est la nomination de Jules II, qui fut un choix funeste pour lui. Puisqu'il ne pouvait pas, comme je l'ai dit, faire élire pape qui il voulait, mais empêcher qu'on élût qui il ne voulait pas, il ne devait jamais consentir qu'on élevât à la papauté quelqu'un des cardinaux qu'il avait offensés, et qui, devenu souverain pontife, aurait eu sujet de le craindre; car le ressentiment et la crainte sont surtout ce qui rend les hommes ennemis.

Ceux que le duc avait offensés étaient, entre autres, les cardinaux de Saint-Pierre-aux-Liens, Colonna, et Saint-Georges, de même qu'Ascanio Sforza; tous les autres avaient lieu de le craindre, excepté le cardinal d'Amboise, et les Espagnols: ceux-ci, à cause de certaines relations et obligations réciproques, et d'Amboise, parce qu'il avait pour lui la France; ce qui lui donnait un grand pouvoir. Le duc devait donc de préférence faire nommer un Espagnol; et s'il ne le pouvait pas, consentir plutôt à l'élection de d'Amboise qu'à celle du cardinal de Saint-Pierre-aux-Liens. C'est une erreur d'imaginer que, chez les grands personnages, les services récents fassent oublier les anciennes injures. Le duc, en consentant à cette élection de Jules II, fit donc une faute qui fut la cause de sa ruine totale.

Chapitre 8.
De ceux qui sont devenus princes par des scélératesses

On peut encore devenir prince de deux manières qui ne tiennent entièrement ni à la fortune ni à la valeur, et que par conséquent il ne faut point passer sous silence; il en est même une dont on pourrait parler plus longuement, s'il s'agissait ici de républiques.

Ces deux manières sont, ou de s'élever au pouvoir souverain par la scélératesse et les forfaits, ou d'y être porté par la faveur de ses concitoyens. Et, en ce qui concerne la première, j'en donnerai deux exemples, l'un antique, l'autre moderne, sans autrement discuter des mérites de ce parti; car je juge suffisant, à qui cela est nécessaire, de suivre ces exemples.

Agathocle, sicilien, parvint non seulement du rang de simple particulier, mais de l'état le plus abject, à être roi de Syracuse. Fils d'un potier, il se montra scélérat à toutes les étapes de sa fortune; mais il joignit à sa scélératesse tant de vertu d'âme et de corps, que s'étant engagé dans la carrière militaire, il s'éleva de grade en grade jusqu'à la dignité de préteur de Syracuse. Parvenu à cette élévation, il voulut être prince, et même posséder par violence, et sans en avoir obligation à personne, le pouvoir souverain qu'il tenait alors par consentement. Dans cet objet, s'étant concerté avec Amilcar, général carthaginois qui commandait une armée en Sicile[11], il convoqua un matin le peuple et le sénat de Syracuse, comme pour délibérer sur des affaires qui concernaient la république; et, à un signal donné, il fit massacrer par ses soldats tous les sénateurs et les citoyens les plus riches, après quoi il s'empara de la principauté, qu'il conserva sans aucune contestation. Dans la suite, battu deux fois par les Carthaginois, et enfin assiégé par eux dans Syracuse, non seulement il put la défendre, mais encore, laissant une partie de ses troupes pour soutenir le siège, il alla avec l'autre porter la guerre en Afrique; de sorte qu'en peu de temps il sut forcer les Carthaginois à lever le siège, et les réduire aux dernières extrémités: aussi furent-ils contraints à faire la paix avec lui, à lui abandonner la possession de la Sicile, et à se contenter pour eux de celle de l'Afrique.

Quiconque réfléchira sur la vertu et les actions d'Agathocle, n'y trouvera rien, ou peu s'en faut, qu'on puisse attribuer à la fortune. En effet, comme je viens de le dire, il s'éleva au pouvoir suprême, non par la faveur, mais en passant par tous les grades militaires, qu'il gagna successivement à force de travaux et de dangers; et quand il eut atteint ce pouvoir, il sut s'y maintenir par les résolutions les plus hardies et les plus périlleuses. On ne peut pas non plus nommer vertu le fait de massacrer ses concitoyens, de trahir ses amis, d'être sans parole, sans pitié et sans religion; ce sont des moyens d'atteindre le pouvoir, mais non la gloire.

11. Syracuse est en Sicile, Carthage en Afrique du nord (près de Tunis).

Donc, si l'on considère la vertu avec laquelle Agathocle savait risquer les périls et y échapper, la force de caractère avec laquelle il supportait et triomphait des adversités, on ne voit pas pourquoi il serait jugé inférieur aux plus grands capitaines. Néanmoins, son inhumanité, sa cruauté sauvage, sa scélératesse sans bornes, empêchent de le mettre parmi les grands hommes. Il s'agit donc de n'attribuer ni à la fortune ni à la vertu ce qui fut par lui atteint sans l'une et sans l'autre.

De notre temps, et pendant le règne d'Alexandre VI, Oliverotto da Fermo, demeuré plusieurs années auparavant orphelin en bas âge, fut élevé par un oncle maternel nommé Jean Fogliani, et appliqué, dès sa première jeunesse, au métier des armes, sous la discipline de Paolo Vitelli, afin que, formé à une aussi bonne école, il pût parvenir à un haut rang militaire. Après la mort de Paolo, il continua de servir sous Vitelozzo, frère de son premier maître. Bientôt, par son talent, sa force corporelle et son courage intrépide, il devint un des officiers les plus distingués de l'armée. Mais, comme il lui semblait qu'il y avait de la servilité à être sous les ordres et à la solde d'autrui, il forma le projet de se rendre maître de Fermo, tant avec l'aide de quelques citoyens qui préféraient l'esclavage à la liberté de leur patrie, qu'avec l'appui de Vitelozzo. Dans ce dessein, il écrivit à Jean Fogliani que, éloigné depuis bien des années de lui et de sa patrie, il voulait aller les revoir, et en même temps reconnaître un peu son patrimoine; que d'ailleurs tous ses travaux n'ayant eu pour objet que l'honneur, et désirant que ses concitoyens pussent voir qu'il n'avait pas employé le temps inutilement, il se proposait d'aller se montrer à eux avec une certaine pompe, et accompagné de cent hommes de ses amis et de ses domestiques, à cheval; qu'en conséquence, il le priait de vouloir bien faire en sorte que les habitants de Fermo lui fissent une réception honorable, d'autant que cela tournerait non-seulement à sa propre gloire, mais encore à celle de lui, son oncle, dont il était l'élève. Jean Fogliani ne manqua point de faire tout ce qu'il put pour obliger son neveu: il le fit recevoir honorablement par les habitants; il le logea dans sa maison, où, après quelques jours employés à faire les préparatifs nécessaires pour l'accomplissement de ses forfaits, Oliverotto donna un magnifique festin, auquel il invita et Jean Fogliani et les citoyens les plus distingués de Fermo. Après tous les services et les divertissements qui ont lieu dans de pareilles fêtes, il mit adroitement la conversation sur des sujets sérieux, parlant de la grandeur du pape Alexandre, de César, son fils, ainsi que de leurs entreprises. Jean Fogliani et les autres ayant manifesté leur opinion sur ce sujet, il se leva tout à coup, en disant que c'était là des objets à traiter dans un lieu plus retiré; et il passa dans une autre chambre, où les convives le suivirent. Mais à peine furent-ils assis, que des soldats, sortant de diverses cachettes, les tuèrent tous, ainsi que Jean Fogliani. Aussitôt après ce meurtre, Oliverotto monta à cheval, parcourut le pays, et alla assiéger le magistrat suprême dans son palais; en sorte que le peur contraignit tout le monde à lui obéir et à former un gouvernement dont il se fit le prince. Du reste, tous ceux qui par mécontentement auraient pu lui nuire ayant été mis à mort, il consolida tellement son pouvoir par de nouvelles institutions civiles et militaires, que, dans le cours de l'année durant laquelle

Léonard de Vinci: Grotesques (encre, Collection royale, Windsor).

il le conserva, non seulement il vécut en sûreté chez lui, mais encore il se fit craindre de ses voisins; et il n'eût pas été moins difficile à vaincre qu'Agathocle, s'il ne se fût pas laissé tromper par César Borgia, et attirer à Sinigaglia, où, un an après le parricide qu'il avait commis, il fut pris avec les Orsini et les Vitelli, comme je l'ai dit ci-dessus, et étranglé, avec Vitelozzo, qui lui avait servi de maître pour les vertus et pour les scélératesses.

Quelqu'un pourra demander pourquoi Agathocle, ou quelque autre tyran semblable, put, malgré une infinité de trahisons et de cruautés, vivre longtemps en sûreté dans sa patrie, se défendre contre ses ennemis extérieurs, et n'avoir à combattre aucune conjuration formée par ses concitoyens; tandis que plusieurs autres, pour avoir été cruels, n'ont pu se maintenir ni en temps de guerre ni en temps de paix. Je crois que la raison de cela est dans l'emploi bon ou mauvais des cruautés. Les cruautés sont bien employées (s'il est permis de dire du bien d'une chose mal), lorsqu'on les commet toutes à la fois, par le besoin de pourvoir à sa sûreté, lorsqu'on n'y persiste pas, et qu'on les fait tourner, autant qu'il est possible, à l'avantage des sujets. Elles sont mal employées, au contraire, lorsque, peu nombreuses au départ, elles se multiplient avec le temps au lieu de cesser.

Ceux qui en usent bien, peuvent, comme Agathocle, avec l'aide de Dieu et des hommes, remédier aux conséquences; mais pour ceux qui en usent mal, il leur est impossible de se maintenir.

Sur cela, il est à observer que celui qui usurpe un Etat doit déterminer et exécuter tout d'un coup toutes les cruautés qu'il doit commettre, pour qu'il n'ait pas à y revenir tous les jours, et qu'il puisse, en évitant de les renouveler, rassurer les esprits et les gagner par des bienfaits. Celui qui, par timidité, ou par de mauvais conseils, se conduit autrement, est forcé de garder toujours la glaive en main, et il ne peut jamais compter sur ses sujets, tenus sans cesse dans l'inquiétude par des atteintes continuelles et récentes. Les cruautés doivent être commises toutes à la fois, pour que leur amertume se faisant moins sentir, elles irrient moins; les bienfaits, au contraire, doivent se succéder lentement, pour qu'ils soient savourés davantage.

Et, en toutes choses, un prince doit ainsi vivre avec ses sujets qu'il n'ait à changer en aucune circonstance, favorable ou défavorable: car, le besoin d'un changement venant à s'imposer dans un moment adverse, il n'est plus temps de faire le mal, et le bien que vous faites ne vous rapporte rien, parce qu'on le juge le fruit de la nécessité et qu'on ne vous en sait aucun gré.

Chapitre 9.
De la principauté civile

Parlons maintenant du particulier devenu prince de sa patrie, non par la scélératesse ou par quelque violence atroce, mais par la faveur de ses concitoyens: c'est ce qu'on peut appeler principauté civile, à laquelle on parvient, non par la seule habileté, non par la seule vertu, mais plutôt par une adresse heureuse.

A cet égard, je dis qu'on est élevé à cette sorte de principauté, ou par la faveur du peuple, ou par celle des grands. Dans tous les pays, en effet, on trouve deux dispositions d'esprit opposées: d'une part, le peuple ne veut être ni commandé ni opprimé par les grands; de l'autre, les grands désirent commander et opprimer le peuple: et ces dispositions contraires produisent un de ces trois effets, ou la principauté, ou la liberté, ou la licence.

La principauté peut être également l'ouvrage soit des grands, soit du peuple, selon celui des deux partis qui en a l'occasion. Quand les grands voient qu'ils ne peuvent résister au peuple, ils recourent au crédit, à l'ascendant de l'un d'entre eux, et ils le font prince, pour pouvoir, à l'ombre de son autorité, satisfaire leurs appétits; et pareillement, quand le peuple ne peut résister aux grands, il porte toute sa confiance vers un particulier, et il le fait prince, pour être défendu par sa puissance.

Le prince élevé par les grands a plus de peine à se maintenir que celui qui a dû son élévation au peuple. Le premier, effectivement, se trouve entouré d'hommes qui se croient ses égaux, et qu'en conséquence il ne peut ni commander ni manier à son gré; le second, au contraire, se trouve seul à son rang, et il n'a personne autour de lui, ou presque personne, qui ne soit disposé à lui obéir. De plus, il n'est guère possible de satisfaire les grands sans quelque injustice, sans quelque injure pour les autres; mais il n'en est pas de même du peuple, dont le but est plus équitable que celui des grands. Ceux-ci veulent opprimer, et le peuple veut seulement n'être point opprimé. Il est vrai que si le peuple devient ennemi, le prince ne peut s'en assurer, parce qu'il s'agit d'une trop grande multitude; tandis qu'au contraire la chose lui est très aisée à l'égard des grands, qui sont toujours en petit nombre. Mais, au pis aller, tout ce qu'il peut appréhender de la part du peuple, c'est d'en être abandonné, tandis que des grands il doit craindre non seulement d'être abandonné mais qu'ils ne se tournent contre lui: plus prévoyants et plus habiles que le peuple, les grands voient toujours à tirer leur épingle du jeu, et n'hésiteront pas à chercher la faveur de ceux en qui ils voient les vainqueurs de demain. D'autre part, le peuple avec lequel le prince doit vivre est toujours le même et il ne peut le changer; mais quant aux grands le changement est facile; il peut chaque jour en faire, en défaire; il peut, à son gré, ou accroître ou faire tomber leur crédit: sur quoi il peut être utile de donner ici quelques éclaircissements.

Je dis donc que, par rapport aux grands, il y a une première et principale distinction à faire entre ceux dont la conduite fait voir qu'ils attachent entièrement leur fortune à celle du prince, et ceux qui agissent différemment.

Les premiers doivent être honorés et chéris, pourvu qu'ils ne soient point enclins à la rapine: quant aux autres, il faut distinguer encore. S'il en est qui agissent ainsi par faiblesse et manque naturel de courage, on peut les employer, surtout si par ailleurs ils sont hommes de bon conseil, parce que le prince s'en fait honneur dans les temps prospères, et n'a rien à en craindre dans l'adversité. Mais pour ceux qui savent bien ce qu'ils font, et qui sont déterminés par des vues ambitieuses, il est visible qu'ils pensent à eux plutôt qu'au prince. Il doit donc s'en défier, et les regarder comme s'ils étaient ennemis déclarés; car, en cas d'adversité, ils travaillent infailliblement à sa ruine.

Pour conclure, voici la conséquence de tout ce qui vient d'être dit. Celui qui devient prince par la faveur du peuple, doit travailler à conserver son amitié, ce qui est facile, puisque le peuple ne demande rien de plus que de n'être point opprimé. Quant à celui qui le devient par la faveur des grands, contre la volonté du peuple, il doit, avant toutes choses, chercher à se l'attacher, et cela est facile encore, puisqu'il lui suffit de le prendre sous sa protection. Alors même le peuple lui deviendra plus soumis et plus dévoué que s'il avait lui-même donné la principauté au prince; car, lorsque les hommes reçoivent quelque bien de la part de celui dont ils n'attendaient que du mal, ils en sont beaucoup plus reconnaissants. Du reste, le prince a plusieurs moyens de gagner l'affection du peuple; mais, comme ces moyens varient suivant les circonstances, je ne m'y arrêterai point ici: je répéterai seulement qu'il est d'une absolue nécessité qu'un prince possède l'amitié de son peuple, et que, s'il ne l'a pas, toute ressource lui manque dans l'adversité.

Nabis, prince de Sparte, étant assiégé par toute la Grèce, et par une armée romaine qui avait déjà remporté plusieurs victoires, pour résister et défendre sa patrie et son pouvoir contre de telles forces, n'eut à s'assurer, dans un si grand danger, que d'un bien petit nombre de personnes; ce qui, sans doute, eût été loin de lui suffire, s'il avait eu contre lui l'inimitié du peuple.

Qu'on ne m'objecte point le commun proverbe: *Qui se fonde sur le peuple se fonde sur la boue.* Cela est vrai pour un particulier qui compterait sur une telle base, et qui se persuaderait que, s'il était opprimé par ses ennemis ou par les magistrats, le peuple embrasserait sa défense: son espoir serait souvent déçu, comme le fut celui des Gracques à Rome, et de Messer Giorgio Scali à Florence. Mais, s'il s'agit d'un prince qui ait le droit de commander, qui soit homme de cœur, qui ne se décourage point dans l'adversité, qui n'omette pas non plus les autres précautions, et qui sache par sa propre détermination et par ses ordres tenir son peuple déterminé, ce prince ne sera jamais trompé par son peuple et trouvera en lui un fondement assuré.

Les princes dont il est question ne sont véritablement en danger que lorsque d'un pouvoir civil ils veulent faire un pouvoir absolu, soit qu'ils l'exercent par eux-mêmes, soit qu'ils l'exercent par l'organe des magistrats. Mais, dans ce dernier cas, ils se trouvent plus faibles et en plus grand péril, parce qu'ils dépendent de la volonté des citoyens à qui les magistratures sont confiées, et qui, surtout dans les temps d'adversité, peuvent très aisément détruire l'autorité du prince, soit en agissant contre lui, soit simplement en ne lui obéissant point. En vain ce prince voudrait-il alors reprendre pour lui seul l'exercice de son pouvoir, il serait trop tard, parce que les citoyens et les sujets, accoutumés à recevoir les ordres de la bouche des magistrats, ne seraient pas disposés, dans des moments critiques, à obéir à ceux du prince. Aussi, dans ces temps incertains, aura-t-il toujours beaucoup de peine à trouver des amis auxquels il puisse se confier.

Un tel prince, en effet, ne doit point se régler sur ce qui se passe dans les temps où règne la tranquillité, et que les citoyens ont besoin de son autorité: alors tout le monde s'empresse, tout le monde se précipite, et jure de mourir pour lui, tant que la mort ne se fait voir que dans l'éloignement; mais dans le moment de l'adversité, et lorsqu'il a besoin de tous les citoyens, il n'en trouve que bien peu qui soient disposés à le défendre: c'est ce que lui montrerait l'expérience; mais cette expérience est d'autant plus dangereuse à tenter, qu'elle ne peut être faite qu'une fois. Le prince doit donc, s'il est doué de quelque sagesse, imaginer et établir un système de gouvernement tel, qu'en quelque temps que ce soit, et malgré toutes les circonstances, les citoyens aient besoin de lui: alors il sera toujours certain de les trouver fidèles.

Chapitre 10.
Comment, dans toute espèce de principauté, on doit mesurer ses forces

En parlant des diverses sortes de principautés, il y a encore une autre chose à considérer: c'est de savoir si le prince a un Etat assez puissant pour pouvoir, au besoin, se défendre par lui-même, ou s'il se trouve toujours dans la nécessité d'être défendu par un autre.

Pour rendre ma pensée plus claire, je regarde comme étant capables de se défendre par eux-mêmes les princes qui ont assez d'hommes et assez d'argent à leur disposition pour former une armée complète et livrer bataille à quiconque viendrait les attaquer; et au contraire je regarde comme ayant toujours besoin du secours d'autrui ceux qui n'ont point les moyens de se mettre en campagne contre l'ennemi, et qui sont obligés de se réfugier dans l'enceinte de leurs murailles et de s'y défendre.

J'ai déjà parlé des premiers, et dans la suite je dirai encore quelques mots de ce qui doit leur arriver.

Quant aux autres, tout ce que je puis avoir à leur dire, c'est de les exhorter à bien munir, à bien fortifier la ville où est établi le siège de leur puissance, et à ne faire aucun compte du reste du pays. Toutes les fois

que le prince aura pourvu d'une manière vigoureuse à
la défense de sa capitale, et aura su gagner, par les
autres actes de son gouvernement, l'affection de ses
sujets, ainsi que je l'ai dit et que je le dirai encore, on
ne l'attaquera qu'avec une grande circonspection: car
les hommes, en général, n'aiment point les entreprises
qui présentent de grandes difficultés; et il y en a sans
doute beaucoup à attaquer un prince dont la ville est
dans un état de défense respectable, et qui n'est point
haï de ses sujets.

Les villes d'Allemagne jouissent d'une liberté très
étendue, quoiqu'elles ne possèdent qu'un territoire très
borné; cependant elles n'obéissent à l'empereur qu'autant qu'il leur plaît, et ne craignent ni sa puissance ni
celle d'aucun des autres Etats qui les entourent: c'est
qu'elles sont fortifiées de manière que le siège qu'il
faudrait en entreprendre serait une opération difficile
et dangereuse; c'est qu'elles sont toutes entourées de
fossés et de bonnes murailles, et qu'elles ont une
artillerie suffisante; c'est qu'elles renferment toujours,
dans les magasins publics, des provisions d'aliments,
de boissons, de combustibles, pour une année; elles
ont même encore, pour faire subsister les gens du
menu peuple, sans qu'il en coûte au trésor public, des
matériaux suffisants pour leur fournir du travail pendant toute une année dans le genre d'industrie et de
métier dont ils s'occupent ordinairement, et qui fait la
richesse et la vie du pays; de plus, elles maintiennent
les exercices militaires en honneur, et elles ont sur cet
article un grand nombre de règlements.

Ainsi donc, un prince dont la ville est bien fortifiée,
et qui ne se fait point haïr de ses sujets, ne doit pas
craindre d'être attaqué; et s'il l'était jamais, l'assail-

lant s'en retournerait avec honte: car les choses de ce monde sont variables, et il n'est guère possible qu'un ennemi demeure campé toute une année avec ses troupes autour d'une place.

Si l'on m'objectait que les habitants qui ont leurs propriétés au dehors ne les verraient point livrer aux flammes d'un œil tranquille; que l'ennui du siège et leur intérêt personnel ne les laisseraient pas beaucoup songer au prince, je répondrais qu'un prince puissant et courageux saura toujours surmonter ces difficultés, soit en faisant espérer à ses sujets que le mal ne sera pas de longue durée, soit en leur faisant craindre la cruauté de l'ennemi, soit en s'assurant habilement de ceux qu'il jugerait trop hardis.

D'ailleurs, si l'ennemi brûle et ravage le pays, ce doit être naturellement au moment de son arrivée, c'est-à-dire dans le temps où les esprits sont encore tout échauffés et disposés à la défense: le prince doit donc s'alarmer d'autant moins dans cette circonstance, que, lorsque ces mêmes esprits auront commencé à se refroidir, il se trouvera que le dommage a déjà été fait et souffert, qu'il n'y a plus de remède, et que les habitants n'en deviendront que plus attachés à leur prince, par la pensée qu'il leur est redevable de ce que leurs maisons ont été incendiées et leurs campagnes ravagées pour sa défense. Telle est, en effet, la nature des hommes, qu'ils s'attachent autant par les services qu'ils rendent, que par ceux qu'ils reçoivent. Aussi, tout bien considéré, on voit qu'il ne doit pas être difficile à un prince prudent, assiégé dans sa ville, d'inspirer de la fermeté aux habitants, et de les maintenir dans cette disposition tant que les moyens de se nourrir et de se défendre ne leur manqueront pas.

Chapitre 11.
Des principautés ecclésiastiques

Il reste seulement à discuter des principautés ecclésiastiques, au sujet desquelles toutes les difficultés surgissent avant qu'on en prenne possession: car elles s'acquièrent ou par vertu ou par fortune mais se conservent sans l'une et sans l'autre, étant soutenues par les institutions antiques de la religion dont le pouvoir et la qualité se sont révélés si grands qu'ils conservent au prince son Etat quelle que soit sa façon de gouverner ou de vivre.

Ces princes seuls ont des Etats qu'ils ne défendent point, des sujets qu'ils ne gouvernent point. Pour n'être pas défendus leurs Etats ne leur sont pas enlevés; pour n'être pas gouvernés leurs sujets n'en sont pas plus inquiets, ni ne pensent à se libérer de leurs princes. Seules ces principautés, donc, sont sûres et heureuses. Mais, comme cela tient à des causes supérieures auxquelles l'esprit humain ne peut s'élever, je n'en parlerai point. C'est Dieu qui les élève et les maintient, et l'homme qui entreprendrait d'en discourir serait coupable de présomption et de témérité.

On pourrait quand même se demander comment l'Eglise a gagné tant de puissance temporelle[12], comment il se fait qu'elle, dont jusqu'à Alexandre VI on faisait quant au temporel si bon compte en Italie, parmi les puissants, et même parmi ceux qu'on ne peut appeler puissants, communs barons et moindres seigneurs, se mérite maintenant la crainte d'un roi de France, qu'elle a pu le chasser d'Italie, et ruiner les Vénitiens: bien que la chose soit connue, il ne paraît pas superflu de la rappeler ici en bonne partie.

Avant que le roi de France Charles VIII vînt en Italie, cette contrée se trouvait soumise à la domination du pape, des Vénitiens, du roi de Naples, du duc de Milan, et des Florentins. Chacune de ces puissances avait à s'occuper de deux soins principaux: l'un était de mettre obstacle à ce que quelque étranger portât ses armes dans l'Italie; l'autre d'empêcher qu'aucune d'entre elles agrandît ses Etats. Quant à ce second point, c'était surtout au pape et aux Vénitiens qu'on devait faire attention. Pour contenir ces derniers, il fallait que toutes les autres puissances demeurassent unies, comme il arriva lors de la défense de Ferrare; et, pour contenir le pape, on se servait des barons de Rome, qui, divisés en deux factions, savoir, celle des Orsini et celle des Colonna, excitaient continuellement des tumultes, avaient toujours les armes en main, sous

12. En tant qu'Etat. Outre son pouvoir spirituel, l'Eglise revendique un pouvoir temporel: les Etats pontificaux, qui se réduisent aujourd'hui à la Cité vaticane. La justification du pouvoir temporel était de fournir des moyens matériels au pouvoir spirituel; depuis la Réforme il est clair que l'essentiel du pouvoir temporel ne réside pas dans les Etats pontificaux mais dans un statut politique spécial, moins nettement défini, à l'intérieur des pays chrétiens.

les yeux même du pontife, et entretenaient la faiblesse et l'infirmité de son pouvoir. Il y eut bien de temps en temps quelques papes résolus et courageux, tel que Sixte IV; mais ils ne furent jamais ni assez habiles ni assez heureux pour se délivrer de cet embarras. D'ailleurs, ils trouvaient un nouvel obstacle dans la brièveté de leur règne: car, dans un intervalle de dix ans, qui est le terme moyen de la durée des règnes des papes, il était à peine possible d'abattre entièrement l'une des factions qui divisaient Rome; et si, par exemple, un pape avait abattu les Colonna, il survenait un autre pape qui les faisait revivre, parce qu'il était ennemi des Orsini, mais qui, à son tour, n'avait pas le temps nécessaire pour détruire ces derniers. Voilà pourquoi l'Italie respectait si peu les forces temporelles du pape.

Vint enfin Alexandre VI, qui, de tous les souverains pontifes qui aient jamais été, est celui qui a le mieux fait voir tout ce dont un pape pouvait profiter en fait de deniers et de troupes. Profitant de l'invasion des Français, et se servant d'un instrument tel que le duc de Valentinois, il fit tout ce que j'ai raconté ci-dessus en parlant des actions de ce dernier. Il n'avait point sans doute en vue l'agrandissement de l'Eglise, mais bien celui du duc: cependant ses entreprises tournèrent au profit de l'Eglise, qui, après sa mort et la ruine du duc, hérita du fruit de leurs fatigues.

Bientôt après régna Jules II, qui, trouvant que l'Eglise était puissante et maîtresse de toute la Romagne; que les barons avaient été détruits, et leurs factions anéanties par les rigueurs d'Alexandre; que d'ailleurs des moyens d'accumuler des richesses jusqu'alors inconnus avaient été introduits, non seulement voulut suivre ces traces, mais encore aller plus loin, et se proposa d'acquérir Bologne, d'abattre les Vénitiens, et de chasser les Français de l'Italie; entreprises dans lesquelles il réussit avec d'autant plus de gloire qu'il s'y était livré non pour son intérêt personnel mais pour celui de l'Eglise.

Du reste, il sut contenir les partis des Colonna et des Orsini dans les bornes où Alexandre était parvenu à les réduire; et, bien qu'il restât encore entre eux quelques ferments de discorde, néanmoins ils durent demeurer tranquilles, d'abord parce que la grandeur de l'Eglise leur imposait; et, en second lieu, parce qu'ils n'avaient point de cardinaux parmi eux. C'est aux cardinaux, en effet, qu'il faut attribuer les tumultes; et les partis ne seront jamais tranquilles tant que des cardinaux y seront engagés: ce sont eux qui fomentent les factions, soit dans Rome, soit au dehors, et qui forcent les barons à les soutenir; de sorte que les dissensions et les troubles qui éclatent entre ces derniers sont l'ouvrage de l'ambition des prélats.

Ainsi, c'est au pontificat le plus puissant qu'a accédé Sa Sainteté le pape Léon X[13]: dont on a confiance que, si ses prédécesseurs ont agrandi la papauté par les armes, il la fera bien plus grande et vénérable encore par sa bonté et sa très haute vertu.

13. Médicis.

Chapitre 12.
Combien il y a de sortes de milices et de troupes mercenaires

J'ai parlé des qualités propres aux diverses sortes de principautés sur lesquelles je m'étais proposé de discourir; j'ai examiné quelques-unes des causes de leur mal ou de leur bien-être; j'ai montré les moyens dont plusieurs se sont servis, soit pour les acquérir, soit pour les conserver: il me reste maintenant à les considérer sous le rapport de l'attaque et de la défense.

J'ai dit ci-dessus, combien il est nécessaire à un prince que son pouvoir soit établi sur de bonnes bases, sans lesquelles il ne peut manquer de s'écrouler. Or, pour tout Etat, soit ancien, soit nouveau, soit mixte, les principales bases sont de bonnes lois et de bonnes armes. Mais, comme là où il n'y a point de bonnes armes, il ne peut y avoir de bonnes lois, et qu'au contraire il y a de bonnes lois là où il y a de bonnes armes, ce n'est que des armes que j'ai ici dessein de parler.

Je dis donc que les armes qu'un prince peut employer pour la défense de son Etat lui sont propres, ou sont mercenaires, auxiliaires[14], ou mixtes, et que les

14. Fournies par un autre prince.

Savonarole prêchant (gravure de 1496).

Mercenaires, *le Prince* XII (Doré: l'armée des cuisiniers).

mercenaires et les auxiliaires sont non seulement inutiles, mais même dangereuses.

Le prince dont le pouvoir n'a pour appui que des troupes mercenaires, ne sera jamais ni assuré ni tranquille; car de telles troupes sont désunies, ambitieuses, sans discipline, infidèles, hardies envers les amis, lâches contre les ennemis; envers Dieu elles sont sans crainte, envers les hommes elles sont sans foi. Avec elles la défaite ne tarde que tant que tarde l'affrontement; avec elles on est dépouillé par ses troupes durant la paix, par l'ennemi durant la guerre.

La raison en est, que de pareils soldats servent sans aucune affection, et ne sont engagés à porter les armes que par une légère solde; motif sans doute incapable de les déterminer à mourir pour celui qui les emploie. Ils veulent bien être soldats tant qu'on ne fait point la guerre; mais sitôt qu'elle arrive ils ne savent que s'enfuir ou déserter.

C'est ce que je devrais avoir peu de peine à rendre évident. Il est visible, en effet, que la ruine actuelle de l'Italie vient de ce que, durant un long cours d'années, on s'y est reposé sur des troupes mercenaires, que quelques-uns avaient d'abord employées avec certain succès, et qui avaient paru valeureuses tant qu'elles n'avaient eu à faire que les unes avec les autres; mais qui, aussitôt qu'un étranger survint, se montrèrent telles qu'elles étaient effectivement. De là s'est ensuivi que le roi de France Charles VIII a eu la facilité de s'emparer de l'Italie la craie à la main[15]; et celui[16] qui

15. Mot d'Alexandre VI: la craie à la main, simplement, pour marquer à chaque jour les logements réquisitionnés pour coucher ses troupes le soir. On dirait aujourd'hui: «entreprise moins militaire que touristique».

16. Savonarole.

disait que nos péchés en avaient été cause avait raison:
mais ces péchés étaient ceux que je viens d'exposer, et
non ceux qu'il pensait. Ces péchés, au surplus, avaient
été commis par les princes; et ce sont eux aussi qui en
ont subi la peine.

Je veux cependant démontrer de plus en plus le
malheur attaché à cette sorte d'armes. Les capitaines
mercenaires sont ou ne sont pas de bons guerriers: s'ils
le sont, on ne peut s'y fier, car ils ne tendent qu'à leur
propre grandeur, en opprimant, soit le prince même
qui les emploie, soit d'autres contre sa volonté; s'ils ne
le sont pas, celui qu'ils servent est bientôt ruiné.

Si l'on dit que telle sera pareillement la conduite de
tout autre chef, mercenaire ou non, je répliquerai que
la guerre est faite ou par un prince ou par une
république; que le prince doit aller en personne faire
les fonctions de commandant; et que la république doit
y envoyer ses propres citoyens: que si d'abord celui
qu'elle a choisi ne se montre point habile, elle doit le
changer; et que s'il a de l'habileté elle doit le contenir
par les lois, de telle manière qu'il n'outrepasse point
les bornes de son mandat.

L'expérience a prouvé que les princes et les républiques qui font la guerre par leurs propres forces
obtenaient seuls de grands succès, et que les troupes
mercenaires ne causaient jamais que du dommage. Elle
prouve aussi qu'une république qui emploie ses propres armes court bien moins risque d'être subjuguée
par un de ses citoyens, que celle qui se sert d'armes
étrangères.

Pendant une longue suite de siècles Rome et Sparte
vécurent libres et armées; la Suisse, dont tous les
habitants sont soldats, vit parfaitement libre.

Quant aux troupes mercenaires, on peut citer, dans l'antiquité, l'exemple des Carthaginois, qui, après leur première guerre contre Rome, furent sur le point d'être opprimés par celles qu'ils avaient à leur service, quoique commandées par des citoyens de Carthage.

On peut remarquer encore qu'après la mort d'Epaminondas, les Thébains confièrent le commandement de leurs troupes à Philippe de Macédoine, et que ce prince se servit de la victoire pour leur ravir leur liberté.

Dans les temps modernes, les Milanais, à la mort de leur duc Philippe Visconti, se trouvaient en guerre contre les Vénitiens; ils prirent à leur solde Francesco Sforza: celui-ci ayant vaincu les ennemis à Carravaggio, s'unit avec eux pour opprimer ces mêmes Milanais qui le tenaient à leur solde.

Le père de ce même Sforza, étant au service de la reine Jeanne de Naples, l'avait laissée tout à coup sans troupes; de sorte que, pour ne pas perdre son royaume, cette princesse avait été obligée de se jeter dans le giron du roi d'Aragon [17].

Si les Vénitiens et les Florentins, en employant de telles troupes, accrurent néanmoins leurs Etats, et si les commandants, au lieu de les subjuguer les défendirent, je réponds, pour ce qui regarde les Florentins, qu'ils en furent redevables à leur bonne fortune, qui fit que, de tous les généraux vertueux qu'ils avaient et qu'ils pouvaient craindre, les uns ne furent point victorieux; d'autres rencontrèrent des obstacles; d'autres encore

17. «Giron» est le mot de Machiavel; souvent on traduit par «les bras», ce qui ne lève pas l'ambiguïté. L'alliance de Jeanne II d'Anjou, reine de Naples, avec Alphonse V, roi d'Aragon, en 1420, resta strictement au plan politique. Elle fut d'ailleurs éphémère.

tournèrent ailleurs leur ambition.

L'un des premiers fut John Hawkwood, dont la fidélité, par cela même qu'il n'avait pas vaincu, ne fut point mise à l'épreuve; mais on doit avouer que, s'il avait remporté la victoire, le sort des Florentins serait resté entre ses mains.

Sforza fut contrarié par la rivalité des Braccio; rivalité qui faisait qu'ils se contenaient les uns les autres.

Enfin Francesco Sforza et Braccio tournèrent leurs vues ambitieuses, l'un sur la Lombardie, l'autre sur l'Eglise et sur le royaume de Naples.

Mais voyons ce qui est arrivé récemment.

Les Florentins avaient pris pour leur général Paolo Vitelli, homme rempli de capacité, et qui, de l'état de simple particulier, s'était élevé à une très haute réputation. Or, si ce général avait réussi à se rendre maître de Pise, on est forcé d'avouer qu'ils se seraient trouvés sous sa dépendance; car s'il passait à la solde de leurs ennemis, il ne leur restait plus de ressource; et s'ils continuaient de le garder à leur service, ils étaient contraints de se soumettre à ses volontés.

Quant aux Vénitiens, si l'on considère attentivement leurs progrès, on verra qu'ils agirent heureusement et glorieusement tant qu'ils firent la guerre par eux-mêmes, c'est-à-dire, avant qu'ils eussent tourné leurs entreprises vers la terre ferme[18]. Dans ces premiers temps, c'était les gentilshommes et les citoyens armés qui combattaient; mais, aussitôt qu'ils eurent commencé à porter leurs armes sur la terre ferme, ils

18. Venise fut d'abord une puissance maritime, contrôlant le commerce avec l'Orient.

dégénérèrent de cette ancienne vertu, et ils suivirent les usages de l'Italie. D'abord, au début de leur agrandissement, leur domaine étant peu étendu, et leur réputation très grande, ils eurent peu à craindre de leurs commandants; mais, à mesure que leur Etat s'accrut, ils éprouvèrent bientôt l'effet de l'erreur commune; ce fut sous Carmignuola. Ayant connu sa grande valeur par les victoires remportées sous son commandement, sur le duc de Milan; mais voyant, d'un autre côté, qu'il ne faisait plus que très tièdement la guerre, ils jugèrent qu'ils ne pourraient plus vaincre tant qu'il vivrait; car ils ne voulaient ni ne pouvaient le licencier, de peur de perdre ce qu'ils avaient conquis; et en conséquence ils furent obligés, pour leur sûreté, de le faire périr.

Dans la suite, ils eurent pour commandants Bartolommeo de Bergame, Roberto da San Severino, le comte de Pittigliano, et autres capitaines semblables, tous hommes dont il fallait craindre moins la victoire que la défaite, comme celle d'Agnadel qui, dans une seule journée, fit perdre aux Vénitiens le fruit de huit cents ans de travaux; car, avec la sorte de troupes dont il s'agit, les progrès sont lents, tardifs et faibles, les pertes sont subites et prodigieuses.

Mais, puisque j'en suis venu à citer des exemples pris dans l'Italie, où le système des troupes mercenaires a prévalu depuis bien des années, je veux reprendre les choses de plus haut, afin qu'instruit de l'origine et des progrès de ce système, on puisse mieux en faire la réforme.

Il faut donc savoir que lorsque, dans les derniers temps, l'Empire[19] eut commencé à être repoussé de

19. Le Saint Empire germanique.

l'Italie, et que le pape eut acquis plus de crédit quant au temporel, elle se divisa en un grand nombre d'Etats. Plusieurs grandes villes, en effet, prirent les armes contre leurs nobles, qui, à l'ombre de l'autorité impériale, les tenaient sous l'oppression, et elles se rendirent indépendantes, favorisées en cela par l'Eglise, qui cherchait à accroître l'estime qu'elle s'était gagnée. Dans plusieurs autres villes, le pouvoir suprême fut usurpé ou obtenu par quelque citoyen qui s'y établit prince. De là s'ensuivit que la plus grande partie de l'Italie se trouva pour ainsi dire entre les mains soit de l'Eglise, soit de républiques; et comme des prêtres, ou de paisibles citoyens, ne connaissaient nullement le maniement des armes, on commença à solder des étrangers. Le premier qui mit ce genre de milice en honneur fut Alberigo da Como, natif de la Romagne: c'est sous sa discipline que se formèrent, entre autres, Braccio et Sforza, qui furent de leur temps les arbitres de l'Italie, et après lesquels on a eu successivement tous ceux qui jusqu'à nos jours ont tenu dans leurs mains le commandement de ses armées; et tout le fruit que cette malheureuse contrée a recueilli de la vertu de tous ces guerriers, a été de se voir prise à la course par Charles VIII, ravagée par Louis XII, subjuguée par Ferdinand, et insultée par les Suisses.

La méthode de ces capitaines mercenaires fut d'abord de faire briller leur réputation en ternissant celle de l'infanterie. En effet, ne possédant pas d'Etat et devant vivre de leur profession, ils ne pouvaient briller avec un petit nombre de fantassins, mais ne pouvaient pas non plus en nourrir un grand nombre. En réduisant leurs troupes à la cavalerie, cependant, ils étaient suffisamment entretenus et honorés pour couvrir leurs frais. Les choses en vinrent au point où, dans une armée de vingt mille hommes, on ne trouvait pas deux mille fantassins.

De plus, ils employaient toutes sortes de moyens pour s'épargner à eux-mêmes, ainsi qu'à leurs soldats, toute fatigue et tout danger: ils ne se tuaient point les uns les autres dans les combats, et se bornaient à faire des prisonniers qu'ils délivraient sans rançon: s'ils assiégeaient une place, ils ne faisaient aucune attaque de nuit; et les assiégés, de leur côté, ne profitaient pas des ténèbres pour faire des sorties: ils ne faisaient autour de leur camp ni fossés, ni palissades; enfin, ils ne tenaient jamais la campagne durant l'hiver. Tout cela était dans l'ordre de leur discipline militaire; ordre qu'ils avaient imaginé tout exprès pour éviter les périls et les travaux, mais par où aussi ils ont conduit l'Italie à l'esclavage et à l'avilissement.

Chapitre 13.
Des troupes auxiliaires, mixtes et propres

Les armes auxiliaires que nous avons dit être également inutiles, sont celles de quelque Etat puissant qu'un autre Etat appelle à son secours et à sa défense. C'est ainsi que, dans ces derniers temps, le pape Jules II ayant fait, dans son entreprise contre Ferrare, la triste expérience des armes mercenaires, eut recours aux auxiliaires, et traita avec Ferdinand, roi d'Espagne, pour que celui-ci l'aidât de ses troupes.

Les armes de ce genre peuvent être bonnes en elles-mêmes; mais elles sont toujours dommageable à celui qui les appelle; car si elles sont vaincues, il se trouve lui-même défait; et si elles sont victorieuses, il demeure dans leur dépendance.

On en voit de nombreux exemples dans l'histoire ancienne; mais arrêtons-nous un moment à celui de Jules II, qui est tout récent.

Ce fut sans doute une résolution bien peu réfléchie que celle qu'il prit de se livrer aux mains d'un étranger pour avoir Ferrare. S'il n'en éprouva point toutes les funestes conséquences, il en fut redevable à sa bonne fortune, qui l'en préserva par un accident qu'elle fit naître; c'est que ses auxiliaires furent vaincus à Ravenne, et qu'ensuite survinrent les Suisses, qui, contre toute attente, chassèrent les vainqueurs: de sorte qu'il ne demeura prisonnier ni de ceux-ci, qui étaient ses ennemis, ni de ses auxiliaires, qui enfin ne se trouvèrent victorieux que par les armes d'autrui.

Les Florentins se trouvant désarmés, prirent à leur solde dix mille Français qu'ils conduisirent à Pise, dont ils voulaient se rendre maîtres; et par là ils s'exposèrent à plus de dangers qu'ils n'en avaient courus dans le temps de leurs plus grandes adversités.

Pour résister à ses ennemis, l'empereur de Constantinople introduisit dans la Grèce dix mille Turcs, qui, lorsque la guerre fut terminée, ne voulurent plus se retirer: ce fut cette mesure funeste qui commença à courber les Grecs sous le joug des infidèles.

Voulez-vous donc vous mettre dans l'impossibilité de vaincre? Employez des troupes auxiliaires, beaucoup plus dangereuses encore que les mercenaires. Avec les premières, en effet, votre ruine est toute préparée: car ces troupes sont toutes unies et toutes formées à obéir à un autre que vous; au lieu que, quant aux mercenaires, pour qu'elles puissent agir contre vous, et vous nuire après avoir vaincu, il leur faut et plus de temps et une occasion plus favorable: elles ne forment point un seul corps; c'est vous qui les avez rassemblées, c'est par vous qu'elles sont payées. Quel que soit donc le chef que vous leur ayez donné, il n'est pas possible qu'il prenne à l'instant sur elles une telle autorité qu'il puisse s'en servir contre vous-même. En un mot, ce qu'on doit craindre des troupes mercenaires, c'est leur lâcheté; avec des troupes auxiliaires, c'est leur valeur. Aussi les princes sages ont-ils toujours répugné à employer ces deux sortes de troupes, et ont-ils préféré leurs propres forces, aimant mieux être battus avec celles-ci, que vaincre avec celles d'autrui; et ne regardant point comme une vraie victoire celle dont ils peuvent être redevables à des forces étrangères.

Ici, je n'hésiterai point à citer encore César Borgia et sa manière d'agir. Ce duc entra dans la Romagne avec des forces auxiliaires composées uniquement de troupes françaises, avec lesquelles il s'empara d'Imola et de Forli: mais jugeant bientôt que de telles forces n'étaient pas bien sûres, il recourut aux mercenaires, dans lesquelles il voyait moins de péril; et, en conséquence, il prit à sa solde les Orsini et les Vitelli. Trouvant néanmoins, en les employant, que celles-ci étaient incertaines, infidèles et dangereuses, il embrassa le parti de les détruire et de ne plus recourir qu'aux siennes propres.

La différence entre ces divers genres d'armes fut bien démontrée par la différence entre la réputation qu'avait le duc lorsqu'il se servait des Orsini et des Vitelli, et celle dont il jouit quand il ne compta plus que sur lui-même et sur ses propres soldats: celle-ci alla toujours croissant; et jamais il ne fut plus considéré que lorsque tout le monde le vit maître absolu de ses armes.

Je voulais m'en tenir aux exemples récents fournis par l'Italie; mais je ne puis passer sous silence celui d'Hiéron de Syracuse, dont j'ai déjà parlé. Celui-ci, mis par les Syracusains à la tête de leur armée, reconnut bientôt l'inutilité des troupes mercenaires qu'ils soldaient, et dont les chefs ressemblaient en tout aux capitaines que nous avons eus en Italie. Convaincu d'ailleurs qu'il ne pouvait sûrement ni conserver ces chefs, ni les licencier, il prit le parti de les faire tailler en pièces; après, il fit la guerre avec ses propres armes, et non avec celles d'autrui.

Qu'il me soit permis de rappeler encore ici un trait que l'on trouve dans l'Ancien Testament, et qui illustre cette proposition. David s'étant proposé pour aller combattre le Philistin Goliath, qui défiait les Israélites, Saül, afin de l'encourager, le revêtit de ses propres armes; mais David, après les avoir essayées, les refusa, en disant qu'elles gêneraient l'usage de ses forces personnelles, et qu'il voulait n'affronter l'ennemi qu'avec sa fronde et son coutelas. En effet, les armes d'autrui, ou sont trop larges pour bien tenir sur votre corps, ou le fatiguent de leur poids, ou le serrent et en gênent les mouvements.

Charles VII, père de Louis XI, ayant par sa fortune et par sa valeur délivré la France des Anglais, reconnut la nécessité d'avoir des forces à soi, et forma dans son royaume des compagnies réglés de gendarmes et de fantassins. Dans la suite, Louis, son fils, supprima l'infanterie, et commença de prendre des Suisses à sa solde: mais cette erreur, qui en entraîna d'autres, a été cause, comme nous le voyons, des dangers courus par la France. En effet, en mettant ainsi les Suisses en honneur, Louis a en quelque sorte anéanti toutes ses propres troupes: d'abord il a totalement détruit l'infanterie; et quant à la cavalerie, il l'a rendue dépendante des armes d'autrui, en l'accoutumant tellement à ne combattre que conjointement avec les Suisses, qu'elle ne croit plus pouvoir vaincre sans eux. De là vient aussi que les Français ne peuvent tenir contre les Suisses, et que sans les Suisses ils ne tiennent point contre d'autres troupes. Ainsi les armées françaises sont actuellement mixtes, c'est-à-dire composées en partie de troupes mercenaires, et en partie de troupes nationales; composition qui les rend sans doute bien meilleures que des armées formées en entier de mercenaires ou d'auxiliaires, mais très inférieures à celle où il n'y aurait que des corps nationaux. Cet exemple suffit, car la France serait aujour'hui invincible si l'on avait développé, ou simplement conservé, l'ordre établi par Charles VII. Mais les hommes ont trop peu de sagesse pour ne pas boire lorsque la première gorgée a bon goût, ignorant le poison que cela cache: ainsi que je disais plus haut de la consomption[20]. Celui qui dans un début ne sait pas détecter le mal naissant n'est pas vraiment sage; mais cette perspicacité n'est donnée qu'au petit nombre.

Si l'on recherche la principale source de la ruine de l'empire romain, on la trouvera dans l'introduction de l'usage de prendre des Goths à sa solde: par là, en effet, on commença à amollir les troupes nationales, de telle sorte que toute la vertu qu'elles perdaient tournait à l'avantage des barbares.

Je conclus donc qu'aucun prince n'est en sûreté s'il n'a des forces qui lui soient propres: se trouvant sans défense contre l'adversité, son sort dépend en entier de la fortune. Or, les hommes éclairés ont toujours pensé et dit «qu'il n'y a rien d'aussi frêle et d'aussi fugitif qu'un crédit qui n'est pas fondé sur notre propre puissance[21]».

J'appelle forces propres, celles qui sont composées de citoyens, de sujets, de créatures du prince. Toutes les autres sont ou mercenaires ou auxiliaires.

20. Chapitre III.
21. Tacite, *Annales* XIII, 19.

Et quant aux moyens et à la manière d'avoir ces forces propres, on les trouvera aisément, si l'on réfléchit sur les quatre exemples que j'ai cités [22]. On voit aussi comment Philippe, père d'Alexandre le Grand, comment une foule d'autres princes et de républiques, avaient su se donner des troupes nationales et les organiser. Je m'en rapporte à l'instruction qu'on peut tirer de ces exemples.

22. César Borgia, Hiéron, David et Charles VII.

Chapitre 14.
De ce qu'il convient au prince de faire quant à la chose militaire

La guerre, les institutions et les règles qui la concernent, sont le seul objet auquel un prince doive donner ses pensées et son application, et dont il lui convienne de faire son métier: c'est là la vraie profession de quiconque gouverne; et par elle, non seulement ceux qui sont nés princes peuvent se maintenir; mais encore ceux qui sont nés simples particuliers peuvent souvent devenir princes. C'est pour avoir négligé les armes, et leur avoir préféré les douceurs de la mollesse, qu'on a vu des souverains perdre leurs États. Mépriser l'art de la guerre, c'est faire le premier pas vers sa ruine; le posséder parfaitement, c'est le moyen de s'élever au pouvoir. Ce fut par le continuel maniement des armes que Francesco Sforza parvint de l'état de simple particulier au rang du duc de Milan; et ce fut parce qu'ils en avaient craint les dégoûts et la fatigue, que ses enfants tombèrent du rang de ducs à l'état de simples particuliers.

Une des conséquences fâcheuses, pour un prince, de la négligence des armes, c'est qu'on vient à le mépriser; abjection de laquelle il doit avant tout se préserver, comme je le dirai ci-après. En effet, entre un homme armé et un homme désarmé il n'y a aucun rapport. Il n'est pas naturel non plus que le dernier obéisse volontiers à l'autre; et un maître sans armes ne peut jamais être en sûreté parmi des serviteurs qui en ont: les serviteurs sont en proie au dépit, le maître est en proie aux soupçons, et des hommes qu'animent de tels sentiments ne peuvent pas bien vivre ensemble. Un prince qui n'entend rien à l'art de la guerre, peut-il se faire estimer de ses soldats et avoir confiance en eux? Un prince doit donc s'appliquer constamment à cet art, et s'en occuper principalement durant la paix; ce qu'il peut faire de deux manières, c'est-à-dire, en y exerçant également son corps et son esprit. Il exercera son corps, d'abord en faisant bien manœuvrer ses troupes; et en second lieu, en s'adonnant à la chasse, qui l'endurcira à la fatigue, et qui lui apprendra en même temps à connaître l'assiette des lieux, l'élévation des montagnes, la direction des vallées, le gisement des plaines, la nature des rivières et des marais, toutes choses auxquelles il doit donner la plus grande attention.

Il trouvera en cela deux avantages: le premier est que, connaissant bien son pays, il saura beaucoup mieux le défendre; le second est que la connaissance d'un pays rend beaucoup plus facile celle d'un autre, qu'il peut être nécessaire d'étudier; car, par exemple, les montagnes, les vallées, les plaines, les rivières de la Toscane, ont une grande ressemblance avec celles des autres contrées. Cette connaissance est d'ailleurs très importante, et le prince qui ne l'a point manque d'une des premières qualités que doit avoir un capitaine; car c'est par elle qu'il sait découvrir l'ennemi, trouver des logements, diriger la marche de ses troupes, faire ses dispositions pour une bataille, assiéger les places avec avantage.

Parmi les éloges qu'on a faits de Philipœmen, chef des Achéens, les historiens le louent surtout de ce qu'il ne pensait jamais qu'à l'art de la guerre; de sorte que, lorsqu'il parcourait la campagne avec ses amis, il s'arrêtait souvent pour résoudre des questions qu'il leur proposait, telles que les suivantes: «Si l'ennemi était sur cette colline, et nous ici, qui serait posté plus avantageusement? Comment pourrions-nous aller à lui avec sûreté et sans mettre le désordre dans nos rangs? Si nous avions à battre en retraite, comment nous y prendrions nous? S'il se retirait lui-même, comment pourrions-nous le poursuivre?» C'est ainsi que, tout en allant, il s'instruisait avec eux des divers incidents de guerre qui pouvaient survenir; qu'il recueillait leurs opinions; qu'il exposait la sienne, et qu'il l'appuyait par divers raisonnements. Il était résulté de cette continuelle attention que, dans la conduite des armées, il ne pouvait se présenter aucun accident auquel il ne sût remédier sur-le-champ.

Quant à l'exercice de l'esprit, le prince doit lire les historiens, y considérer les actions des hommes illustres, examiner leur conduite dans la guerre, rechercher les causes de leurs victoires et celles de leurs défaites, et étudier ainsi ce qu'il doit imiter et ce qu'il doit fuir. Il doit faire surtout ce qu'ont fait plusieurs grands hommes, qui, prenant pour modèle quelque ancien héros bien célèbre, avaient sans cesse sous leurs yeux ses actions et toute sa conduite, et les prenaient pour règles. C'est ainsi qu'on dit qu'Alexandre le Grand imitait Achille, que César imitait Alexandre, et que

Scipion prenait Cyrus pour modèle. En effet, quiconque aura lu la vie de Cyrus dans Xénophon, trouvera dans celle de Scipion combien l'imitation qu'il s'était proposée contribua à sa gloire, et combien, quant à la chasteté, l'affabilité, l'humanité, la libéralité, il se conformait à tout ce qui avait été dit de son modèle par Xénophon.

Voilà ce que doit faire un prince sage, et comment, durant la paix, loin de rester oisif, il peut se prémunir contre les accidents de la fortune, en sorte que, si elle lui devient contraire, il se trouve en état de résister à ses coups.

Chapitre 15.
Des choses pour lesquelles tous les hommes, et surtout les princes, sont loués ou blâmés

Il reste à examiner comment un prince doit en user et se conduire, soit envers ses sujets, soit envers ses amis. Tant d'écrivains en ont parlé, que peut-être on me taxera de présomption si j'en parle encore; d'autant plus qu'en traitant cette matière je vais m'écarter de la route commune. Mais, dans le dessein que j'ai d'écrire des choses utiles pour celui qui me lira, il m'a paru qu'il valait mieux viser la vérité effective des choses que ce qu'on s'en imagine.

Bien des gens ont imaginé des républiques et des principautés telles qu'on n'en a jamais vu ni connu. Mais à quoi servent ces imaginations? Il y a si loin de la manière dont on vit à celle dont on devrait vivre, qu'en n'étudiant que cette dernière on apprend plutôt à se ruiner qu'à se conserver; et celui qui veut en tout et partout se montrer homme de bien ne peut manquer de périr au milieu de tant de méchants.

Il faut donc qu'un prince qui veut se maintenir développe la capacité de n'être pas bon et, selon la nécessité, s'en serve ou non.

Laissant, par conséquent, tout ce qu'on a pu imaginer touchant les devoirs des princes, et m'en tenant à la réalité, je dis qu'on attribue à tous les hommes, quand on en parle, et surtout aux princes, qui sont plus en vue, quelqu'une des qualités suivantes, qu'on cite comme un trait caractéristique, et pour laquelle on les loue ou on les blâme. Ainsi l'un est réputé généreux et un autre mesquin (je me sers ici d'une expression toscane; car, dans notre langue, l'*avare* est celui qui est avide et enclin à la rapine, et nous appelons *mesquin* celui qui s'abstient trop d'user de son bien); l'un bienfaisant, et un autre avide; l'un cruel, et un autre compatissant; l'un sans foi, et un autre fidèle à sa parole; l'un efféminé et craintif, et un autre ferme et courageux; l'un débonnaire, et un autre orgueilleux; l'un dissolu, et un autre chaste; l'un franc, et un autre rusé; l'un dur, et un autre facile; l'un grave, et un autre léger; l'un religieux, et un autre incrédule, etc.

Il serait très beau, sans doute, et chacun en conviendra, que toutes les bonnes qualités que je viens d'énoncer se trouvassent réunies dans un prince. Mais, comme cela n'est guère possible, et que la condition humaine ne le permet point, il faut qu'il ait au moins la prudence de fuir ces vices honteux qui lui feraient perdre ses Etats. Quant aux autres vices, je lui conseille de s'en préserver, s'il le peut; mais s'il ne le peut pas, il n'y aura pas un grand inconvénient à ce qu'il s'y laisse aller avec moins de retenue: il ne doit pas même craindre d'encourir l'imputation de certains défauts sans lesquels il lui serait difficile de se maintenir; car, à bien examiner les choses, on trouve que, tout comme il y a certaines qualités qui semblent être des vertus et qui feraient la ruine du prince, de même il en est d'autres qui paraissent être des vices, et dont peuvent résulter néanmoins sa conservation et son bien-être.

Chapitre 16.
De la libéralité et de l'avarice

Commençant donc par les deux premières qualités dont on vient de parler, je dis qu'il serait bon de passer pour libéral, mais que la libéralité, exercée de façon à en gagner la réputation, est ruineuse. Si vous en usez dans les bornes de la vertu et du bon sens elle ne sera pas connue et ne vous préservera donc pas de la réputation contraire.

Si un prince veut se faire dans le monde la réputation de libéral, il faut nécessairement qu'il n'épargne aucune sorte de somptuosité; ce qui l'obligera à épuiser son trésor par ce genre de dépenses: d'où il s'ensuivra que, pour conserver la réputation qu'il s'est acquise, il se verra enfin contraint à grever son peuple de charges extraordinaires, à devenir un taxeur, et à faire, en un mot, tout ce qu'on peut faire pour avoir de l'argent. Aussi commencera-t-il bientôt à être odieux à ses sujets; et à mesure qu'il s'appauvrira, il sera bien moins considéré. Ainsi, ayant, par sa libéralité, gratifié bien peu d'individus, et déplu à un très grand nombre, le moindre embarras sera considérable pour lui, et le plus léger revers le mettra en danger: que si, connaissant son erreur, il veut s'en retirer, il deviendra aussitôt un mesquin notoire.

Le prince ne pouvant donc, sans fâcheuse conséquence, exercer la libéralité de telle manière qu'elle soit bien connue, doit, s'il a quelque prudence, ne pas trop appréhender le renom de mesquin, d'autant plus qu'avec le temps il acquerra de jour en jour celui de libéral. En voyant, en effet, qu'au moyen de son économie ses revenus lui suffisent, et qu'elle le met en état, soit de se défendre contre ses ennemis, soit d'exécuter des entreprises utiles, sans surcharger son peuple, il sera réputé libéral par tous ceux, en nombre infini, auxquels il ne prendra rien; et le reproche de mesquinerie ne lui sera fait que par ce peu de personnes qui ne participent point à ses dons.

De notre temps, nous n'avons vu exécuter de grandes choses que par les princes qui passaient pour mesquins; tous les autres sont demeurés dans l'obscurité. Le pape Jules II s'était bien fait, pour parvenir au pontificat, une réputation de libéralité; mais il ne pensa nullement ensuite à la consolider, ne songeant qu'à pouvoir faire la guerre au roi de France; guerre qu'il fit, ainsi que plusieurs autres, sans lever aucun impôt extraordinaire; car sa constante économie fournissait à toutes les dépenses. Si le roi d'Espagne actuel avait passé pour libéral, il n'aurait ni formé, ni exécuté autant d'entreprises.

Un prince qui veut n'avoir pas à dépouiller ses sujets pour pouvoir se défendre, et ne pas se rendre pauvre et méprisé, de peur de devenir rapace, doit craindre peu qu'on le taxe de mesquinerie, puisque c'est là une de ces mauvaises qualités qui le font régner.

Si l'on dit que César s'éleva à l'empire par sa

libéralité, et que la réputation de libéral a fait parvenir bien des gens aux rangs les plus élevés, je réponds: ou vous êtes déjà effectivement prince, ou vous êtes en voie de le devenir. Dans le premier cas, la libéralité vous est dommageable; dans le second, il faut nécessairement que vous en ayez la réputation: or, c'est dans ce second cas que se trouvait César, qui aspirait au pouvoir souverain dans Rome. Mais si, après y être parvenu, il eût encore vécu longtemps et n'eût point modéré ses dépenses, il aurait renversé lui-même son empire.

Si l'on insiste, et que l'on dise encore que plusieurs princes ont régné et exécuté de grandes choses avec leurs armées, et quoiqu'ils eussent cependant la réputation d'être très libéraux, je répliquerai: le prince dépense ou de son propre bien et de celui de ses sujets, ou du bien d'autrui: dans le premier cas il doit être économe; dans le second il ne saurait être trop libéral.

Pour le prince, en effet, qui va conquérant avec ses armées, subsistant de dépouilles, de pillages, de contributions, et usant du bien d'autrui, la libéralité lui est nécessaire, car sans elle il ne serait point suivi par ses soldats. Rien ne l'empêche aussi d'être distributeur généreux, ainsi que le furent Cyrus, César et Alexandre, de ce qui n'appartient ni à lui-même ni à ses sujets. En prodiguant le bien d'autrui, il n'a point à craindre de diminuer son crédit; il ne peut, au contraire, que l'accroître: c'est la prodigalité de son propre bien qui pourrait seule lui nuire.

Enfin la libéralité, plus que toute autre chose, se dévore elle-même; car, à mesure qu'on l'exerce, on perd la faculté de l'exercer encore: on devient pauvre, méprisé, ou bien rapace et odieux. Le mépris et la haine sont sans doute les écueils dont il importe le plus aux princes de se préserver. Or, la libéralité conduit infailliblement à l'un et à l'autre. Il est donc plus sage de se résoudre à être appelé mesquin, qualité qui n'attire que du mépris sans haine, que de se mettre, pour éviter ce nom, dans la nécessité d'encourir la qualification de rapace, qui entendre le mépris et la haine tout ensemble.

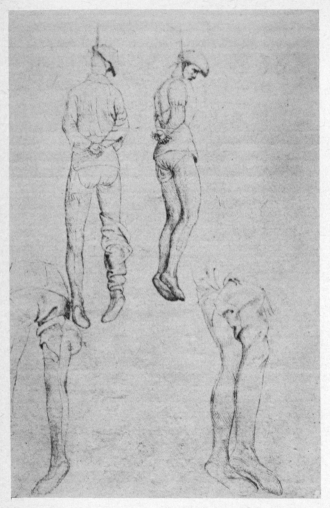

Pisanello: Pendus, vers 1430 (encre, Frick Collection, New York).

Chapitre 17.
De la cruauté et de la clémence,
et s'il vaut mieux être aimé que craint

Continuant à suivre les autres qualités précédemment énoncées, je dis que tout prince doit désirer d'être réputé clément et non cruel. Il faut pourtant bien prendre garde de ne point user mal à propos de la clémence. César Borgia passait pour cruel, mais sa cruauté rétablit l'ordre et l'union dans la Romagne; elle y amena la tranquilité et l'obéissance. On peut dire aussi, en considérant bien les choses, qu'il fut plus clément que le peuple florentin, qui, pour éviter le reproche de cruauté, laissa détruire la ville de Pistoia.

Un prince ne doit donc point s'effrayer de ce reproche, quand il s'agit de contenir ses sujets dans l'union et la fidélité. En faisant un petit nombre d'exemples de rigueur, vous serez plus clément que ceux qui, par trop de pitié, laissent s'élever des désordres d'où s'ensuivent les meurtres et les rapines: car ces désordres blessent la société tout entière; au lieu que les rigueurs ordonnées par le prince ne tombent que sur des particuliers.

Mais c'est surtout à un prince nouveau qu'il est impossible de faire le reproche de cruauté, parce que, dans les Etats nouveaux, les dangers sont multipliés. C'est cette raison aussi que Virgile met dans la bouche de Didon, lorsqu'il lui fait dire, pour excuser la rigueur de son gouvernement: *La dureté du moment et la nouveauté de mon règne m'obligent à de telles précautions et me font poster une telle garde à mes frontières*[23].

Il doit toutefois ne croire et n'agir qu'avec une grande maturité, ne point s'effrayer lui-même, et suivre en tout les conseils de la prudence, tempérés par ceux de l'humanité; en sorte qu'il ne soit point imprévoyant par trop de confiance, et qu'une défiance excessive ne le rende point intolérable.

Sur cela s'est élevée la question de savoir, s'il vaut mieux être aimé que craint, ou être craint qu'aimé.

On peut répondre que le meilleur serait d'être l'un et l'autre. Mais, comme il est très difficile que les deux choses existent ensemble, je dis que, si l'une doit manquer, il est plus sûr d'être craint que d'être aimé. On peut, en effet, dire généralement des hommes qu'ils sont ingrats, inconstants, menteurs, doubles, qu'ils fuient le danger et sont attirés par le gain; et que tant que vous leur faites du bien, ils vous offrent leur sang, leur chemise, leur vie, leurs fils, tant que, comme je disais, le besoin en est éloigné; mais qu'il s'approche, et ils reprennent tout. Le prince qui se serait entièrement reposé sur leur parole, et qui, dans cette confiance, n'aurait point pris d'autres mesures, serait bientôt perdu; car toutes ces amitiés, achetées par des largesses, et non accordées par générosité et grandeur d'âme, sont quelquefois, il est vrai, bien méritées, mais on ne

23. *Enéide* I, vers 562-563.

les possède pas effectivement; et, au moment de les employer, elles manquent toujours. Ajoutons qu'on appréhende beaucoup moins d'offenser celui qui se fait aimer que celui qui se fait craindre: car l'amour tient par un lien de reconnaissance qui, les hommes étant mauvais, cède au moindre motif d'intérêt personnel; au lieu que la crainte résulte de la menace du châtiment, et pour cela ne vous fait jamais défaut.

Cependant le prince qui veut se faire craindre doit s'y prendre de telle manière que, s'il ne gagne point l'affection, il ne s'attire pas non plus la haine; ce qui, du reste, n'est point impossible: car on peut fort bien tout à la fois être craint et n'être pas haï; et c'est à quoi aussi il parviendra sûrement, en s'abstenant d'attenter, soit aux biens de ses sujets, soit à leurs femmes. S'il faut qu'il en fasse périr quelqu'un, il ne doit s'y décider que quand il y en aura une raison manifeste, et que cet acte de rigueur paraîtra bien justifié. Mais il doit surtout s'abstenir du bien d'autrui, car les hommes oublient plus rapidement la mort de leur père que la perte de leur patrimoine. D'ailleurs, les motifs de s'emparer d'un bien ne manquent jamais, et celui qui se met à vivre de rapine trouve toujours une raison pour prendre possession du fonds des autres; tandis qu'au contraire pour leur sang les motifs sont plus rares et s'épuisent plus vite.

C'est lorsque le prince est à la tête de ses troupes, et qu'il commande à une multitude de soldats, qu'il doit moins que jamais appréhender d'être réputé cruel; car, sans ce renom, on ne tient point une armée dans l'ordre et disposée à toute entreprise.

Entre les actions admirables d'Hannibal, on a remarqué particulièrement que, quoique son armée fût très nombreuse, et composée d'un mélange de plusieurs espèces d'hommes très différents, faisant la guerre sur le territoire d'autrui, il ne s'y éleva, ni dans la bonne ni dans la mauvaise fortune, aucune dissension entre les troupes, aucun mouvement de révolte contre le général. D'où celà vient-il? si ce n'est de cette cruauté inhumaine qui, jointe à la vertu sans bornes d'Hannibal, lui valut tout à la fois la vénération et la terreur de ses soldats, et sans laquelle toutes ses autres qualités auraient été insuffisantes. Ils avaient donc bien peu réfléchi, ces écrivains qui, en célébrant d'un côté les actions de cet homme illustre, ont blâmé de l'autre ce qui en avait été la principale cause.

Pour se convaincre que les autres qualités d'Hannibal ne lui auraient pas suffi, il n'y a qu'à considérer ce qui arriva à Scipion, homme tel qu'on n'en trouve presque point de semblable, soit dans nos temps modernes, soit même dans l'histoire de tous les temps connus. Les troupes qu'il commandait en Espagne se soulevèrent contre lui, et cette révolte ne put être attribuée qu'à sa clémence excessive, qui avait laissé prendre aux soldats beaucoup plus de licence que n'en comportait la discipline militaire. C'est aussi ce que Fabius Maximus lui reprocha en plein sénat, où il le qualifia de corrupteur de la milice romaine.

De plus, les Locriens, tourmentés et ruinés par un de ses lieutenants, ne purent obtenir de lui aucune vengeance, et l'insolence du lieutenant ne fut point réprimée; autre effet de son naturel facile. Sur quoi quelqu'un voulant l'excuser devant le sénat, dit qu'il y avait des hommes qui savaient mieux ne point commettre de fautes que corriger celles des autres. On peut croire aussi que cette extrême douceur aurait enfin terni la gloire et la renommée de Scipion, s'il avait exercé durant quelque temps le pouvoir suprême: mais heureusement il était lui-même soumis aux ordres du sénat; de sorte que cette qualité nuisible demeura en quelque sorte cachée, et fut même encore pour lui un sujet d'éloges.

Revenant donc à la question dont il s'agit, je conclus que, les hommes aimant à leur gré et craignant au gré du prince, celui-ci doit plutôt compter sur ce qui dépend de lui que sur ce qui dépend des autres: il faut seulement que, comme je l'ai dit, il tâche avec soin de ne pas s'attirer la haine.

Chapitre 18.
Comment les princes doivent tenir leur parole

Chacun comprend combien il est louable pour un prince d'être fidèle à sa parole et d'agir toujours franchement et sans artifice. De notre temps, néanmoins, nous avons vu de grandes choses exécutées par des princes qui faisaient peu de cas de la bonne foi, qui savaient par la ruse tromper les cervelles humaines, et qui finissaient par l'emporter sur ceux qui obéissaient à la loyauté.

On peut combattre de deux manières, ou avec les lois, ou avec la force. L'une est propre à l'homme, l'autre est celle des bêtes; mais comme souvent la première ne suffit point, on est obligé de recourir à la seconde: il faut donc qu'un prince sache agir à propos, et en bête et en homme. C'est ce que les anciens écrivains ont enseigné allégoriquement, en racontant qu'Achille et plusieurs autres héros de l'antiquité avaient été confiés au centaure Chiron, pour qu'il les nourrît et les élevât.

Par là, en effet, et par cet instituteur moitié homme et moitié bête, ils ont voulu signifier qu'un prince doit avoir en quelque sorte ces deux natures, et que l'une a besoin d'être soutenue par l'autre. Le prince devant donc agir en bête, tâchera d'être tout à la fois renard et lion: car, s'il n'est que lion, il n'apercevra point les pièges; s'il n'est que renard, il ne se défendra point contre les loups; il a un égal besoin d'être renard pour connaître les pièges, et lion pour épouvanter les loups. Ceux qui s'en tiennent tout simplement à être lions sont très malhabiles.

Un prince bien avisé ne doit point accomplir sa promesse lorsque cet accomplissement lui serait nuisible, et que les raisons qui l'ont déterminé à promettre n'existent plus: tel est le précepte à donner. Il ne serait pas bon sans doute, si les hommes étaient tous gens de bien; mais comme ils sont méchants, et qu'assurément ils ne vous tiendraient point leur parole, pourquoi devriez-vous leur tenir la vôtre? Et d'ailleurs, un prince peut-il manquer de raisons légitimes pour colorer le manquement à une promesse?

A ce propos on peut citer une infinité d'exemples modernes, et alléguer un très grand nombre de traités de paix, d'accords de toute espèce, devenus vains et inutiles par l'infidélité des princes qui les avaient conclus. On peut faire voir que ceux qui ont su le mieux agir en renard sont ceux qui ont le plus prospéré.

Mais pour cela, ce qui est absolument nécessaire, c'est de savoir bien déguiser cette nature de renard, et de posséder parfaitement l'art, et de simuler et de dissimuler. Les hommes sont si aveuglés, si entraînés par le besoin du moment, qu'un trompeur trouve toujours quelqu'un qui se laisse tromper.

Parmi les exemples récents, il en est un que je ne veux point passer sous silence.

Alexandre VI ne fit jamais que tromper; il ne pensait

pas à autre chose, et il en eut toujours l'occasion et le moyen. Il n'y eut jamais d'homme qui affirmât une chose avec plus d'assurance, qui appuyât sa parole sur plus de serments, et qui les respectât moins: ses tromperies cependant lui réussirent toujours, parce qu'il en connaissait parfaitement l'art.

Ainsi donc, pour en revenir aux bonnes qualités énoncées ci-dessus, il n'est pas bien nécessaire qu'un prince les possède toutes; mais il l'est qu'il paraisse les avoir. J'ose même dire que s'il les avait effectivement, et si elles guidaient toujours sa conduite, elles pourraient lui nuire, au lieu qu'il lui est toujours utile d'en avoir l'apparence. Il lui est toujours bon, par exemple, de paraître clément, loyal, humain, intègre, religieux; il l'est même d'être tout cela en réalité: mais il faut en même temps qu'il soit assez maître de lui pour pouvoir et savoir au besoin montrer les qualités opposées.

On doit bien comprendre qu'il n'est pas possible à un prince, et surtout à un prince nouveau, d'observer dans sa conduite tout ce qui fait que les hommes sont réputés gens de bien, et qu'il est souvent obligé, pour maintenir l'Etat, d'agir contre la loyauté, contre la charité, contre l'humanité, contre la religion. Il faut donc qu'il ait l'esprit assez flexible pour se tourner à toutes choses, selon que le vent et les accidents de la fortune le commandent; il faut, comme je l'ai dit, que tant qu'il le peut, il ne s'écarte pas de la voie du bien, mais qu'au besoin il sache entrer dans celle du mal.

Il doit aussi prendre grand soin de ne pas laisser échapper une seule parole qui ne respire les cinq qualités que je viens de nommer; en sorte qu'à le voir et à l'entendre, on le croie toute piété, toute loyauté, toute intégrité, toute humanité, et surtout toute religion, ce qui est encore ce dont il importe le plus d'avoir l'apparence. Et les hommes, en général, jugent plus par leurs yeux que par leurs mains, tous étant à portée de voir, et peu de toucher. Tout le monde voit ce que vous paraissez; peu connaissent à fond ce que vous êtes, et ce petit nombre n'osera point s'élever contre l'opinion de la majorité, soutenue encore par la majesté du pouvoir souverain.

Au surplus, dans les actions des hommes, et surtout des princes, qui ne peuvent être scrutées devant un tribunal, ce que l'on considère, c'est le résultat. Que le prince songe donc uniquement à conserver sa vie et son Etat: s'il y réussit, tous les moyens qu'il aurait pris seront jugés honorables, et loués par tout le monde. Le vulgaire est toujours séduit par l'apparence et par l'événement: et le vulgaire ne fait-il pas le monde? Le petit nombre n'est écouté que lorsque le plus grand ne sait quel parti prendre, ni sur quoi asseoir son jugement.

De notre temps, nous avons vu un prince qu'il ne convient pas de nommer [24], qui jamais ne prêcha que paix et bonne foi, mais qui, s'il avait toujours respecté l'une et l'autre, n'aurait pas sans doute conservé ses Etats et sa réputation.

24. Ferdinand le Catholique, roi d'Aragon et de Castille; voir chapitre XXI.

Chapitre 19.
Qu'il faut éviter d'être méprisé et haï

Après avoir traité spécialement, parmi les qualités que j'avais d'abord énoncées, celles que je regarde comme les principales, je parlerai plus brièvement des autres, me bornant à cette généralité, que le prince doit éviter avec soin toutes les choses qui le rendraient odieux et méprisable, moyennant quoi il aura fait tout ce qu'il avait à faire, et il ne trouvera plus de danger dans les autres reproches qu'il pourrait encourir.

Ce qui le rendrait surtout odieux, ce serait, comme je l'ai dit, d'être rapace, et d'attenter aux biens ou aux femmes de ses sujets. Pourvu que ces deux choses, c'est-à-dire les biens et l'honneur, soient respectées, le commun des hommes est content, et l'on n'a plus à lutter que contre l'ambition d'un petit nombre d'individus, qu'il est aisé et qu'on a mille moyens de réprimer.

Ce qui peut faire mépriser, c'est de paraître inconstant, léger, efféminé, pusillanime, irrésolu, toutes choses dont le prince doit se tenir loin comme d'un écueil, faisant en sorte que dans toutes ses actions on trouve de la grandeur, du courage, de la gravité, de la fermeté; que l'on soit convaincu, quant aux affaires particulières de ses sujets, que ses décisions sont irrévocables, et que cette conviction s'établisse de telle manière dans leur esprit, que personne n'ose penser ni à le tromper ni à le circonvenir.

Le prince qui a donné de lui cette idée est très considéré: et contre un prince bien considéré il est difficile qu'on conspire, difficile qu'on passe à l'attaque, parce qu'on le sait excellent et révéré des siens.

Deux choses en effet doivent faire l'objet des craintes du prince: l'une à l'intérieur, concernant ses sujets, l'autre à l'extérieur, concernant les puissances étrangères. De ces dernières on se défend avec des bonnes troupes et des bons amis; et toujours, quand on a de bonnes troupes, on a de bons amis; et toujours, quand tout va bien à l'extérieur, tout va bien à l'intérieur, tant qu'une conjuration ne vient pas déranger les choses; aussi bien, quand il s'en agite une de l'extérieur, si on a agi et gouverné comme je l'ai dit et qu'on ne se relâche pas, on résiste à tout assaut, comme j'ai écrit que le fit Nabis, prince de Sparte[25]. Pour ce qui est des sujets, ce que le prince peut en craindre, lorsqu'il est tranquille au dehors, c'est qu'ils ne conspirent secrètement contre lui: mais, à cet égard, il est déjà bien garanti quand il a évité d'être haï et méprisé, et qu'il a fait en sorte que le peuple soit content de lui; chose qu'il est nécessaire de réussir, ainsi que je l'ai établi. C'est là, en effet, la plus sûre garantie contre les conjurations; car celui qui conjure croit toujours que la mort du prince sera agréable au peuple: s'il pensait qu'elle l'affligeât, il se garderait bien de concevoir un

25. Chapitre IX.

parcil dessein, qui présente de très grandes et de très nombreuses difficultés.

On sait par l'expérience que beaucoup de conjurations ont été formées, mais qu'il n'y en a que bien peu qui aient réussi. Un homme ne peut pas conjurer tout seul: il faut qu'il ait des associés; et il ne peut en chercher que parmi ceux qu'il croit mécontents. Or, en confiant un projet de cette nature à un mécontent, on lui fournit le moyen de mettre un terme à son mécontentement; car il peut compter qu'en révélant le secret, il sera amplement récompensé: et comme il voit là un profit assuré, tandis que la conjuration ne lui présente qu'incertitude et péril, il faut qu'il ait, pour ne point trahir, ou une amitié bien vive pour le conjurateur, ou une haine bien obstinée pour le prince. En peu de mots, le conjurateur est toujours troublé par le soupçon, la jalousie, la frayeur du châtiment; au lieu que le prince a pour lui la majesté de l'empire, l'autorité des lois, l'appui de ses amis, et tout ce qui fait la défense de l'Etat; et si à tout cela se joint la bienveillance du peuple, il est impossible qu'il se trouve quelqu'un d'assez téméraire pour conjurer; car, en ce cas, le conjurateur n'a pas seulement à craindre les dangers qui précèdent l'exécution, il doit encore redouter ceux qui suivront, et contre lesquels, ayant le peuple pour ennemi, il ne lui restera aucun refuge.

Sur cela on pourrait citer une infinité d'exemples; mais je me borne à un seul dont nos pères ont été les témoins.

Messer Annibal Bentivogli, aïeul de Messer Annibal actuellement vivant, étant prince de Bologne, fut assassiné par les Canneschi, à la suite d'une conspiration qu'ils avaient tramée contre lui: il ne resta de sa famille que Messer Giovanni, jeune enfant encore au berceau. Mais l'affection que le peuple Bolonais avait en ce temps-là pour la maison Bentivogli fut cause qu'aussitôt après le meurtre il se souleva, et massacra tous les Canneschi. Cette affection alla même encore plus loin: comme, après la mort de Messer Annibal, il n'était resté personne qui pût gouverner l'Etat, et les Bolonais ayant su qu'il y avait un homme né de la famille Bentivogli qui vivait à Florence, où il passait pour le fils d'un artisan, ils allèrent le chercher, et lui conférèrent le gouvernement, qu'il garda en effet jusqu'à ce que Messer Giovanni fût en âge de tenir lui-même les rênes de l'Etat [26].

Encore une fois donc, un prince qui est aimé de son peuple a peu à craindre les conjurations; mais s'il en est haï il doit se méfier de tout et de tous. Aussi, les bons gouvernements et les princes sages mettent tous leurs soins à satisfaire le peuple, sans désespérer les grands, et à le tenir content: c'est une des plus importantes affaires qui puissent occuper un prince.

Parmi les royaumes bien organisés de notre temps, on peut citer la France, où il y a un grand nombre de

26. Le même événement est conté dans les *Histoires florentines*, VI, 9-10, mais dans cette seconde rédaction il est clair qu'il s'agit pour le parti des Bentivoglio (suivant l'orthographe habituel) de ne pas permettre une interruption dans la lignée, dont pourrait profiter le parti adverse des Canneschi. Giovanni II Bentivoglio avait six ans à l'époque (1445), et vingt-trois en 1462 quand il reprit le gouvernement des mains du régent Santi Bentivoglio, bâtard d'un cousin d'Annibal. Giovanni II fut le plus important des souverains Bentivoglio et gouverna jusqu'en 1506, quand Jules II s'empara de Bologne et exila les Bentivoglio.

bonnes institutions propres à maintenir l'indépendance et la sûreté du roi; institutions entre lesquelles celle
du parlement et de son autorité tient le premier rang.
En effet, celui qui organisa ainsi la France, voyant,
d'un côté, l'ambition et l'insolent orgueil des grands,
et combien il était nécessaire de les retenir; considérant,
de l'autre, la haine générale qu'on leur portait, haine
enfantée par la crainte qu'ils inspiraient, et voulant en
conséquence qu'il fût aussi pourvu à leur sûreté, pensa
qu'il était à propos de n'en pas laisser le soin spécialement au roi, pour qu'il n'eût pas à encourir la haine
des grands en favorisant le peuple, et celle du peuple en
favorisant les grands. C'est pourquoi il trouva bon
d'établir la tierce autorité d'un tribunal qui pût, sans
aucune fâcheuse conséquence pour le roi, abaisser les
grands et protéger les petits. Une telle institution était
sans doute ce qu'on pouvait faire de mieux, de plus
sage et de plus convenable pour la sûreté du prince et
du royaume. D'où l'on peut tirer une autre remarque:
que les princes doivent déléguer à d'autres les actes
susceptibles de faire naître le ressentiment, et se réser-
ver ceux qui font naître la reconnaissance. Je reviens à
ma conclusion: un prince doit tenir compte des grands,
mais éviter de se faire haïr du peuple.

En considérant la vie et la mort de plusieurs empereurs romains, on croira peut-être y voir des exemples
contraires à ce que je viens de dire, car on en trouvera
quelques-uns qui, s'étant toujours conduits avec sagesse, et ayant montré de grandes qualités, ne laissèrent
pas de perdre l'empire, ou même de périr victimes de
conjurations formées contre eux.

Pour répondre à cette objection, je vais examiner le
caractère et la conduite de quelques-uns de ces em-

pereurs, et faire voir que les causes de leur ruine ne
présentent rien qui ne s'accorde avec ce que j'ai établi.
Je ferai d'ailleurs quelques réflexions sur ce que les
événements de ces temps-là peuvent offrir de remar-
quable à ceux qui lisent l'histoire. Je me bornerai
cependant aux empereurs qui se succédèrent depuis
Marc-Aurèle jusqu'à Maximin, et qui sont: Marc-
Aurèle, Commode son fils, Pertinax, Didius Julianus,
Septime-Sévère, Antonin-Caracalla, son fils, Macrin,
Héliogabale, Alexandre-Sévère et Maximin.

La première observation à faire est que, tandis que
dans les autres Etats le prince n'a à lutter que contre
l'ambition des grands et l'insolence des peuples, les
empereurs romains avaient encore à surmonter une
troisième difficulté, celle de se défendre contre la
cruauté et l'avarice des soldats; difficulté telle, qu'elle
fut la cause de la ruine de plusieurs de ces princes. Il
est très difficile, en effet, de contenter tout à la fois les
soldats et les peuples; car les peuples aiment le repos,
et par conséquent un prince modéré: les soldats, au
contraire, demandent qu'il soit belliqueux, insolent,
avide et cruel; ils veulent même qu'il le soit envers son
peuple, afin d'avoir une double paye, et d'assouvir
leur avarice et leur cruauté. De là vint aussi la ruine de
tous ceux des empereurs qui n'avaient point, soit par
leurs qualités naturelles, soit par leurs qualités acquises, l'ascendant nécessaire pour contenir à la fois les
peuples et les gens de guerre. De là vint encore que la
plupart, et ceux surtout qui étaient des princes nouveaux, voyant la difficulté de satisfaire des cœurs si
opposées, prirent le parti de contenter les soldats, sans
s'inquiéter de l'oppression du peuple.

Ce parti, au reste, était nécessaire à prendre; car les

princes, qui ne peuvent éviter d'être haïs par quelqu'un, doivent d'abord chercher à ne pas l'être par la multitude; et, s'ils ne peuvent y réussir, ils doivent faire tous leurs efforts pour ne pas l'être au moins par la classe la plus puissante. C'est pour cela aussi que les empereurs, qui, comme princes nouveaux, avaient besoin d'appuis extraordinaires, s'attachaient bien plus volontiers aux soldats qu'au peuple; ce qui pourtant ne leur était utile qu'autant qu'ils savaient conserver sur eux leur ascendant.

C'est en conséquence de tout ce que je viens de dire, que des trois empereurs Marc-Aurèle, Pertinax et Alexandre-Sévère, qui vécurent avec sagesse et modération, qui furent amis de la justice, ennemis de la cruauté, humains et bienfaisants, il n'y eut que le premier qui ne finit point malheureusement. Mais s'il vécut et mourut toujours honoré, c'est qu'ayant hérité de l'empire par droit de succession, il n'en fut redevable ni aux gens de guerre ni au peuple, et que d'ailleurs ses grandes et nombreuses vertus le firent tellement respecter, qu'il put toujours contenir tous les ordres de l'Etat dans les bornes du devoir, sans être ni haï ni méprisé.

Quant à Pertinax, les soldats, contre le gré desquels il avait été nommé empereur, ne purent supporter la discipline qu'il voulait rétablir après la licence dans laquelle ils avaient vécu sous Commode: il en fut donc haï. A cette haine se joignit le mépris qu'inspirait sa vieillesse, et il périt presque aussitôt qu'il eut commencé à régner. Sur quoi il y a lieu d'observer que la haine est autant le fruit des bonnes actions que des mauvaises; d'où il suit, comme je l'ai dit, qu'un prince qui veut se maintenir est souvent obligé de n'être pas bon: car, lorsque la classe de sujets dont il croit avoir besoin, soit peuple, soit soldats, soit grands, est corrompue, il faut à tout prix la satisfaire pour ne l'avoir point contre soi; et alors les bonnes actions nuisent plutôt qu'elles ne servent.

Enfin, pour ce qui concerne Alexandre-Sévère, sa bonté était telle, que, parmi les éloges qu'on en a faits, on a remarqué que, pendant les quatorze ans que dura son règne, personne ne fut mis à mort sans un jugement régulier. Mais, comme il en était venu à passer pour un homme efféminé, qui se laissait gouverner par sa mère, et que par là il était tombé dans le mépris, son armée conspira contre lui et le massacra.

Si nous venons maintenant aux empereurs qui montrèrent des qualités bien opposées, c'est-à-dire à Commode, Septime-Sévère, Antonin-Caracalla et Maximin, nous verrons qu'ils furent très cruels et d'une insatiable avidité; que, pour satisfaire les soldats, ils n'épargnèrent au peuple aucune sorte d'oppression et d'injure, et qu'ils eurent tous une fin malheureuse, à l'exception seulement de Sévère, dont la vertu était telle qu'en se conservant l'amitié des soldats il parvint, malgré les charges qu'il imposait au peuple, à régner toujours heureux; sa vertu le rendait si admirable aux yeux et des soldats et du peuple, qu'il obtenait du peuple une sorte de soumission ébahie et des soldats un respect satisfait. Sévère, au surplus, se consuisit très habilement comme prince nouveau: c'est pourquoi je m'arrêterai un moment à faire voir comment il sut bien agir en renard et en lion, deux animaux dont, comme je l'ai dit, un prince doit savoir revêtir les caractères.

Connaissant la lâcheté de Didus Julianus, qui venait de se faire proclamer empereur, il persuada aux troupes à la tête desquelles il se trouvait alors, en Slavonie, qu'il était digne d'elles d'aller à Rome pour venger la mort de Pertinax, que la garde impériale avait égorgé; et, sans découvrir les vues secrètes qu'il avait sur l'empire, il saisit ce prétexte, se hâta de marcher vers Rome avec son armée, et parut en Italie avant qu'on y eût appris son départ de Slavonie. Arrivé à Rome, il fut proclamé empereur par le sénat épouvanté, et Julianus fut massacré. Ce premier pas fait, il lui restait, pour parvenir à être maître de tout l'Etat, deux obstacles à vaincre: l'un en Orient, où Niger s'était fait proclamer empereur par les armées d'Asie qu'il commandait; l'autre en Occident, où Albin aspirait également à l'empire. Comme il voyait trop de danger à se déclarer en même temps contre ces deux compétiteurs, il se proposa d'attaquer Niger et de tromper Albin. En conséquence, il écrivit à ce dernier que, nommé empereur par le sénat, son intention était de partager avec lui la dignité impériale: il lui envoya donc le titre de César, et se le fit adjoindre comme collègue, par un décret du sénat. Albin se laissa séduire par ces démonstrations, qu'il crut sincères. Mais lorsque Sévère eut fait mourir Niger, après l'avoir vaincu, et que les troubles de l'Orient furent apaisés, il revint à Rome, et se plaignit dans le sénat de la conduite d'Albin, l'accusa d'avoir montré peu de reconnaissance de tous les bienfaits dont il l'avait comblé, et d'avoir tenté secrètement de l'assassiner; et il conclut en disant qu'il ne pouvait éviter de marcher contre lui pour le punir de son ingratitude. Il alla soudain l'attaquer dans les Gaules, où il lui ôta et l'empire et la vie.

Telle fut la conduite de ce prince. Si l'on en suit pas

à pas toutes les actions, on y verra partout éclater et l'audace du lion et la finesse du renard; on le verra craint et révéré de ses sujets, et chéri même de ses soldats: on ne sera par conséquent point étonné de ce que, quoique homme nouveau, il pût se maintenir dans un si vaste empire; car sa haute réputation le défendit toujours contre la haine que ses continuelles exactions auraient pu allumer dans le cœur de ses peuples.

Antonin-Caracalla, son fils, eut aussi comme lui d'éminentes qualités qui le faisaient admirer du peuple et chérir par les soldats. Son habileté dans l'art de la guerre, son mépris pour une nourriture recherchée et les délices de la molesse, lui conciliaient l'affection des troupes; mais sa cruauté, sa férocité inouïe, les meurtres nombreux et journaliers dont il frappa une partie des citoyens de Rome, le massacre général des habitants d'Alexandrie, le rendirent l'objet de l'exécration universelle: ceux qui l'entouraient eurent bientôt à trembler pour eux-mêmes; et un centurion le tua au milieu de son armée.

Une observation importante résulte de ce fait: c'est qu'un prince ne peut éviter la mort lorsqu'un homme ferme et endurci dans sa vengeance a résolu de le faire périr; car quiconque méprise sa vie est maître de celle des autres. Mais comme ces dangers sont rares, ils sont, par conséquent, moins à appréhender. Tout ce que le prince peut et doit faire à cet égard, c'est d'être attentif à n'offenser grièvement aucun de ceux qu'il emploie et qu'il a autour de lui pour son service; attention que n'eut point Caracalla, qui avait fait mourir injustement un frère du centurion par lequel il fut tué, qui le menaçait journellement lui-même, et qui néanmoins le conservait dans sa garde. C'était là sans doute une témérité qui ne pouvait qu'occasionner sa ruine, comme l'événement le prouva.

Pour ce qui est de Commode, fils et héritier de Marc-Aurèle, il avait certes toute facilité de se maintenir dans l'empire: il n'avait qu'à suivre les traces de son père pour contenter le peuple et les soldats. Mais, s'abandonnant à son caractère cruel et féroce, il voulut impunément écraser le peuple par ses rapines; il prit le parti de s'acheter les troupes et de les laisser vivre dans la licence. D'ailleurs, oubliant tout souci de sa dignité, on le voyait souvent descendre dans l'arène pour combattre avec les gladiateurs, et se livrer aux turpitudes les plus indignes de la majesté impériale. Il se rendit vil aux yeux même de ses soldats. Ainsi, devenu tout à la fois l'objet de la haine des uns et du mépris des autres, on conspira contre lui, et il fut égorgé.

Il ne me reste plus qu'à parler de Maximin. Il possédait toutes les qualités qui font l'homme de guerre. Après la mort d'Alexandre-Sévère, dont j'ai parlé tout à l'heure, les armées, dégoûtées de la faiblesse de ce dernier prince, élevèrent Maximin à l'empire; mais il ne le conserva pas longtemps. Deux choses contribuèrent à le faire mépriser et haïr. La première fut la bassesse de son premier état: gardien de troupeaux dans la Thrace, cette extraction, connue de tout le monde, le rendait vil à tous les yeux. La seconde fut la réputation de cruauté qu'il se fit aussitôt; car, sans aller à Rome pour prendre possession du trône impérial, il y fit commettre par ses lieutenants, ainsi que dans toutes les parties de l'empire, de multiples cruautés. Si bien qu'il souleva chez tout le monde le dégoût, par la bassesse de ses origines, et la haine, par la menace de sa férocité. L'Afrique se rebella la première; elle fut suivie par le sénat et le peuple de Rome, puis par le reste de l'Italie. Bientôt à cette conspiration générale se joignit celle de ses troupes: elles assiégeaient Aquilée; mais, rebutées par les difficultés du siège, lassées de ses cruautés, et commençant à le moins craindre depuis qu'elles le voyaient en butte à une multitude d'ennemis, elles se déterminèrent à le massacrer.

Je ne m'arrêterai maintenant à parler ni d'Héliogabale, ni de Macrin, ni de Didius Julianus, hommes si vils qu'ils ne firent que paraître sur le trône. Mais, venant immédiatement à la conclusion de mon discours, je dis que les princes modernes trouvent dans leur administration une difficulté de moins: c'est celle de satisfaire extraordinairement les gens de guerre. En effet, ils doivent bien, sans doute, avoir pour eux quelque considération; mais ce n'est pas un grand embarras, car aucun de ces princes n'a de grands corps de troupes permanents, et amalgamés en quelque sorte par le temps avec le gouvernement et l'administration des provinces, comme l'étaient les armées romaines. Les empereurs étaient obligés de contenter les soldats plutôt que les peuples, parce que les soldats étaient les plus puissants; mais aujourd'hui ce sont les peuples que les princes ont surtout à satisfaire. Il ne faut excepter à cet égard que le Grand Turc et le sultan d'Egypte.

J'excepte le Grand Turc, parce qu'il a toujours autour de lui un corps de douze mille hommes d'infanterie et de quinze mille de cavalerie; que ces corps font sa sûreté et sa force, et qu'en conséquence il doit sur toutes choses, et sans songer au peuple, ménager et conserver leur affection.

J'excepte le sultan, parce que ses Etats étant entièrement entre les mains des gens de guerre, il faut bien qu'il se concilie leur amitié, sans s'embarrasser du peuple.

Remarquons, à ce propos, que l'Etat du sultan diffère de tous les autres, et qu'il ne ressemble guère qu'à la papauté, qu'on ne peut appeler ni principauté héréditaire, ni principauté nouvelle. En effet, à la mort du prince, ce ne sont point ses enfants qui héritent et règnent après lui; mais son successeur est élu par ceux qui en ont la prérogative; et du reste, comme cet ordre de choses est consacré par son ancienneté, il ne présente point les difficultés des principautés nouvelles: le prince, à la vérité, est nouveau, mais les institutions sont anciennes, ce qui le fait recevoir tout comme s'il était prince héréditaire. Revenons à notre sujet.

Quiconque réfléchira sur tout ce que je viens de dire verra qu'en effet la ruine des empereurs dont j'ai parlé eut pour cause la haine ou le mépris, et il comprendra en même temps pourquoi, les uns agissant d'une certaine manière, et les autres d'une manière toute différente, un seul, de chaque côté, a fini heureusement, tandis que tous les autres ont terminé leurs jours d'une façon misérable. Il concevra que ce fut une chose inutile et même funeste pour Pertinax et pour Alexandre-Sévère, princes nouveaux, de vouloir imiter Marc-Aurèle, prince héréditaire; et que, pareillement, Caracalla, Commode et Maximin se nuisirent en voulant imiter Septime-Sévère, parce qu'ils n'avaient pas les grandes qualités nécessaires pour pouvoir suivre ses traces.

Je dis aussi qu'un prince nouveau peut et doit, non

pas imiter, soit Marc-Aurèle, soit Sévèrc, mais bien prendre, dans l'exemple de Sévère, ce qui lui est nécessaire pour établir son pouvoir, et dans celui de Marc-Aurèle, ce qui peut lui servir à maintenir la stabilité et la gloire d'un empire établi et consolidé depuis longtemps.

Chapitre 20.
Si les forteresses, et plusieurs autres choses que font souvent les princes, leur sont utiles ou nuisibles

Les princes ont employé différents moyens pour maintenir sûrement leurs Etats. Quelques-uns ont désarmé leurs sujets; quelques autres ont entretenu, dans les pays qui leur étaient soumis, la division des partis: il en est qui ont aimé à fomenter des inimitiés contre eux-mêmes; il y en a aussi qui se sont appliqués à gagner ceux qui, au commencement de leur règne, leur avaient paru suspects; enfin quelques-uns ont construit des forteresses, et d'autres les ont démolies. Il est impossible de se former, sur ces divers moyens, une opinion bien déterminée, sans entrer dans l'examen des circonstances particulières de l'Etat auquel il serait question d'en appliquer quelqu'un. La question comporte cependant des aspects généraux, dont je vais discuter.

Il n'est jamais arrivé qu'un prince nouveau ait désarmé ses sujets: bien au contraire, celui qui les a trouvés sans armes leur en a donné; car il a pensé que ces armes seraient à lui; qu'en les donnant, il rendrait fidèles ceux qui étaient suspects, que les autres se maintiendraient dans leur fidélité, et que tous, enfin, deviendraient ses partisans. A la vérité, tous les sujets ne peuvent pas porter les armes; mais le prince ne doit point craindre, en récompensant ceux qui les auront prises, d'indisposer les autres de manière qu'il ait quelque lieu de s'en inquiéter: les premiers, en effet, lui sauront gré de la récompense; et les derniers trouveront à propos qu'il traite mieux ceux qui auront plus servi et se seront exposés à plus de dangers.

Le prince qui désarmerait ses sujets commencerait à les offenser, en leur montrant qu'il se défie de leur fidélité; et cette défiance, quel qu'en fût l'objet, inspirerait de la haine contre lui. D'ailleurs, ne pouvant pas rester sans armes, il serait forcé de recourir à une milice mercenaire; et j'ai déjà dit ce que c'est que cette milice, qui, lors même qu'elle serait bonne, ne pourrait jamais être assez considérable pour le défendre contre des ennemis puissants et des sujets irrités. Aussi, comme je l'ai déjà dit, tout prince nouveau dans une principauté nouvelle n'a jamais manqué d'y organiser une force armée. L'histoire en présente de nombreux exemples.

C'est quand un prince a acquis un Etat nouveau, qu'il adjoint à celui dont il était déjà possesseur, qu'il lui importe de désarmer les sujets du nouvel Etat, à l'exception toutefois de ceux qui se sont déclarés pour lui au moment de l'acquisition: encore faut-il qu'il les fasse s'amollir et s'efféminer, et qu'il organise les choses de manière qu'il n'y ait plus d'armée que ses soldats propres, vivant dans son ancien Etat, auprès de sa personne.

Nos ancêtres, et particulièrement ceux qui passaient pour sages, disaient communément qu'il fallait contenir Pistoia au moyen des partis, et Pise par celui des forteresses; ils prenaient soin aussi d'entretenir la division dans quelques-uns des pays qui leur étaient soumis, afin de les maintenir plus aisément. Cela pouvait être bon dans le temps où il y avait une sorte d'équilibre en Italie: mais il me semble qu'on ne pourrait plus le conseiller aujourd'hui; car je ne pense pas que les divisions pussent être bonnes à quelque chose. Il me paraît même que, quand l'ennemi approche, les pays divisés sont infailliblement et bientôt perdus; car le parti faible se joindra aux forces extérieures, et l'autre ne pourra plus résister. Les Vénitiens, qui, je crois, pensaient à cet égard comme nos ancêtres, entretenaient les partis Guelfes et Gibelins dans les villes soumises à leur domination: à la vérité, ils ne laissaient pas aller les choses jusqu'à l'effusion du sang, mais ils fomentaient assez la division et les querelles pour que les habitants en fussent tellement occupés qu'ils ne songeassent point à sortir de l'obéissance. Cependant ils s'en trouvèrent mal; et quand ils eurent perdu la bataille de Vaila, ces mêmes villes devinrent aussitôt audacieuses, et secouèrent le joug de l'autorité vénitienne.

Le prince qui emploie de pareils moyens signale sa faiblesse; et un gouvernement fort ne tolérera jamais les divisions: si elles sont de quelque utilité durant la paix, en donnant quelques facilités pour contenir les sujets, dès que la guerre s'allume elles ne sont que funestes.

Les princes deviennent plus grands, sans doute, lorsqu'ils surmontent tous les obstacles qui s'opposaient à leur élévation. Aussi, quand la fortune veut agrandir un prince nouveau, qui a plus besoin qu'un prince héréditaire d'acquérir de la réputation, elle suscite autour de lui une foule d'ennemis contre lesquels elle le pousse, afin de lui fournir l'occasion d'en triompher, et lui donne ainsi l'occasion de s'élever au moyen d'une échelle que ses ennemis eux-mêmes lui fournissent. C'est pourquoi plusieurs personnes ont pensé qu'un prince sage doit, s'il le peut, entretenir avec adresse quelque inimitié, pour qu'en la surmontant il accroisse sa propre grandeur.

Les princes, et particulièrement les princes nouveaux, ont éprouvé que les hommes qui, au moment de l'établissement de leur puissance, leur avaient paru suspects, leur étaient plus fidèles et plus utiles que ceux qui d'abord s'étaient montrés dévoués. Pandolfo Petrucci, prince de Sienne, employait de préférence dans son gouvernement ceux que d'abord il avait suspectés[27].

Il serait difficile, sur cet objet, de donner des règles générales, et tout dépend des circonstances particulières. Je me bornerai aussi à dire que, pour les hommes qui, au commencement d'une principauté nouvelle, étaient ennemis, et qui se trouvent dans une position telle, qu'ils ont besoin d'appui pour se maintenir, le prince pourra toujours très aisément les gagner, et que, de leur côté, ils seront forcés de le servir avec d'autant plus de zèle et de fidélité qu'ils sentiront qu'ils ont à effacer, par leurs services, la mauvaise idée qu'ils lui avaient donnée lieu de prendre d'eux. Ils lui seront par conséquent plus utiles que ceux qui, n'ayant pas les mêmes motifs et la même crainte, peuvent s'occuper mollement de ses intérêts.

---

27. Ce paragraphe, bien sûr, décrit la situation de Machiavel devant les Médicis.

Et puisque mon sujet m'y amène, je ferai encore observer à tout prince nouveau, qui s'est emparé de la principauté au moyen d'intelligences au dedans, qu'il doit bien considérer par quels motifs ont été déterminées ceux qui ont agi en sa faveur; car, s'ils ne l'ont pas été par une affection naturelle, mais seulement par la raison qu'ils étaient mécontents de leur gouvernement actuel, le nouveau prince aura une peine extrême à conserver leur amitié, car il lui sera impossible de les contenter.

En réfléchissant sur les exemples que les temps anciens et modernes nous offrent à cet égard, on verra qu'il est beaucoup plus facile au prince nouveau de gagner ceux qui furent d'abord ses ennemis, parce qu'ils étaient satisfaits de l'ancien état des choses, que ceux qui se firent ses amis et le favorisèrent, parce qu'ils étaient mécontents.

Les princes ont, pour se maintenir, généralement construit des forteresses, soit afin d'empêcher les révoltes, soit afin d'avoir un lieu sûr de refuge contre une première attaque. J'approuve ce système, parce qu'il fut suivi par les anciens. De nos jours, cependant, nous avons vu Nicollò Vitelli démolir deux forteresses à Città di Castello, afin de se maintenir en possession de ce pays. Pareillement, le duc d'Urbin Guido Ubaldo, rentré dans son duché, d'où il avait été expulsé par César Borgia, détruisit jusqu'aux fondations toutes les citadelles qui s'y trouvaient, pensant qu'au moyen de cette mesure, il risquerait moins d'être dépouillé une seconde fois. Enfin les Bentivogli, rétablis dans Bologne, en usèrent de même. Les forteresses sont donc utiles ou non, selon les circonstances; et même, si elles servent dans un temps, elles nuisent dans un autre. Sur quoi voici ce qu'on peut dire.

Le prince qui a plus de peur de ses sujets que des étrangers doit construire des forteresses; mais il ne doit point en avoir s'il craint plus les étrangers que ses sujets: le château de Milan, construit par Francesco Sforza, a plus fait de tort à la maison de ce prince qu'aucun désordre survenu dans ses Etats. La meilleure forteresse qu'un prince puisse avoir est l'affection de ses peuples: s'il est haï, toutes les forteresses qu'il pourra avoir ne le sauveront point; car si ces peuples prennent une fois les armes, ils trouveront toujours des étrangers pour les soutenir.

De notre temps, nous n'avons vu que la comtesse de Forlî tirer avantage d'une forteresse, où, après le meurtre de son mari, le comte Girolamo, elle put trouver un refuge contre le soulèvement du peuple, et attendre qu'on lui eût envoyé de Milan le secours au moyen duquel elle reprit ses Etats. Mais, pour lors, les circonstances étaient telles, qu'aucun étranger ne put soutenir le peuple. D'ailleurs, cette même forteresse lui fut peu utile dans la suite, lorsqu'elle fut attaquée par César Borgia, et que le peuple, qui la détestait, put se joindre à cet ennemi. Dans cette dernière occasion, comme dans la première, il lui eût beaucoup mieux valu de n'être point haïe que d'avoir des forteresses.

D'après tout cela, j'approuve également ceux qui construiront des forteresses et ceux qui n'en construiront point; mais je blâmerai toujours quiconque, comptant sur cette défense, ne craindra point d'encourir la haine des peuples.

Chapitre 21.
Comment doit se conduire un prince pour acquérir de la réputation

Faire de grandes entreprises, donner par ses actions de rares exemples, c'est ce qui illustre le plus un prince. Nous pouvons, de notre temps, citer comme un prince ainsi illustré Ferdinand d'Aragon, actuellement roi d'Espagne, et qu'on peut appeler en quelque sorte un prince nouveau, parce que, n'étant d'abord qu'un roi bien peu puissant, la renommée et la gloire en ont fait le premier roi de la chrétienté.

Si l'on examine ses actions, on les trouvera toutes empreintes d'un caractère de grandeur, et quelques-unes paraîtront même sortir de la route ordinaire. Dès le commencement de son règne, il attaqua le royaume de Grenade; et cette entreprise devint la base de sa grandeur. D'abord il la fit étant en pleine paix avec tous les autres Etats, et sans crainte, par conséquent, d'aucune diversion: elle lui fournit d'ailleurs le moyen d'occuper l'ambition des grands de la Castille, qui, entièrement absorbés dans cette guerre, ne pensèrent point à innover; tandis que lui, de son côté, acquérait sur eux, par sa renommée, un ascendant dont ils ne s'aperçurent pas. De plus, l'argent que l'Eglise lui

fournit, et celui qu'il leva sur les peuples, le mirent en
état d'entretenir des armées qui, formées par cette
longue suite de guerres, le firent tant respecter par la
suite. Après cette entreprise, et se couvrant toujours
du manteau de la religion pour en venir à de plus
grandes, il s'appliqua avec une pieuse cruauté à persé-
cuter les Marranes [28], et à en purger son royaume: on
ne saurait trouver d'exemple plus pitoyable ou plus
rare [29]. Enfin, sous ce même prétexte de la religion, il
attaqua l'Afrique; puis il porta ses armes dans l'Italie;
et, en dernier lieu, il fit la guerre à la France: de sorte
qu'il ne cessa de former et d'exécuter de grands

28. A l'origine, juifs ou musulmans convertis au catholicisme par
convenance; en fait — l'intérêt de cette persécution étant notamment
financier — tout juif ou musulman converti en Espagne ou au
Portugal. Il pouvait s'agir de gens convertis depuis des générations.
En espagnol *marrano* signifie porc, mais ce mot a ici un double sens,
puisqu'on croyait communément pouvoir reconnaître les faux convertis à ce qu'ils n'acceptaient de manger du porc que de très
mauvais gré, la viande de porc étant interdite dans la religion juive
comme dans la religion musulmane. Le mot arabe *mahram*, chose
prohibée, est l'origine la plus probable du mot espagnol *marrano*,
porc.

29. Selon le début du chapitre, «l'exemple rare» est ce qui permet
le mieux à un prince de s'illustrer. Mais pourquoi Machiavel
ajoute-t-il «pitoyable»? Ce commentaire annule pourtant l'ironie
qui marquait le reste de la phrase. Est-ce parce qu'il s'agit d'un
prince catholique et de victimes persécutées pour ne l'être pas, que
Machiavel se permet d'exprimer de la commisération pour les
victimes d'un monarque qu'il cite en exemple? Lui qui exècre les
haines religieuses, peut-être pense-t-il ici à celle soulevée par
Savonarole contre Alexandre VI, et où l'épithète de marrane surgit
sans doute pour condamner ce pape d'origine espagnole, comme elle
surgit plus tard dans la bouche de son successeur, Jules II. Une chose
est sûre: le pape régnant, Léon X de Médicis, protège les marranes à
cause de leur érudition.

desseins, tenant toujours les esprits de ses sujets dans l'admiration et dans l'attente des événements. Toutes ces actions, au surplus, se succédèrent et furent liées les unes aux autres, de telle manière qu'elles ne laissaient ni le temps de respirer, ni le moyen d'en interrompre le cours.

Un prince aura aussi grand profit à donner, dans son gouvernement intérieur, des exemples rares (comme on raconte qu'en donna Messer Barnabo Visconti, conte de Milan) quand un geste extraordinaire, en bien ou en mal, de la part d'un citoyen, donne l'occasion de le récompenser ou de le punir d'une façon qui fera beaucoup parler. Et, avant tout, un prince doit s'employer dans toutes ses actions à se créer le renom d'un homme exceptionnel et supérieur.

On estime aussi un prince qui se montre franchement ami ou ennemi, c'est-à-dire, qui sait se déclarer ouvertement et sans réserve pour ou contre quelqu'un; ce qui est toujours un parti plus utile à prendre que de demeurer neutre.

En effet, quand deux puissances qui vous sont voisines en viennent aux mains, il arrive de deux choses l'une: elles sont, ou elles ne sont pas telles que vous ayez quelque chose à craindre de la part de celle qui demeurera victorieuse. Or, dans l'une et l'autre hypothèse, il vous sera utile de vous être déclaré ouvertement, et d'avoir fait franchement la guerre. En voici les raisons.

Dans le premier cas: vous ne vous êtes pas déclaré? vous demeurez la proie de la puissance victorieuse, et cela à la satisfaction et au contentement de la puissance vaincue, qui ne sera engagée par aucun motif à vous défendre ni même à vous donner asile. La première, effectivement, ne peut pas vouloir d'un ami suspect, qui ne sait pas l'aider au besoin; et, quant à la seconde, pourquoi vous accueillerait-elle, vous qui aviez refusé de prendre les armes en sa faveur et de courir sa fortune?

Antiochus étant venu dans la Grèce, où l'appelaient les Etoliens, dans la vue d'en chasser les Romains, envoya des orateurs aux Achéens, alliés de ce dernier peuple, pour les inviter à demeurer neutres. Les Romains leur en envoyèrent aussi, pour les engager au contraire à prendre les armes en leur faveur. L'affaire étant mise en discussion dans le conseil des Achéens, et les envoyés d'Antiochus insistant pour la neutralité, ceux des Romains répondirent, en s'adressant aux Achéens: «*Quant au conseil qu'on vous donne de ne prendre aucune part dans notre guerre, et qu'on vous présente comme le meilleur et le plus utile pour votre pays, il n'y en a point qui pût vous être plus funeste; car, si vous le suivez, vous demeurez aux mains du vainqueur sans vous être acquis la moindre gloire, et sans qu'on vous ait la moindre obligation[30]*».

Un gouvernement doit compter que toujours celle des deux parties belligérantes qui n'est point son amie lui demandera qu'il demeure neutre, et que celle qui est amie voudra qu'il se déclare en prenant les armes.

Ce parti de la neutralité est celui qu'embrassent le plus souvent les princes irrésolus, qu'effraient les dangers présents, et c'est celui qui le plus souvent aussi les conduit à leur ruine.

---

30. Comme toujours, c'est de mémoire que Machiavel cite Tite-Live (XXXV, 49); la phrase est changée mais le sens est respecté.

Vous êtes-vous montré résolument et vigoureusement pour une des deux parties? elle ne sera point à craindre pour vous, si elle demeure victorieuse, alors même qu'elle serait assez puissante pour que vous vous trouvassiez en son pouvoir; car elle vous sera obligée: elle aura contracté avec vous quelque lien d'amitié; et les hommes ne sont jamais tellement dépourvus de tout sentiment d'honneur, qu'ils veuillent accabler quelqu'un avec qui ils ont de tels rapports, et donner ainsi l'exemple de la plus noire ingratitude. D'ailleurs, les victoires ne sont jamais si complètes que le vainqueur puisse se croire affranchi de tout égard, et surtout de toute justice. Mais si cette partie belligérante, pour laquelle vous vous êtes déclaré, se trouve vaincue, du moins vous pouvez compter d'en être aidé autant qu'il lui sera possible, et d'être associé à une fortune qui peut se rétablir. Dans le second cas, celui où ni l'un ni l'autre des adversaires n'est suffisamment puissant pour que vous ayez à le craindre, il est d'autant plus utile de vous joindre à l'un d'eux; parce que vous faites ainsi la ruine de l'autre avec quelqu'un qui, s'il eut été sage, aurait plutôt travaillé à le sauver, puisque la victoire laissera cet allié en votre pouvoir; or la victoire est assurée à celui auquel vous vous alliez.

Sur cela, au reste, j'observe qu'un prince ne doit jamais, ainsi que je l'ai déjà dit, s'associer à un autre plus puissant que lui pour en attaquer un troisième, à moins qu'il n'y soit contraint par la nécessité: car la victoire le mettrait entre les mains de cet autre plus puissant; et les princes doivent, sur toutes choses, éviter de se trouver à la discrétion d'autrui. Les Vénitiens s'associèrent avec la France contre le duc de Milan; et de cette association, qu'ils pouvaient éviter, résulta leur ruine.

Mais si une pareille association est inévitable, comme elle le fut pour les Florentins lorsque le pape et l'Espagne firent marcher leurs troupes contre la Lombardie, il faut bien alors que l'on s'y détermine, quoi qu'il en puisse arriver.

Au surplus, un gouvernement ne doit point compter pouvoir prendre seulement des partis bien sûrs: on doit penser, au contraire, qu'il n'en est point où il ne se trouve quelque incertitude. Tel est effectivement l'ordre des choses, qu'on ne cherche jamais à fuir un inconvénient sans tomber dans un autre; et la prudence ne consiste qu'à examiner, à juger les inconvénients, et à prendre comme bon ce qui est le moins mauvais.

Un prince doit encore montrer qu'il apprécie le talent [31], et honorer ceux qui se distinguent dans leur profession. Il doit encourager ses sujets et les mettre à portée d'exercer tranquillement leur industrie, soit dans le commerce, soit dans l'agriculture, soit dans tous les autres genres de travaux auxquels les hommes se livrent; en sorte que personne ne se retienne d'enrichir ses propriétés parce qu'il craindrait qu'elles ne lui soient enlevées, ou d'ouvrir un commerce parce qu'il craindrait les impôts. Le prince doit faire espérer des récompenses à ceux qui forment de telles entreprises, ainsi qu'à tous deux qui songent à accroître la richesse et la grandeur de l'Etat. Il doit de plus, à certaines époques convenables de l'année, amuser le peuple par des fêtes, des spectacles; et, comme tous les citoyens d'un Etat sont partagés en communautés d'arts ou en tribus, il ne saurait avoir trop d'égards pour ces

31. Littéralement, les vertus (*le virtù*).

corporations: il paraîtra quelquefois dans leurs assem-
blées, et montrera toujours de l'humanité et de la
magnificence, sans jamais compromettre néanmoins la
majesté de son rang; majesté qui ne doit l'abandonner
dans aucune circonstance[32].

32. Si ce dernier paragraphe peut paraître singulier chez Machiavel, il est commun chez les auteurs anciens fréquentés par celui-ci. Il
est très proche, par exemple, d'un passage de Xénophon (*Hiéron* IX),
et parent aussi d'un passage de Tite-Live (IV, 35). (Passages retracés
selon une suggestion de Bertelli.)

Chapitre 22.
Des secrétaires des princes

Ce n'est pas une chose de peu d'importance pour un prince, que le choix de ses ministres, qui sont bons ou mauvais selon qu'il est plus ou moins sage lui-même. Aussi, quand on veut apprécier sa capacité, c'est d'abord par les personnes qui l'entourent que l'on en juge. Si elles sont habiles et fidèles, on présume toujours qu'il est sage lui-même, puisqu'il a su discerner leur habileté, et s'assurer de leur fidélité: mais on en pense tout autrement si ces personnes ne sont point telles; et le choix qu'il en a fait ayant dû être sa première opération, l'erreur qu'il y a commise est d'un très fâcheux augure. Tous ceux qui apprenaient que Pandolfo Petrucci, prince de Sienne, avait choisi Messer Antonio da Venafro pour son ministre, jugeaient par là même que c'était un prince très sage et très éclairé.

On peut distinguer trois ordres d'esprit, savoir: ceux qui comprennent par eux-mêmes; ceux qui comprennent lorsque d'autres leur démontrent; et ceux enfin qui ne comprennent ni par eux-mêmes ni par le secours d'autrui. Les premiers sont les esprits supérieurs, les seconds les bons esprits, les troisièmes les esprits nuls. Si Pandolfo n'était pas du premier ordre, certainement il devait être au moins du second, et cela suffisait; car un prince qui est en état, sinon d'imaginer, du moins de juger de ce qu'un autre fait et dit de bien et de mal, sait discerner les opérations bonnes ou mauvaises de son ministre, favoriser les unes, réprimer les autres, ne laisser aucune espérance de pouvoir le tromper, et contenir ainsi le ministre lui-même dans son devoir.

Du reste, si un prince veut une règle certaine pour connaître ses ministres, on peut lui donner celle-ci: Voyez-vous un ministre songer plus à lui-même qu'à vous, et rechercher son propre intérêt dans toutes ses actions? jugez aussitôt qu'il n'est pas tel qu'il doit être, et qu'il ne peut mériter votre confiance; car l'homme qui a l'administration d'un Etat dans les mains doit ne jamais penser à lui-même, mais toujours au prince, et ne l'entretenir que de ce qui tient à l'intérêt de l'Etat.

Mais il faut aussi que, de son côté, le prince pense à son ministre, s'il veut le conserver toujours fidèle; il faut qu'il l'environne de considération, qu'il le comble de richesses, qu'il l'accable de bienfaits, qu'il le fasse entrer en partage de tous les honneurs et de toutes les dignités, pour qu'il n'ait pas lieu d'en souhaiter davantage; que, monté au comble de la faveur, il redoute le moindre changement, et qu'il soit bien convaincu qu'il ne pourrait se soutenir sans l'appui du prince.

Quand le prince et le ministre sont tels que je le dis, ils peuvent se livrer l'un à l'autre avec confiance: s'ils ne le sont point, la fin sera également fâcheuse pour tous les deux.

Chapitre 23.
Comment on doit fuir les flatteurs

Je ne négligerai point de parler d'un article important, et d'une erreur dont il est très difficile aux princes de se défendre, s'ils ne sont doués d'une grande prudence, et s'ils n'ont l'art de faire de bon choix; il s'agit des flatteurs, dont les cours sont toujours remplies.

Si, d'un côté, les princes aveuglés par l'amour-propre ont peine à ne pas se laisser corrompre par cette peste, de l'autre, ils courent un danger en la fuyant: c'est celui de tomber dans le mépris. Ils n'ont effectivement qu'un bon moyen de se prémunir contre la flatterie, c'est de faire bien comprendre qu'on ne peut leur déplaire en leur disant la vérité: or, si toute personne peut dire librement à un prince ce qu'elle croit vrai, il cesse bientôt d'être respecté.

Cela signifie qu'un prince prudent doit suivre une troisième voie: faire choix dans ses Etats de quelques hommes sages, et leur donner, mais à eux seuls, liberté entière de lui dire la vérité, se bornant toutefois encore aux choses sur lesquelles il les interrogera. Il doit, du reste, les consulter sur tout, écouter leurs avis, décider

«Un prince qui n'est point sage lui-même ne peut pas être bien conseillé.» *le Prince* XXIII (Doré: Picrochole et ses ministres).

ensuite par lui-même; il doit encore se conduire, soit envers tous les conseillers ensemble, soit envers chacun d'eux en particulier, de manière à leur persuader qu'ils lui plaisent d'autant plus qu'ils parlent avec plus de franchise; il doit enfin ne vouloir écouter personne d'autre, agir selon la décision prise, et s'y tenir avec fermeté.

Le prince qui en use autrement est ruiné par les flatteurs, ou il est sujet à varier sans cesse, entraîné par la diversité des conseils; ce qui diminue beaucoup la considération qu'on a pour lui. Sur quoi je citerai un exemple récent. Le prêtre Lucas, agent de Maximilien, actuellement empereur, disait de ce prince qu'il ne prenait jamais conseil de personne, et qu'il ne suivait pourtant jamais sa propre volonté. Cela vient de ce qu'il suit une conduite contraire à celle que je propose: c'est un homme secret, qui ne communique ses desseins à personne et ne demande l'avis de personne; mais, ses desseins se devinant au fur et à mesure qu'il les met à exécution, ils sont aussitôt critiqués par son entourage et, lui, étant un homme facile, s'en détourne. Ainsi, ce qu'il fait un jour, il le défait le lendemain, on ne sait jamais ce qu'il désire ni ce qu'il compte faire, et on ne peut jamais compter sur ses décisions.

Un prince doit donc toujours prendre conseil, mais il doit le faire quand il veut, et non quand d'autres le veulent: il faut même qu'il ne laisse à personne la hardiesse de lui donner son avis sur quoi que ce soit, à moins qu'il ne le demande; mais il faut aussi qu'il ne soit pas trop réservé dans ses questions, qu'il écoute patiemment la vérité, et que lorsque quelqu'un est retenu, par certains égards, de la lui dire, il en témoigne du déplaisir.

Ceux qui prétendent que tel ou tel prince qui paraît
sage ne l'est point effectivement, parce que la sagesse
qu'il montre ne vient pas de lui-même, mais des bons
conseils qu'il reçoit, avancent une grande erreur: car
c'est une règle générale, et qui ne trompe jamais,
qu'un prince qui n'est point sage par lui-même ne peut
pas être bien conseillé, à moins que le hasard ne l'ait
mis entièrement entre les mains de quelque homme très
habile, qui seul le maîtrise et le gouverne; auquel cas,
du reste, il peut, à la vérité, être bien conduit, mais
pour peu de temps, car le conducteur ne tardera pas à
s'emparer du pouvoir. Mais hors de là, et lorsqu'il sera
obligé d'avoir plusieurs conseillers, le prince qui
manque de sagesse les trouvera toujours divisés entre
eux, et ne saura point les réunir. Chacun de ces
conseillers ne pensera qu'à son intérêt propre, et il ne
sera en état ni de les reprendre ni même de les juger:
d'où il s'ensuivra qu'il n'en aura jamais que de
mauvais, car ils ne seront point forcés par la nécessité à
devenir bons. En un mot, les bons conseils, de quelque
part qu'ils viennent, sont le fruit de la sagesse du
prince, et cette sagesse n'est point le fruit des bons
conseils.

Chapitre 24.
Pourquoi les princes d'Italie
ont perdu leurs Etats

Le prince nouveau qui conformera sa conduite à tout ce que nous avons remarqué sera regardé comme ancien, et bientôt même il sera plus sûrement et plus solidement établi que si son pouvoir avait été consacré par le temps. En effet, les actions d'un prince nouveau sont beaucoup plus observées que celles d'un prince ancien; et quand elles sont jugées vertueuses, elles lui gagnent et lui attachent bien plus les cœurs que ne pourrait faire l'ancienneté de la race; car les hommes sont bien plus touchés du présent que du passé; et quand leur situation actuelle les satisfait, ils en jouissent sans penser à autre chose: ils sont même très disposés à les maintenir et à les défendre, pourvu que d'ailleurs le prince ne se manque point à lui-même.

Le prince aura donc une double gloire, celle d'avoir fondé un Etat nouveau, et celle de l'avoir orné, consolidé par de bonnes lois, de bonnes armes, de bons alliés et de bons exemples; tandis qu'au contraire, il y aura une double honte pour celui qui, né sur le trône, l'aura laissé perdre par son peu de sagesse.

Si l'on considère la conduite des divers princes d'Italie qui, de notre temps, ont perdu leurs Etats, tels que le roi de Naples, le duc de Milan et autres, on trouvera d'abord une faute commune à leur reprocher: c'est celle qui concerne les forces militaires, et dont il a été parlé au long ci-dessus. En second lieu, on reconnaîtra qu'ils s'étaient attiré la haine du peuple, ou qu'en possédant son amitié, ils n'avaient pas su s'assurer des grands. Sans de telles fautes, on ne perd point des Etats assez puissants pour mettre une armée en campagne.

Philippe de Macédoine, non pas le père d'Alexandre le Grand, mais celui qui fut vaincu par T. Quintus Flaminius [33], ne possédait qu'un petit Etat en comparaison de la grandeur de la république romaine et de la Grèce, par qui il fut attaqué: néanmoins, comme c'était un habile capitaine, et qu'il avait pu s'attacher le peuple et s'assurer des grands, il se trouva en état de soutenir la guerre durant plusieurs années; et si, à la fin, il dut perdre quelques villes, du moins il conserva son royaume.

Que ceux de nos princes qui, après une longue possession, ont été dépouillés de leurs Etats, n'en accusent donc point la fortune, mais qu'ils s'en prennent à leur propre lâcheté. N'ayant jamais pensé, dans les temps de tranquillité, que les choses pouvaient changer, semblables en cela au commun des hommes, qui, durant le calme, ne s'inquiètent point de la tempête, ils ont songé, quand l'adversité s'est montrée, non à se défendre, mais à s'enfuir, espérant être

33. C'est-à-dire, non pas Philippe II, mais Philippe V, vaincu aux Cynoscéphales vers 197 avant notre ère.

rappelés par leurs peuples, que l'insolence du vainqueur aurait fatigués. Un tel parti peut être bon à
prendre quand on n'en a pas d'autre; mais il est bien
honteux de s'y réduire: on ne se laisse pas tomber,
dans l'espoir d'être relevé par quelqu'un. D'ailleurs, il
n'est pas certain qu'en ce cas un prince soit ainsi
rappelé; et, s'il l'est, ce ne sera pas avec grande sûreté
pour lui, car un tel genre de défense l'avilit, et ne
dépend pas de sa personne. Or, il n'y a pour un prince
de défense bonne, certaine et durable, que celle qui
dépend de lui-même et de sa propre vertu.

Chapitre 25.
Combien, dans les choses humaines, la fortune a de pouvoir, et comment on peut y résister

Je n'ignore point que bien des gens ont pensé et pensent encore que Dieu et la fortune régissent les choses de ce monde de telle manière que toute la prudence humaine ne peut en arrêter ni en régler le cours: d'où l'on peut conclure qu'il est inutile de s'en occuper avec tant de peine, et qu'il n'y a qu'à se soumettre et à laisser tout conduire par le sort. Cette opinion s'est surtout propagée de notre temps, par une conséquence de cette variété de grands événements que nous avons cités, dont nous sommes encore témoins, et qu'il ne nous était pas possible de conjecturer: aussi suis-je assez enclin à la partager.

Néanmoins, ne pouvant admettre que notre libre arbitre soit réduit à rien, j'imaine qu'il peut être vrai que la fortune dispose de la moitié de nos actions, mais qu'elle en laisse à peu près l'autre moitié en notre pouvoir. Je la compare à un fleuve impétueux qui, lorsqu'il se déborde, inonde les plaines, renverse les arbres et les édifices, enlève les terres d'un côté et les emporte vers un autre: tout fuit devant ses ravages, tout cède à sa fureur; rien n'y peut mettre obstacle.

Cependant, et quelque redoutable qu'il soit, les hommes ne laissent pas, lorsqu'il n'y a plus d'orage, de chercher à pouvoir s'en garantir, par des digues, des chaussées, et autres travaux; en sorte que, de nouvelles crues survenant, les eaux se trouvent contenues dans un canal, et ne puissent plus se répandre avec autant de liberté et causer d'aussi grands ravages. Il en est de même de la fortune, qui montre surtout son pouvoir là où aucune résistance n'a été préparée, et porte ses fureurs là où elle sait qu'il n'y a point d'obstacle disposé pour l'arrêter.

Si l'on considère l'Italie, qui est le théâtre et la source des grands changements que nous avons vus et que nous voyons s'opérer, on trouvera qu'elle est comme une vaste campagne qui n'est garantie par aucune sorte de défense. Que si elle avait disposé de la vertu appropriée, comme l'Allemagne, l'Espagne et la France, contre le torrent des changements, elle n'en aurait pas été inondée, ou du moins, elle n'en aurait pas autant souffert.

Quant aux moyens généraux de s'opposer à la fortune, ces remarques devront suffire. Je passe maintenant au particulier, où j'observe d'abord qu'il n'est pas extraordinaire de voir un prince prospérer un jour et déchoir le lendemain, sans néanmoins qu'il ait changé, soit de caractère, soit de conduite. Cela vient, ce me semble, de ce que j'ai déjà assez longuement établi, qu'un prince qui s'appuie entièrement sur la fortune tombe à mesure qu'elle varie. Il me semble encore qu'un prince est heureux ou malheureux, selon que sa conduite se trouve ou ne se trouve pas conforme au temps où il règne. Tous les hommes ont en vue un même but: la gloire et les richesses; mais, dans tout ce

qui a pour objet de parvenir à ce but, ils n'agissent pas
tous de la même manière: les uns procèdent avec
circonspection, les autres avec impétuosité; ceux-ci
emploient la violence, ceux-là usent d'artifice; il en est
qui sont patients, il en est aussi qui ne le sont pas du
tout: ces diverses façons d'agir, quoique très différentes, peuvent également réussir. On voit d'ailleurs que
de deux hommes qui suivent la même marche, l'un
arrive et l'autre n'arrive pas; tandis qu'au contraire
deux autres qui marchent très différemment, et, par
exemple, l'un avec circonspection et l'autre avec impétuosité, parviennent néanmoins pareillement à leur
terme: or, d'où cela vient-il, si ce n'est de ce que les
manières de procéder sont ou ne sont pas conformes
aux temps? C'est ce qui fait que deux actions différentes produisent un même effet, et que deux actions
pareilles ont des résultats opposés. C'est pour cela
encore, que ce qui est bien ne l'est pas toujours. Ainsi,
par exemple, un prince gouverne-t-il avec circonspection et patience? si la nature et les circonstances des
temps sont telles que cette manière de gouverner soit
bonne, il prospérera; mais il déchoiera, au contraire, si
la nature et les circonstances des temps changeant, il ne
change pas lui-même de système.

Changer ainsi à propos, c'est ce que les hommes
même les plus prudents ne savent point faire, soit
parce qu'on ne peut agir contre son caractère, soit
parce que, lorsqu'on a longtemps prospéré en suivant
une certaine route, on ne peut se persuader qu'il soit
bon d'en prendre une autre. Ainsi l'homme circonspect, ne sachant point être impétueux quand il le
faudrait, est lui-même l'artisan de sa propre ruine. Si
nous pouvions changer de caractère selon le temps et

les circonstances, la fortune ne changerait jamais.

Le pape Jules II fit toutes ses actions avec impétuosité; et cette manière d'agir se trouva tellement conforme aux temps et aux circonstances, que le résultat en fut toujours heureux. Considérez sa première entreprise, celle qu'il fit sur Bologne, du vivant de Messer Giovanni Bentivogli: les Vénitiens ne la voyaient que de mauvais œil; et elle était un sujet de discussion pour l'Espagne et la France; néanmoins, Jules s'y précipita avec sa résolution et son impétuosité naturelles, conduisant lui-même en personne l'expédition; et, par cette hardiesse, il tint les Vénitiens et l'Espagne en respect, de telle manière que personne n'osa se mouvoir: les Vénitiens, parce qu'ils craignaient, et l'Espagne, parce qu'elle désirait recouvrer le royaume de Naples en entier. D'ailleurs, il entraîna le roi de France à son aide; car ce monarque, voyant que le pape s'était mis en marche, et souhaitant gagner son amitié, dont il avait besoin pour abaisser les Vénitiens, jugea qu'il ne pouvait lui refuser le secours de ses troupes sans lui faire une offense manifeste. Jules obtint donc, par son impétuosité, ce qu'un autre n'aurait pas obtenu avec toute la prudence humaine; car, s'il avait attendu, pour partir de Rome, comme tout autre pape aurait fait, que tout eût été convenu, arrêté, préparé, certainement il n'aurait pas réussi. Le roi de France, en effet, aurait trouvé mille moyens de s'excuser auprès de lui, et les autres puissances en auraient eu tout autant de l'effrayer.

Je ne parlerai point ici des autres opérations de ce pontife, qui, toutes conduites de la même manière, eurent pareillement un heureux succès. Du reste, la brièveté de sa vie ne lui a pas permis de connaître les

revers qu'il eût probablement essuyés s'il avait survécu
dans un temps où il eût fallu se conduire avec circonspection; car il n'aurait jamais pu se départir du
système de violence auquel ne le portait que trop son
caractère.

Je conclus donc que, la fortune changeant, et les
hommes s'obstinant dans la même manière d'agir, ils
sont heureux tant que cette manière se trouve d'accord
avec la fortune; mais qu'aussitôt que cet accord cesse,
ils deviennent malheureux. Je crois bien, par ailleurs,
qu'il vaut mieux être impétueux que circonspect, car la
fortune est femme: il est nécessaire, si l'on veut la
soumettre, de la battre et de la malmener. Chacun peut
voir qu'elle se laisse mieux vaincre par ceux qui la
traitent ainsi que par ceux qui n'y mettent pas d'ardeur. Toujours aussi, comme une femme, elle est
l'amie des jeunes, parce qu'ils sont moins circonspects,
plus ardents, et lui commandent avec plus d'audace.

Filippino Lippi: Jeune homme, Florence, vers 1500 (craie,
Musée des Offices, Florence).

Chapitre 26.
Exhortation à délivrer l'Italie des barbares

En réfléchissant sur tout ce que j'ai exposé ci-dessus, et en examinant en moi-même si aujourd'hui les temps seraient tels en Italie, qu'un prince nouveau pût s'y rendre illustre, et si un homme prudent et vertueux trouverait l'occasion et le moyen de donner à ce pays une nouvelle forme, telle qu'il en résultât de la gloire pour lui et de l'utilité pour la généralité des habitants, il me semble que tant de circonstances concourent en faveur d'un pareil dessein, que je ne sais s'il y eut jamais un temps plus propice que celui-ci pour ces grands changements.

Et si, comme je l'ai dit, il fallait que le peuple d'Israël fût esclave des Egyptiens pour connaître la vertu de Moïse; si la grandeur d'âme de Cyrus ne pouvait éclater qu'autant que les Perses seraient opprimés par les Mèdes; si enfin, pour apprécier toute la valeur de Thésée, il était nécessaire que les Athéniens fussent désunis: de même, aujourd'hui, pour que l'on puisse connaître la vertu d'un esprit italien, il était nécessaire que l'Italie fût réduite au terme où nous la voyons parvenue; qu'elle fût plus opprimée que les

Hébreux, plus esclave que les Perses, plus désunie que les Athéniens, sans chefs, sans institutions, battue, dépouillée, déchirée, envahie, et accablée de toute espèce de désastres.

Jusqu'à présent, quelques lueurs ont bien paru lui annoncer de temps en temps un homme choisi de Dieu pour sa délivrance; mais bientôt elle a vu cet homme tellement arrêté par la fortune dans sa brillante carrière[34], qu'elle en est toujours à attendre, presque mourante, celui qui pourra guérir ses blessures, faire cesser les pillages et les saccages que souffre la Lombardie, mettre un terme aux exactions et aux vexations qui accablent le royaume de Naples et la Toscane, et rassainir enfin ses plaies qui, avec la longueur du temps, sont devenues fistuleuses.

On la voit aussi priant sans cesse le Ciel de daigner lui envoyer quelqu'un qui la délivre de la cruauté et de l'insolence des barbares. On la voit d'ailleurs toute disposée, toute prête à se ranger sous le premier étendard qu'on osera déployer devant ses yeux. Mais où peut-elle mieux placer ses espérances qu'en votre illustre maison[35], qui, par sa fortune et par sa vertu, par la faveur de Dieu et par celle de l'Eglise, dont elle occupe actuellement le trône, peut véritablement conduire et opérer cette heureuse délivrance.

Elle ne sera point difficile, si vous avez sous les yeux la vie et les actions de ces héros que je viens de nommer. C'étaient, il est vrai, des hommes rares et merveilleux; mais enfin c'étaient des hommes; et les

---

34. Bien entendu, sous la plume de Machiavel, ce portrait est celui de César Borgia.

35. Celle du dédicataire du *Prince*, Laurent de Médicis.

occasions dont ils profitèrent étaient moins favorables
que celle qui se présente. Leurs entreprises ne furent
pas plus justes que celle-ci, et ils n'eurent pas la faveur
de Dieu plus sûrement que vous ne l'avez. C'est ici que
la justice brille dans tout son jour; *car la guerre est
toujours juste lorsqu'elle est nécessaire, et les armes
sont sacrées lorsqu'elles sont l'unique ressource des
opprimés*[36]. Ici, tous les vœux du peuple vous appellent; et, au milieu de cette disposition unanime, le
succès ne peut être incertain: il suffit que vous preniez
exemple sur ceux que je vous ai proposés pour modèles.

Bien plus, Dieu manifeste sa volonté par des signes
éclatants: la mer s'est entr'ouverte, une nuée lumineu-
se a indiqué le chemin, le rocher a fait jaillir des eaux
de son sein, la manne est tombée dans le désert[37], tout
favorise ainsi votre grandeur. Que le reste soit votre
ouvrage: Dieu ne veut pas tout faire, pour ne pas nous
laisser sans mérite et sans cette portion de gloire qu'il
nous permet d'acquérir.

Qu'aucun des Italiens dont j'ai parlé[38] n'aît pu faire
ce qu'on attend de votre illustre maison; que, même au
milieu de tant de révolutions que l'Italie a éprouvées,
et de tant de guerres dont elle a été le théâtre, il ait
semblé que toute vertu militaire y fût éteinte, c'est de
quoi l'on ne doit point s'étonner: cela est venu de ce
que les anciennes institutions étaient mauvaises, et
qu'il n'y a eu personne qui sût en trouver de nouvelles.

---

36. Tite-Live, IX, 1.
37. Tous ces miracles accompagnent, dans la Genèse, la mission
de Moïse menant les Israélites hors d'Egypte, où ils étaient esclaves,
vers la Terre promise.
38. César Borgia, Francesco Sforza, peut-être Jules II.

Il n'est rien cependant qui fasse plus d'honneur à un homme qui commence à s'élever, que d'avoir su introduire de nouvelles lois et de nouvelles institutions: si ces lois, si ces institutions, posent sur une base solide, et si elles présentent de la grandeur, elles le font admirer et respecter de tous les hommes.

L'Italie, au surplus, offre une matière susceptible des réformes les plus universelles. C'est là que la vertu éclatera dans chaque individu, pourvu que les chefs n'en manquent pas eux-mêmes. Voyez dans les duels et les combats entre un petit nombre d'assaillants, combien les Italiens sont supérieurs en force, en adresse, en intelligence. Mais faut-il qu'ils combattent réunis en armée, toute leur valeur s'évanouit. Il faut en accuser la faiblesse des chefs; car, d'une part, ceux qui savent ne sont point obéissants, et chacun croit savoir; de l'autre, il ne s'est trouvé aucun chef assez élevé, soit par sa vertu, soit par la fortune, au-dessus des autres, pour que tous reconnussent sa supériorité et lui fussent soumis. Il est résulté de là que, pendant si longtemps, et durant tant de guerres qui ont eu lieu depuis vingt années, toute armée uniquement composée d'Italiens n'a éprouvé que des revers, témoins d'abord le Taro, puis Alexandrie, Capoue, Gênes, Vailà, Bologne et Mestri.

Si votre illustre maison veut imiter les grands hommes qui, en divers temps, délivrèrent leur pays, ce qu'elle doit faire avant toutes choses, et ce qui doit faire la base de son entreprise, c'est de se pourvoir de forces nationales, car ce sont les plus solides, les plus fidèles, les meilleures qu'on puisse posséder: chacun des soldats qui les composent étant bon personnellement, deviendra encore meilleur lorsque tous réunis se verront commandés, honorés, entretenus par leur prince. C'est avec de telles armes que la vertu italienne pourra repousser les étrangers.

L'infanterie suisse et l'infanterie espagnole passent pour terribles; mais il y a dans l'une et dans l'autre un défaut tel, qu'il est possible d'en former une troisième, capable non seulement de leur résister, mais encore de les vaincre. En effet, l'infanterie espagnole ne peut se soutenir contre la cavalerie, et l'infanterie suisse doit craindre toute infanterie qui combattrait avec la même obstination qu'elle. On a vu aussi, et l'on verra encore, la cavalerie française défaire l'infanterie espagnole, et celle-ci détruire l'infanterie suisse; de quoi il a été fait, sinon une expérience complète, au moins un essai dans la bataille de Ravenne, où l'infanterie espagnole se trouva aux prises avec les bataillons allemands, qui observent la même discipline que les Suisses: on vit les Espagnols, favorisés par leur agilité, et couverts de leurs petits boucliers, pénétrer par dessous les lances dans les rangs de leurs adversaires, les frapper sans risque et sans que les Allemands pussent les en empêcher; et ils les auraient détruits jusqu'au dernier, si la cavalerie n'était venue les charger à leur tour.

Maintenant que l'on connaît le défaut de l'une et de l'autre de ces deux infanteries, on peut en organiser une nouvelle qui ne l'ait point, c'est-à-dire, qui sache résister à la cavalerie et ne point craindre d'autres fantassins. Il n'est pas nécessaire pour cela de créer un nouveau genre de troupe, il suffit de trouver une nouvelle organisation, une nouvelle manière de combattre; et c'est par de telles inventions qu'un prince nouveau acquiert de la réputation et parvient à s'agrandir.

Ne laissons donc point échapper l'occasion présente. Que l'Italie, après une si longue attente, voie enfin paraître son libérateur! Je ne puis trouver de termes pour exprimer avec quel amour, avec quelle soif de vengeance, avec quelle fidélité inébranlable, avec quelle vénération et quelles larmes de joie il serait reçu dans toutes les provinces qui ont tant souffert de ces inondations d'étrangers! Quelles portes pourraient rester fermées devant lui? Quels peuples refuseraient de lui obéir? Quelle jalousie s'opposerait à ses succès? Quel Italien ne l'entourerait de ses respects? Y a-t-il quelqu'un dont la domination des barbares ne fasse bondir le cœur?

Que votre illustre maison prenne donc sur elle ce noble fardeau avec ce courage et cet espoir du succès qu'inspire une entreprise juste et légitime; que, sous sa bannière, la commune patrie ressaisisse son ancienne splendeur, et que, sous ses auspices, la vérité de ces vers de Pétrarque puisse se vérifier!

Vertu contre fureur
Prendra l'arme, et combattra d'un coup:
Car l'ancienne valeur
Aux cœurs italiens encor n'est éteinte [39].

---

39. Chanson *Mon Italie* (*aux Seigneurs d'Italie*).

Frédéric II, roi de Prusse: Antimachiavel ou l'Examen du Prince de Machiavel (1740), Avant-Propos[1]

Le *Prince* de Machiavel est, en fait de morale, ce qu'est l'ouvrage de Spinoza[2] en matière de foi: Spinoza sapait les fondements de la foi, et ne tendait pas à moins qu'à renverser l'édifice de la religion; Machiavel corrompit la politique, et entreprit de détruire les préceptes de la saine morale. Les erreurs de l'un n'étaient que des erreurs de spéculation; celles de l'autre regardaient la pratique. Cependant, il s'est trouvé que les théologiens ont sonné le tocsin et crié aux armes contre Spinoza, qu'on a réfuté son ouvrage en forme, et qu'on a défendu la Divinité contre ses attaques; tandis que Machiavel n'a été que harcelé par quelques moralistes, et qu'il s'est soutenu, malgré eux et malgré sa pernicieuse morale, sur la chaire de la politique, jusqu'à nos jours.

1. Cet avant-propos est dû à la plume de Voltaire, ami de Frédéric.
2. Baruch de Spinoza (1632-1677), Juif hollandais d'origine espagnole marrane (voir *le Prince* XXI), a montré, dans son *Traité de l'autorité politique*, l'estime qu'il avait pour Machiavel. Mais Voltaire pense ici à l'*Ethique*. Machiavel et Spinoza pouvaient à l'époque tous deux être condamnés comme «matérialistes».

J'ose prendre la défense de l'humanité contre ce monstre qui veut la détruire; j'ose opposer la raison et la justice au sophisme et au crime; et j'ai hasardé mes réflexions sur le *Prince* de Machiavel, chapitre par chapitre, afin que l'antidote se trouve immédiatement auprès du poison.

J'ai toujours regardé le *Prince* de Machiavel comme un des ouvrages les plus dangereux qui se soient répandus dans le monde; c'est un livre qui doit tomber naturellement entre les mains des princes, et de ceux qui se sentent du goût pour la politique: il n'est que trop facile qu'un jeune homme ambitieux, dont le cœur et le jugement ne sont pas assez formés pour distinguer sûrement le bon du mauvais, soit corrompu par des maximes qui flattent ses passions.

Mais, s'il est mauvais de séduire l'innocence d'un particulier qui n'influe que légèrement sur les affaires du monde, il l'est beaucoup plus de pervertir des princes qui doivent gouverner des peuples, administrer la justice et en donner l'exemple à leurs sujets, être, par leur bonté, par leur magnanimité et leur miséricorde, les images vivantes de la Divinité.

Les inondations qui ravagent des contrées, le feu du tonnerre qui réduit des villes en cendres, le poison de la peste qui désole des provinces, ne sont pas aussi funeste au monde que la dangereuse morale et les passions effrénées des rois: les fléaux célestes ne durent qu'un temps, ils ne ravagent que quelques contrées, et ces pertes, quoique douloureuses, se réparent; mais les crimes des rois font souffrir bien longtemps des peuples entiers.

Ainsi que les rois ont le pouvoir de faire du bien lorsqu'ils en ont la volonté, de même dépend-il d'eux de faire du mal lorsqu'ils l'ont résolu. Et combien n'est point déplorable la situation des peuples, lorsqu'ils ont tout à craindre de l'abus du pouvoir souverain; lorsque leurs biens sont en proie à l'avarice du prince, leur liberté à ses caprices, leur repos à son ambition, leur sûreté à sa perfidie, et leur vie à ses cruautés! C'est-là le tableau tragique d'un Etat où règnerait un prince comme Machiavel prétend le former.

Je ne dois pas finir cet Avant-propos sans dire un mot à des personnes qui croient que Machiavel écrivait plutôt ce que les princes font, que ce qu'ils doivent faire: cette pensée a plu à beaucoup de monde, parce qu'elle est satirique.

Ceux qui ont prononcé cet arrêt décisif contre les souverains ont été séduits sans doute par les exemples de quelques mauvais princes, contemporains de Machiavel, cités par l'auteur, et par la vie de quelques tyrans qui ont été l'opprobre de l'humanité. Je prie ces censeurs de penser que, comme la séduction du trône est très puissante, il faut plus qu'une vertu commune pour y résister; et qu'ainsi il n'est point étonnant que, dans un ordre aussi nombreux que celui des princes, il s'en trouve de mauvais parmi les bons. Parmi les empereurs romains, où l'on compte des Néron, des Caligula, des Tibère, l'univers se ressouvient avec joie des noms consacrés par les vertus des Titus, des Trajan et des Antonin.

Il y a donc une injustice criante d'attribuer à tout un corps ce qui ne convient qu'à quelques-uns de ses membres.

On ne devrait conserver dans l'histoire que les noms des bons princes, et laisser mourir à jamais ceux des autres avec leur indolence, leurs injustices et leurs crimes. Les livres d'histoire diminueraient à la vérité de beaucoup, mais l'humanité y profiterait; et l'honneur de vivre dans l'histoire, de voir son nom passer des siècles futurs jusqu'à l'éternité, ne serait que la récompense de la vertu: le livre de Machiavel n'infecterait plus les écoles de politique; on mépriserait les contradictions dans lesquelles il est toujours avec lui-même, et le monde se persuaderait que la véritable politique des rois, fondée uniquement sur la justice, la prudence et la bonté, est préférable en tout sens au système décousu et plein d'horreur que Machiavel a eu l'imprudence de présenter au public.

ANNEXE 2
L'Encyclopédie (1751)
article: «Egalité naturelle» [3]

L'égalité naturelle est celle qui est entre tous les hommes par la constitution de leur nature seulement. Cette *égalité* est le principe et le fondement de la liberté.

L'*égalité naturelle* ou *morale* est donc fondée sur la constitution de la nature humaine commune à tous les hommes, qui naissent, croissent, subsistent et meurent de la même manière.

Puisque la nature humaine se trouve la même dans tous les hommes, il est clair que selon le droit naturel chacun doit estimer et traiter les autres comme autant d'êtres qui lui sont naturellement égaux, c'est-à-dire qui sont hommes aussi bien que lui.

De ce principe de l'*égalité naturelle* des hommes, il résulte plusieurs conséquences. Je parcourrai les principales.

1° Il résulte de ce principe que tous les hommes sont

---

3. Cet article a été rédigé par le plus assidu collaborateur de l'*Encyclopédie*, le chevalier Louis de Jaucourt. Le directeur de l'*Encyclopédie* était Denis Diderot.

naturellement libres, et que la raison n'a pu les rendre dépendants que pour leur bonheur.

2° Que malgré toutes les inégalités produites dans le gouvernement politique par la différence des conditions, par la noblesse, la puissance, les richesses, etc., ceux qui sont les plus élevés au-dessus des autres doivent traiter leurs inférieurs comme leur étant naturellement égaux, en évitant tout outrage, en n'exigeant rien au-delà de ce qu'on leur doit, et en exigeant avec humanité ce qui leur est dû le plus incontestablement.

3° Que quiconque n'a pas acquis un droit particulier, en vertu duquel il puisse exiger quelque préférence, ne doit rien prétendre plus que les autres, mais au contraire les laisser jouir également des mêmes droits qu'il s'arroge lui-même.

4° Qu'une chose qui est de droit commun, doit être ou commune en jouissance, ou possédée alternativement, ou divisée par égales portions entre ceux qui ont le même droit, ou par compensation équitable et réglée; ou qu'enfin, si cela est impossible, on doit en remettre la décision au sort: expédient assez commode, qui ôte tout soupçon de mépris et de partialité sans rien diminuer de l'estime des personnes auxquelles il ne se trouve pas favorable.

Enfin, pour dire plus, je fonde sur le principe incontestable de l'*égalité naturelle* tous les devoirs de charité, d'humanité et de justice auxquels les hommes sont obligés les uns envers les autres; et il ne serait pas difficile de le démontrer.

Le lecteur tirera d'autres conséquences, qui naissent du principe de l'*égalité naturelle* des hommes. Je remarquerai seulement que c'est la violation de ce principe qui a établi l'esclavage politique et civil. Il est arrivé de là que dans les pays soumis au pouvoir arbitraire les princes, les courtisans, les premiers ministres, ceux qui manient les finances possèdent toutes les richesses de la nation, pendant que le reste des citoyens n'a que le nécessaire, et que la plus grande partie du peuple gémit dans la pauvreté.

Cependant, qu'on ne me fasse pas le tort de supposer que par un esprit de fanatisme j'approuvasse dans un Etat cette chimère de l'*égalité* absolue, que peut à peine enfanter une république idéale; je ne parle ici que de l'*égalité naturelle* des hommes; je connais trop la nécessité des conditions différentes, des grades, des honneurs, des distinctions, des prérogatives, des subordinations qui doivent régner dans tous les gouvernements; et j'ajoute même que l'*égalité naturelle* ou *morale* n'y est point opposée. Dans l'etat de nature, les hommes naissent bien dans l'*égalité*, mais ils n'y sauraient rester; la société la leur fait perdre, et ils ne redeviennent égaux que par les lois. Aristote rapporte que Phaléas de Chalcédoine avait imaginé une façon de rendre égales les fortunes de la république où elle ne l'étaient pas; il voulait que les riches donnassent des dots aux pauvres et n'en reçussent pas, et que les pauvres reçussent de l'argent pour leurs filles et n'en donnassent pas.

Mais (comme le dit l'auteur de l'*Esprit des lois* [4]) aucune république s'est-elle jamais accommodée d'un règlement pareil? Il met les citoyens sous des conditions dont les différences sont si frappantes qu'ils haïraient cette *égalité* même que l'on chercherait à établir, et qu'il serait fou de vouloir introduire.

4. Montesquieu.

Eléments de bibliographie

Parallèlement à l'introduction à Machiavel constituée par le présent volume, on trouvera profit à lire celle d'Hélène Védrine: *Machiavel ou la science du pouvoir,* Paris, Seghers, «Philosophes de tous les temps», 1972.

Les deux études françaises les plus respectées ont déjà vingt-cinq ans. Ce sont: Augustin Renaudet: *Machiavel,* Paris, Gallimard, 1942 et 1956. Georges Mounin: *Machiavel,* Paris, Seuil, 1957 et 1966.

Ouvrages cités

La Sainte Bible, trad. de l'Ecole biblique de Jérusalem, Paris, Cerf, 1961.

Descartes, *Discours de la Méthode,* Montréal, l'Hexagone et Minerve, collection Balises, 1981.

Gramsci, *Cahiers de prison,* n°s 10, 11, 12 et 13, trad. Fulchignoni et *alii*, Paris, Gallimard, 1978.

Machiavel, *le Prince,* suivi d'un choix de lettres, trad. Jean Anglade, Paris, le Livre de poche, 1972.

Machiavel, *Œuvres complètes,* trad. Edmond Barincou, Paris, Gallimard, La Pléiade, 1952. Note: le terme «complètes» est de complaisance, et le choix de lettres n'est pas le même que chez Anglade.

Machiavel, *Œuvres complètes,* trad. J.V. Péries, Paris, Michaud, 1823-1826.

Nietzsche, *Par-delà bien et mal* et *la Généalogie de la morale*, trad. Heim, Hildenbrand et Gratien, Paris, Gallimard, 1971.

Régnault, François, «La Pensée du prince (Descartes et Machiavel)» dans *Les Cahiers pour l'analyse*, Paris, Seuil, n° 6, 1969.

Rousseau, *Œuvres complètes* III, Paris, Gallimard, La Pléiade, 1964.

Index

Collection BALISES

BALISES propose la première édition québécoise du corpus des classiques, c'est-à-dire de l'ensemble des grands textes de l'histoire mondiale des idées et des littératures dont les effets se perpétuent dans la culture.

BALISES ouvre l'accès à ces textes qui constituent, trop souvent implicitement, la référence des discours qui hantent la Cité. Les productions culturelles n'ont pas surgi ex nihilo et l'urgence s'impose d'en amorcer la généalogie ici et maintenant.

BALISES répond à une double nécessité. D'abord, permettre le repérage des filiations culturelles, c'est-à-dire rendre possible le décodage de ces références privilégiées que sont les classiques et ainsi baliser notre espace culturel. Ensuite, lever une double occultation: celle qui oblitère le passé culturel depuis la «Révolution tranquille» et celle qui résulte de la dépendance culturelle par rapport aux points de vue des métropoles occidentales. Aussi la tâche de retracer ce que les historiens métropolitains et régionaux se sont ingéniés à masquer et à taire s'impose-t-elle.

Il n'existe pas, aujourd'hui, de société constituée et viable qui n'ait ses propres lectures des grands textes de l'histoire des idées et des littératures. BALISES travaille à réaliser, en Amérique francophone, l'adéquation du texte au contexte, à préciser les contours fuyants d'un complexe socio-culturel particulier et à inventer les conditions de possibilité d'un apport original aux autres cultures.

Robert Dessureault